AF617254

AMOK
EDICIONES

El jardín de las brumas

Título original: *The Garden of the Evening Mists*

AMOK Ediciones
comunicacion@amokediciones.es

Natalia Martínez, por la maquetación

Dirección creativa y de arte de la colección:
Madre, Espacio de Contenidos Creativos.
www.madrenohaymasqueuna.com
Diseño gráfico de este título:
Milos Kalvin para TheWhiteRoomLab

ISBN: 978-84-19211-08-8
Depósito legal: M-26284-2023
Impreso por Leitzaran Grafikak
Impreso en España — Printed in Spain

El jardín de las brumas

Tan Twan Eng

Para mi hermana y
opgedra aan A J Buys – sonder jou sou hierdie boek dubbel so lank en halfpad so goed wees. Mag jou eie mooi taal altyd gedy.

Hay una diosa de la Memoria, Mnemósine, pero no existe la del Olvido. Y debería existir, pues ambas son hermanas, fuerzas gemelas que caminan a nuestro paso, cada una a un lado, mientras se disputan el dominio sobre nosotros y lo que somos, durante el trayecto hasta la muerte.

Richard Holmes, *A Meander Through Memory and Forgetting*

Capítulo uno

En una montaña sobre las nubes, una vez vivió un hombre que había sido el jardinero del emperador de Japón. No eran muchos los que sabían de su existencia antes de la guerra, pero yo sí. A punto de amanecer, un día dejó su hogar para venir a las tierras altas del centro de la península malaya. Yo tenía diecisiete años cuando mi hermana me habló de él por primera vez, y pasaría una década antes de que viajara a las montañas para verlo.

No se disculpó por lo que sus compatriotas nos habían hecho a mi hermana y a mí. Ni aquella mañana salpicada de lluvia en que nos conocimos ni en ninguna otra ocasión. ¿Qué palabras podrían haber aliviado mi dolor y habérmela devuelto? Ninguna. Y él lo entendió. No mucha gente lo entendía.

Treinta y seis años después de aquella mañana oigo de nuevo su voz, hueca y profunda. Han empezado a emerger recuerdos que ya había desterrado, como fragmentos que se desprenden de una placa de hielo ártico. Durante el sueño, esos témpanos rotos navegan a la deriva hacia la primera luz de la memoria.

La quietud de las montañas me despierta. La profundidad del silencio: eso es lo que había olvidado de la vida en Yugiri. Los murmullos de la casa flotan en el aire cuando abro los ojos. «Una casa antigua atesora un cúmulo de recuerdos», me dijo Aritomo en una ocasión.

Ah Cheong golpea la puerta y me llama con suavidad. Salgo de la cama y me pongo la bata. Miro alrededor en busca de mis guantes y los encuentro en la mesilla de noche. Mientras me los ajusto, le digo al mayordomo que pase. Entra y coloca sobre la mesilla la bandeja de peltre que contiene una tetera y un plato con trozos de papaya; todas las mañanas hacía lo mismo por Aritomo. Se vuelve hacia mí y dice:

—Le deseo una larga y apacible jubilación, jueza Teoh.

—Sí, parece que me he adelantado a la tuya.

Él es, calculo, cinco o seis años mayor que yo. Anoche, cuando llegué, no estaba. Lo observo y antepongo lo que veo ahora a lo que guardo en la memoria. Es un hombre bajo y pulcro, más bajo de lo que recuerdo, y está completamente calvo. Nuestros ojos se encuentran.

—Estás pensando en la primera vez que me viste, ¿verdad?

—En la primera vez no, en el último día. En el día que usted se fue —asiente con la cabeza para sí mismo—. Ah Foon y yo… siempre tuvimos la esperanza de que usted volvería.

—¿Ella está bien?

Inclino la cabeza hacia un lado para mirar por detrás de él y busco a su esposa en la puerta; imagino que estará esperando a que la llame para entrar. Viven en Tanah Rata y todas las mañanas suben en bicicleta por la carretera de la montaña hasta Yugiri.

—Ah Foon falleció, jueza Teoh. Hace cuatro años.

—Ah, sí, sí, es verdad.

—Ella siempre quiso expresarle su agradecimiento por haber pagado sus facturas del hospital. Yo también se lo agradezco.

Abro la tapa de la tetera y enseguida la cierro mientras intento recordar dónde la habían ingresado. Recuerdo por fin el nombre: Hospital Lady Templer.

—Cinco semanas —dice.

—¿Cinco semanas?

—Dentro de cinco semanas hará treinta y cuatro años que el señor Aritomo nos dejó.

—¡Por el amor de Dios, Ah Cheong! —Casi el mismo tiempo que llevo sin venir a Yugiri. ¿Me juzga este hombre por el número de años transcurridos desde la última vez que estuve en esta casa, como un padre que hace muescas en la pared de la cocina para señalar el crecimiento de su hijo?

Su mirada se queda fija en algún punto por encima de mi hombro.

—Si no desea nada más… —Comienza a darse la vuelta.

En un tono más suave añado:

—Espero a un invitado esta mañana, a las diez. El profesor Yoshikawa. Acompáñale cuando llegue a la veranda de la sala de estar.

El mayordomo asiente una vez con la cabeza y se marcha cerrando la puerta. No es la primera vez que me pregunto cuánto sabe, qué habrá visto y oído en sus años de servicio con Aritomo.

La papaya está helada, justo como a mí me gusta. Exprimo sobre ella la rodaja de lima y me como dos trozos antes de apartar el plato. Abro las puertas correderas y paso a la veranda. La casa se asienta sobre pilotes bajos y la veranda se eleva medio metro por encima del suelo. Las persianas de bambú crujen cuando las enrollo. Las montañas siguen tal como siempre las he recordado, con la primera luz de la mañana fundiéndose en sus laderas. Las hojas mustias húmedas y las ramitas rotas cubren el césped. Esta zona de la casa está separada del jardín principal por una valla de madera. Un tramo se ha derrumbado y la hierba alta sobresale entre los huecos de las tablas caídas. A pesar de que me había preparado para esto, la dejadez del lugar me impresiona.

Al este, por encima de la valla, se ve una parte de la plantación de té Majuba. La cuenca del valle me recuerda a las palmas de las manos de un monje cuando se ahuecan para recibir la bendición del día. Aunque es sábado, los recolectores de té trabajan ascendiendo por las laderas. Esta noche ha habido tormenta y quedan algunas nubes aisladas sobre los picos. Bajo desde la veranda hasta una hilera estrecha de baldosas de cerámica, frías y húmedas bajo mis pies descalzos. Aritomo las trajo de un palacio en ruinas de Ayutthaya, donde una vez enlosaron el patio de un rey antiguo sin nombre. Las baldosas son los últimos vestigios de un reino que ya nadie recuerda y cuyas historias están relegadas al olvido.

Lleno al máximo los pulmones y exhalo. Al ver cómo toma forma mi propia respiración, una telaraña de aire que hace solo un segundo estaba dentro de mí, recuerdo la sensación de asombro de antaño. El cansancio de los meses anteriores se escurre por mi cuerpo, solo para volver a inundarme un momento después. Resulta extraño que ya no tenga que pasarme los fines de semana leyendo montones de documentos de apelación o poniéndome al día con el papeleo semanal.

Exhalo por la boca unas cuantas veces más mientras noto cómo se desvanecen mis suspiros en el jardín.

Mi secretaria, Azizah, me trajo el sobre poco antes de que dejáramos mi despacho para pasar a la sala de justicia.

—Acaba de llegar esto para usted, *puan*[1] —me dijo.

Dentro había una nota del profesor Yoshikawa Tatsuji que confirmaba la fecha y hora de nuestro encuentro en Yugiri. La había enviado una semana antes. Al mirar la pulcra caligrafía, me pregunté si no habría sido un error aceptar la cita. Estaba a punto de telefonearle a Tokio para cancelarla cuando me di cuenta de que quizá ya se encontrara de camino a Malasia. Y había algo más dentro del sobre. Al ponerlo boca abajo, un palito de madera de unos doce centímetros de largo cayó sobre mi escritorio. Lo recogí y lo coloqué bajo la luz de la lámpara. La madera era oscura y suave, y la punta estaba rodeada por pequeñas muescas superpuestas.

—Qué corto-*lah*[2]. ¿Es un palillo para niños? —dijo Azizah mientras entraba en la estancia con un montón de documentos para firmar—. ¿Dónde está el otro?

—No es un palillo para comer.

Me senté y permanecí mirando el palo sobre la mesa hasta que Azizah me recordó que la ceremonia de jubilación estaba a punto de empezar. Me ayudó a ponerme la toga y salimos juntas al pasillo. Me adelantó, como hacía siempre, para avisar a los abogados de que la *puan hakim*[3] estaba a punto de llegar; ellos solían fijarse en su cara para calibrar mi humor. Mientras la seguía, me di cuenta de que era la última vez que recorría el trayecto desde mi despacho hasta la sala de justicia.

Construido hacía casi un siglo, el edificio del Tribunal Supremo de Kuala Lumpur poseía la solidez de una estructura colonial, erigida para durar más que los imperios. Los elevados techos y las paredes gruesas mantenían el aire fresco incluso en los días más calurosos. Mi sala de justicia era lo bastante grande como para que se sentaran

[1] «Señora» en malayo. *(N. de la T.).*

[2] En la variedad del inglés de Singapur la partícula *-lah* se utiliza al final de ciertas palabras para suavizar el tono. *(N. de la T.).*

[3] «Señora jueza» en malayo. *(N. de la T.).*

en ella cuarenta personas, puede que cincuenta; pero esa tarde de martes los abogados que no hubieran llegado con tiempo tendrían que apiñarse al fondo junto a la puerta. Azizah me había informado del número de asistentes a la ceremonia, pero, aun así, me quedé atónita cuando ocupé mi sitio en el estrado, bajo los retratos del *agong*[4] y la reina. En la sala se hizo el silencio cuando Abdullah Mansor, el presidente del tribunal, entró y se sentó a mi lado. Se inclinó y me dijo al oído:

—Aún no es tarde para reconsiderarlo.

—Nunca te rindes, ¿verdad? —dije mientras le dirigía una leve sonrisa.

—Y tú nunca cambias de opinión —suspiró—. Lo sé. Pero ¿por qué no te quedas? Solo te faltan dos años más.

Al mirarlo rememoré la tarde en que le transmití mi decisión de jubilarme anticipadamente. A lo largo del tiempo nos habíamos peleado por muchas cosas —por cuestiones legales o por su forma de dirigir los tribunales—, pero siempre había respetado su inteligencia, su sentido de la justicia y su lealtad hacia nosotros, los jueces. Aquella tarde, en su despacho, fue la única vez que perdió la compostura conmigo. En su rostro ahora solo había tristeza. Lo iba a echar de menos.

Mientras atisbaba por encima de las gafas, Abdullah comenzó a relatar mi vida al público, salpicando su discurso con frases en inglés pese al letrero que obligaba a utilizar la lengua malaya en el juzgado.

—La jueza Teoh fue la segunda mujer designada para el Tribunal Supremo —dijo—. Ha servido en este tribunal durante los últimos catorce años…

A través de las ventanas altas y polvorientas veía la esquina del campo de cricket al otro lado de la carretera y, más allá, el Club Selangor que, con su fachada de falso estilo Tudor, me recordaba a los chalés de Cameron Highlands. Sonó el reloj de la torre sobre el pórtico central y aporreó con su lánguida cadencia las paredes de la sala. Giré ligeramente la muñeca y miré la hora: pasaban once minutos de la tres. El reloj de la torre estaba, como siempre, inequívocamente adelantado; hacía años que un rayo le había robado la puntualidad.

[4] Título que recibe el jefe de Estado de Malasia. *(N. de la T.).*

—... pocos de nosotros sabemos que estuvo prisionera en un campo de internamiento japonés cuando tenía diecinueve años —dijo Abdullah.

Los abogados murmuraron entre ellos y me observaron con creciente interés. Nunca había hablado con nadie de los tres años que pasé en aquel lugar. Intentaba afrontar los días sin pensar en ello y generalmente lo conseguía. Pero, de vez en cuando, los recuerdos afloraban con un sonido que escuchaba, con una palabra que alguien pronunciaba o con un olor que percibía por la calle.

—Cuando terminó la guerra —prosiguió el presidente—, la jueza Teoh trabajó como empleada de investigación en el Tribunal de Crímenes de Guerra mientras esperaba su admisión para estudiar leyes en Girton College, en Cambridge. Cuando se licenció, volvió a Malaya en 1949 y trabajó como ayudante del fiscal durante casi dos años...

En la primera fila, debajo de mí, había cuatro abogados británicos ancianos con corbata y traje casi tan antiguos como ellos. Al igual que muchos hacendados del caucho y empleados públicos decidieron quedarse en Malaya tras la independencia, treinta años atrás. Exhibían el mismo aire desolado de las páginas arrancadas de un libro viejo y olvidado.

El presidente del tribunal carraspeó y lo miré.

—... la jueza Teoh no estaba obligada a jubilarse hasta dentro de dos años, por lo que sin duda se imaginarán nuestra sorpresa cuando, hace tan solo dos meses, nos dijo que pretendía dejar el tribunal. Sus sentencias escritas son conocidas por su claridad y su elegancia en la expresión... —Sus palabras florecieron volviéndose cada vez más halagadoras. Yo me encontraba lejos, en otra época, pensando en Aritomo y en su jardín en las montañas.

El discurso terminó. Mi menté volvió a la sala de justicia con la esperanza de que nadie se hubiera percatado de mis ausencias; no era apropiado estar distraída en mi propia ceremonia de jubilación.

Dirigí unas palabras breves y sencillas al público, y a continuación Abdullah puso fin al acto. Celebré una pequeña recepción en mi despacho con unos cuantos admiradores del Consejo de la Abogacía, con mis compañeros y con los socios mayoritarios de los bufetes de abogados más importantes de la ciudad. Un periodista me hizo unas cuantas preguntas y tomó algunas fotografías. Después de que los invitados se marcharan, Azizah comenzó a dar vueltas por la estancia para recoger los vasos y platos de papel con los restos.

—Llévate esos hojaldres de *curry* —le pedí— y aquella caja de pasteles. No tires la comida.

—Lo sé-*lah*. Siempre me lo dice. —Lo empaquetó todo y añadió—: ¿Necesita algo más?

—Puedes irte a casa. Yo cerraré. —Eso era lo que normalmente le decía al final de cada jornada—. Y gracias, Azizah. Por todo.

Sacudió las arrugas de mi toga negra, la colgó en el perchero y se volvió para mirarme.

—No fue fácil trabajar para usted todos estos años, *puan*, pero me alegro de haberlo hecho. —Las lágrimas brillaban en sus ojos—. Los abogados… usted siempre fue dura con ellos, pero siempre la han respetado. Usted los escuchaba.

—Ese es el deber de un juez, Azizah. Escuchar. Muchos jueces parecen olvidarlo.

—Ah, pero antes no estaba escuchando, cuando *tuan*[5] Mansor hablaba sin parar. Me he fijado en usted.

—Estaba contando mi vida, Azizah. —Le sonreí—. No era nada nuevo para mí, ¿no crees?

—¿Eso se lo hicieron los *orang jepun*[6]? —Me señaló las manos—. *Maaf* —se disculpó—, pero… siempre me ha dado miedo preguntárselo. Ya sabe, nunca la he visto sin sus guantes.

Roté la muñeca izquierda despacio, como si girara el pomo invisible de una puerta.

—Es lo bueno de envejecer —dije mirando la parte del guante en la que se habían cortado y cosido dos de los dedos—. A menos que miren de cerca, es probable que la gente piense que soy una vieja presumida que esconde su artritis.

Permanecimos allí las dos, sin saber bien cómo despedirnos. Entonces ella alargó la mano, me agarró la derecha y tiró de mí para abrazarme antes de que yo pudiera reaccionar; me envolvió como se envuelve la masa alrededor de un palillo. Luego me soltó, recogió su bolso y se fue.

[5] «Presidente» en malayo. *(N. de la T.).*

[6] «Japoneses» en malayo. *(N. de la T.).*

Miré a mi alrededor. Las estanterías estaban vacías. Ya habían embalado mis cosas y las habían enviado a mi casa en Bukit Tunku, como restos flotantes que las olas arrastran mar adentro. Unas cajas de revistas *Malayan Law Journal* y *All England Reports* permanecían apiladas en una esquina para donarlas a la Biblioteca de la Abogacía. Solo quedaba un estante con ejemplares de *MLJ* con los lomos estampados en dorado y el año en que se redactaron los casos. Azizah había prometido volver al día siguiente para empaquetarlos.

Me acerqué a un cuadro que colgaba de la pared, una acuarela del lugar donde me había criado. Lo había pintado mi hermana. Era el único trabajo que tenía de ella, el único que había encontrado tras la guerra. Lo descolgué de la escarpia y lo dejé junto a la puerta.

Habían distribuido entre los demás jueces los montones de carpetas de Manila atadas con gomas de color rosa que normalmente abarrotaban mi escritorio; la mesa parecía más grande de lo habitual cuando me senté. El palito de madera todavía seguía donde lo había dejado. Más allá de las ventanas medio abiertas, el anochecer animaba a los cuervos a regresar a sus nidos. Los pájaros hacían más denso el follaje de los árboles de palo de rosa que cubrían la carretera y llenaban las calles con su parloteo. Levanté el auricular del teléfono, comencé a marcar y luego me detuve, incapaz de recordar el resto de los números. Hojeé mi agenda, llamé al edificio principal de la plantación de té Majuba y, cuando la sirvienta contestó, pedí hablar con Frederik Pretorius. No tuve que esperar mucho.

—¿Yun Ling? —dijo cuando se puso al teléfono. Sonaba ligeramente sofocado.

—Voy a ir a Yugiri.

Se hizo un silencio al otro lado de la línea.

—¿Cuándo?

—Este viernes. —Callé. Habían pasado siete meses desde la última vez que habíamos hablado—. ¿Podrías pedirle a Ah Cheong que prepare la casa?

—Siempre la tiene preparada para ti —contestó Frederik—, pero se lo diré. Para en la finca cuando estés de camino. Podemos tomar un té. Y yo te llevaré a Yugiri.

—No se me ha olvidado cómo llegar, Frederik.

Se hizo otro silencio entre nosotros.

—El monzón ya ha pasado, pero aún queda algo de lluvia. Conduce con cuidado.

Colgó.

La llamada a la oración se extendió desde los minaretes de la mezquita de Jamek a lo largo del río y resonó en toda la ciudad. Escuché cómo se vaciaba el juzgado. Los sonidos me resultaban tan familiares que había dejado de prestarles atención hacía años. La rueda de un carrito chirriaba mientras alguien —probablemente Rashid, el empleado del registro— llevaba las solicitudes diarias al archivo. El teléfono se escuchó en el despacho de otro juez durante un minuto y luego paró. Los portazos retumbaban por los pasillos; nunca me había dado cuenta de lo fuerte que sonaban.

Tomé mi maletín y lo sacudí. Pesaba menos que de costumbre. Metí la toga dentro. Desde la puerta, me volví para contemplar mi despacho. Me agarré al marco de la puerta, consciente de que nunca más volvería a poner un pie en esa sala. El momento de debilidad pasó. Apagué las luces, pero me quedé un rato más mirando las sombras. Recogí la acuarela de mi hermana y giré el pestillo varias veces para asegurarme de que la puerta se quedaba bien cerrada. Luego recorrí el pasillo iluminado por una luz tenue. Desde una de las paredes me observaba un público de antiguos jueces cuyos rostros iban cambiando a medida que avanzaba: de europeos a malayos, chinos e indios; de blanco y negro a color. Pasé por delante del hueco donde pronto añadirían mi retrato. Al final del corredor bajé las escaleras. En lugar de girar a la izquierda, hacia la salida que daba al aparcamiento de los jueces, me encaminé al jardín del patio.

Esa era la parte de los edificios del juzgado que más me gustaba. A menudo me sentaba allí para meditar sobre los problemas legales de la sentencia que estuviera redactando en ese momento. Eran pocos los jueces que salían al patio alguna vez, así que por lo general tenía todo el sitio para mí. A veces, si daba la casualidad de que Karim, el jardinero, estaba trabajando, hablaba con él un rato y le daba consejos sobre qué plantar y qué arrancar. Aquella tarde estaba sola.

Saltaron los aspersores y atenuaron el aroma a hierba tostada por el sol que flotaba en el aire. Habían rastrillado las hojas caídas del guayabo y las habían amontonado. Detrás de los juzgados, los ríos Gombak y Klang confluían y dejaban en el ambiente el olor de la tierra erosionada de la sierra de Titiwangsa, en el norte. La mayoría de la gente de Kuala Lumpur no soporta ese hedor, especialmente cuando el río llevaba poca agua entre las estaciones del monzón, pero a mí nunca me ha importado que en el centro de la ciudad pudiera percibirse el aroma de unas montañas situadas a más de ciento sesenta kilómetros de distancia.

Me senté en el banco de siempre y, al abrir los sentidos a la quietud instalada en el edificio, pasé a formar parte de ella.

Al cabo de un rato, me levanté. Faltaba algo en el jardín. Me aproximé al montón de hojas, cogí unos puñados y las esparcí al azar sobre el césped. Me alejé de la hierba mientras me sacudía los restos que se me habían quedado pegados en las manos. Sí, ahora estaba mejor. Mucho mejor.

Las golondrinas descendían en picado desde sus nidos en los aleros y me rozaban la cabeza con la punta de las alas. Pensé en una cueva de piedra caliza en la que había estado en una ocasión, allá arriba en las montañas. Salí del patio con mi maletín y la acuarela. Por encima de mí, en el cielo, se alejó el último verso de la oración desde la mezquita y quedó solo silencio donde antes había estado su eco.

Yugiri se encontraba once kilómetros al oeste de Tanah Rata, la segunda de las tres poblaciones principales de la carretera que sube a Cameron Highlands. Llegué allí tras conducir cuatro horas desde Kuala Lumpur. Como no tenía prisa había parado varias veces a lo largo del camino. Cada pocos kilómetros pasaba por algún puesto donde se vendían botellas turbias de miel silvestre, cerbatanas y manojos de frijoles amargos. Desde la última vez, habían ensanchado considerablemente la carretera y suavizado las curvas más pronunciadas, pero ahora circulaban demasiados coches y autobuses turísticos, demasiados camiones desbordados que perdían grava y cemento en su camino hacia alguna obra en las tierras altas.

Era la última semana de septiembre, la estación de lluvias se cernía amenazante alrededor de las montañas. Al entrar en Tanah Rata, la vista del antiguo Royal Army Hospital, construido sobre una cuesta empinada, me provocó una inquietud familiar; Frederik me había dicho que ahora era una escuela. Por detrás se alzaba un hotel nuevo, con la inevitable fachada de imitación Tudor. Tanah Rata ya no era un pueblo sino una pequeña ciudad, y su calle principal había sido ocupada por restaurantes de comida malaya, agencias de viajes y tiendas de *souvenirs*. Me alegré de dejarlos atrás.

El guarda estaba cerrando las puertas de hierro forjado de la plantación de té Majuba cuando pasé por delante. Continué por la carretera principal durante un kilómetro antes de darme cuenta de que me había pasado el desvío de Yugiri. Di la vuelta, enfadada conmigo misma, y conduje más despacio hasta que encontré la bifurcación, que se escondía tras unas vallas publicitarias. La carretera de laterita se acababa poco después, a la entrada de Yugiri. A un lado había un Land Rover aparcado. Detuve mi coche junto a él, me bajé y sacudí las piernas agarrotadas.

El elevado muro que protegía el jardín estaba parcheado de musgo y viejas manchas de humedad, y en las grietas crecían helechos. En él se abría una puerta y, junto a una de las jambas, una placa de madera con un par de ideogramas japoneses grabados. Debajo aparecía un nombre en inglés: «El jardín de las brumas». Sentí que estaba a punto de entrar en un lugar que debía su existencia únicamente a la combinación de aire y agua, de luz y tiempo.

Al mirar por encima del muro, mis ojos siguieron la hilera irregular de árboles de la colina que se elevaban por detrás del jardín. Hallé, medio escondida entre ellos, la torre de observación de madera, como la cofa de un galeón que se hubiera hundido entre las ramas y hubiera quedado atrapada por una marea de hojas. Me quedé mirando por unos instantes el sendero que discurría hacia las montañas como si pudiera adivinar en él a Aritomo de vuelta a casa. Sacudí la cabeza, empujé la puerta, entré en el jardín y cerré.

Los sonidos del mundo exterior se desvanecieron, amortiguados entre las hojas. Permanecí de pie, inmóvil. De repente, sentí que no había cambiado nada desde la última vez que había estado allí, casi treinta y cinco años antes: la fragancia de la resina de los pinos que impregnaba el aire, los crujidos y golpeteos del bambú entre la brisa y el mosaico quebrado de la luz del sol esparciéndose por el suelo.

Comencé a recorrer el jardín, guiada por la brújula de la memoria. Me confundí de camino una o dos veces, pero finalmente llegué al estanque. Me detuve. El paseo sinuoso a través del túnel de árboles realzaba el efecto producido por la imagen del cielo abierto reflejada sobre el agua.

En el centro del estanque se apiñaban seis piedras altas y estrechas formando las cimas de una cordillera de montañas calizas en miniatura. En la orilla opuesta se alzaba el templete que, reflejado en el agua, parecía un farolillo de papel colgado del aire. A su lado, a muy pocos metros, crecía un sauce cuyas ramas bebían del estanque.

En la parte poco profunda, una garza real ladeó la cabeza hacia mí con una pata suspendida en el aire, como la mano de un pianista que hubiera olvidado las notas de su partitura. Un segundo después dejó caer la pata y lanzó el pico al agua. ¿Sería descendiente de la que anidó allí la primera vez que fui a Yugiri? Frederik me había dicho que siempre había una en el jardín: una saga eterna de aves solitarias. Sabía que no podía tratarse del mismo pájaro de hacía casi cuarenta años pero, mientras la observaba, deseé que lo fuera; quería creer que, al entrar en aquel santuario, la garza se las había arreglado de algún modo para escurrirse entre los dedos del tiempo.

A mi derecha, al final de una cuesta, se encontraba la casa de Aritomo. Las luces brillaban tras las ventanas y el humo de la chimenea de la cocina trazaba dibujos por encima de las copas de los árboles. Un hombre apareció en la puerta principal y comenzó a descender el camino dirigiéndose hacia mí. Se paró a unos cuantos pasos, quizás para establecer un espacio de observación mutua. Somos como cada una de las plantas, piedras y perspectivas de este jardín, pensé, separados por una distancia calculada con cuidado.

—Ya creía que habías cambiado de opinión —dijo mientras acortaba ese espacio que nos separaba.

—El trayecto era más largo de lo que recordaba.

—Los sitios parecen alejarse a medida que envejecemos, ¿verdad?

A sus sesenta y cinco años, Frederik Pretorius tenía el aire digno que desprenden las obras de arte antiguas, conscientes de su rareza y su valor. Habíamos mantenido el contacto durante todos esos años y, cuando venía a Kuala Lumpur, quedábamos para tomar algo o para comer, pero yo siempre había declinado sus invitaciones para visitar Cameron Highlands. Durante los últimos dos o tres años sus viajes a Kuala Lumpur se habían espaciado. Hacía mucho que me había dado cuenta de que era el único amigo íntimo que había tenido jamás.

—Por la manera en que mirabas a ese pájaro —dijo— he sentido que estabas recordando el pasado.

Me giré para observar a la garza otra vez. El ave se había adentrado más aún en el estanque. De la superficie brotaba la bruma que, como un susurro, solo el viento podía atrapar.

—Pensaba en los viejos tiempos.

—Durante un segundo creí que estabas a punto de desvanecerte. —Se detuvo y enseguida continuó—: Quería llamarte.

—Me he jubilado.

Era la primera vez que se lo decía a otra persona en voz alta. Me dio la impresión de que algo se desprendía dentro de mí, se hacía pedazos y me dejaba más incompleta que antes.

—Lo vi en los periódicos de ayer —dijo Frederik.

—La foto que me hicieron era espantosa, un horror.

Se encendieron las luces en el jardín y los insectos voladores comenzaron a girar confusos. Una rana croó. Otras ranas contestaron el reclamo, después se sumaron algunas más, y así hasta que el aire y la tierra vibraron con un millar de gárgaras.

—Ah Cheong se ha ido a casa —dijo Frederik—. Volverá mañana por la mañana. He comprado algo de comida. Imagino que todavía no te habrá dado tiempo a ir de tiendas.

—Qué amable.

—Hay algo que necesito comentar contigo; quizás mañana por la mañana, si pudieras.

—Soy bastante madrugadora.

—No se me ha olvidado. —Sus ojos se posaron en mi cara—. ¿Estarás bien sola?

—Estaré bien. Nos vemos mañana.

No parecía convencido, pero asintió. Entonces se dio la vuelta, se alejó por el sendero que yo acababa de recorrer y desapareció entre las sombras de los árboles.

En el estanque la garza batió las alas, las puso a prueba unas cuantas veces y echó a volar. Trazó un círculo por encima de mí. Al final del giro, abrió aún más las alas y siguió la estela de estrellas que acababa de aparecer. Me quedé de pie con el rostro vuelto hacia arriba observando cómo se disolvía en la penumbra.

De regreso a mi habitación me acuerdo del plato de papaya que Ah Cheong me ha traído. Me obligo a comer las rodajas que quedan; luego deshago las maletas y cuelgo la ropa en el armario. En los últimos años he oído que la gente se queja porque el clima de las tierras altas ya no es tan fresco como antes pero, aun así, decido ponerme una chaqueta.

La casa está oscura cuando salgo de mi habitación y voy recordando el camino al avanzar por los sinuosos pasillos. El tatami del salón, que cruje con suavidad cuando me desplazo sobre él, tiene el barniz gastado por la presión de los pies descalzos. Las puertas de la veranda están abiertas. Ah Cheong ha colocado allí una mesa baja cuadrada con esteras de ratán a los lados. Debajo de la veranda, cinco rocas de color gris oscuro, separadas unas de otras, descansan sobre un lecho de grava cubierto de hojas. Una de las rocas está más alejada del resto. Más allá de esta zona, el suelo se inclina ligeramente hacia el borde del estanque.

Frederik llega y parece disgustado por tener que sentarse en el suelo. Deja caer una carpeta de Manila sobre la mesa, se sienta con las piernas cruzadas y se retuerce mientras trata de acomodarse sobre la estera.

—¿Te sientes extraña al volver? —pregunta.

—Cada vez que me doy la vuelta oigo el eco de sonidos de hace mucho tiempo.

—Yo también los oigo.

Desata la cuerda que rodea la carpeta y coloca sobre la mesa un fajo de papeles.

—Los bocetos de la última gama. Aquí está… —Su dedo índice desliza una hoja hacia mí por la superficie lacada de la mesa—. Y este es para el envase.

El emblema utilizado en las ilustraciones me resulta familiar; lo que en un principio parece ser la nervadura de una hoja de té se transforma en un dibujo detallado de los valles cuyos trazos esconden la Residencia Majuba.

—¿Es del grabado que Aritomo le dio a Magnus? —pregunto.

—Me gustaría usarlo —dice Frederik—. Te pagaré, por supuesto. Por los derechos, quiero decir.

Aritomo me había legado Yugiri y los derechos de autor de todas sus obras literarias y artísticas. Salvo contadas excepciones, nunca he permitido su reproducción.

—Úsalo —digo—. No quiero que me pagues.

No oculta su sorpresa.

—¿Cómo está Emily? —le interrumpo antes de que hable—. Debe de tener ya... ¿cuánto? ¿Ochenta y ocho años? —Intento imaginar lo que habrá envejecido su tía desde que la conocí.

—Le daría un soponcio si te oyera. Este año cumplirá ochenta y cinco —titubea—. No está bien. Hay días que parece tener memoria de elefante, pero otros... —su voz se pierde en un suspiro.

—Iré a verla cuando me haya instalado. —Sé que Emily, al igual que tantas otras ancianas chinas, le da mucha importancia a que las personas más jóvenes vayan a visitarla cuanto antes como muestra de respeto.

—Será mejor que lo hagas, sí, porque le he comentado que has vuelto.

Agito una mano señalando el jardín.

—Tus trabajadores han cuidado bien Yugiri.

—Se supone que los jueces no mienten. —Un segundo después la sonrisa desaparece de su cara—. Ambos sabemos que mis chicos no tienen aptitudes para mantenerlo. Y además, como ya sabes, yo no tengo conocimientos ni interés ni tiempo para asegurarme de que hagan su trabajo como es debido, francamente. El jardín necesita tu atención. —Se detiene un momento y continúa enseguida—: Por cierto, he decidido hacer algunos cambios en el jardín de Majuba.

—¿Qué tipo de cambios?

—He contratado a alguien para que me ayude —dice Frederik—. Vimalya empezó a trabajar como jardinera en Tanah Rata hace un año. Es una gran admiradora de los jardines autóctonos.

—Seguidora de la moda. —No me molesto en suavizar el tono despectivo.

Un gesto de irritación se dibuja en su cara.

—Estamos volviendo a los planes de la naturaleza. Utilizamos plantas y árboles originarios de la región. Los dejamos crecer como lo hubieran hecho de modo natural, con la mínima intervención e interferencia posible.

—¿Vais a quitar todos los pinos de Majuba? ¿Y los abetos, los eucaliptos... las rosas, los lirios... las... las strelitzias?

—Son especies foráneas. Todas.

—También lo son todos y cada uno de los arbustos de té que hay por aquí. Y yo. Y tú, señor Pretorius. Especialmente tú.

No es de mi incumbencia, lo sé, pero durante casi sesenta años, incluso antes de que Magnus, el tío de Frederik, se estableciera en la plantación de té Majuba, los jardines cultivados, con su apariencia formal, siempre gozaron de gran admiración y fueron muy valorados. Han venido visitantes de todo el país para disfrutar de un jardín inglés en el trópico. Caminan entre setos meticulosamente cortados y voluptuosos parterres, entre los arriates y las rosas que Emily plantó. Me duele oír que van a transformarlo, que van a hacer que parezca una parte más del bosque tropical que nos invade por todas partes, un lugar lleno de maleza, descuidado, carente de orden.

—Ya te lo dije hace mucho tiempo… los jardines de Majuba son demasiado artificiales. Cuanto más viejo me hago, menos partidario soy de controlar la naturaleza. Se debería permitir que los árboles crecieran todo lo que quisieran. —Frederik desvía la mirada hacia el jardín—. Si por mí fuera, quitaría todo esto.

—¿Qué es la jardinería, sino el control y el perfeccionamiento de la naturaleza? —Me doy cuenta de que estoy elevando la voz—. En esa «jardinería autóctona», o como quiera que se llame, de la que hablas también intervienen las personas. Deshacéis arriates, taláis árboles e introducís semillas y esquejes. A mí todo eso me resulta muy planificado.

—Los jardines como el de Yugiri son engañosos. Son falsos. Aquí todo se ha planeado, recortado y fabricado. Estamos en uno de los sitios más artificiales que puedes encontrar.

Los gorriones echan a volar desde el césped hacia los árboles como hojas caídas que regresan a sus ramas. Pienso en esas prácticas de jardinería a las que Frederik se opone, esos aspectos que los japoneses adoran: las técnicas de control de la naturaleza, perfeccionadas a lo largo de mil años. ¿Será que, al vivir en tierras azotadas a menudo por los terremotos y los desastres naturales, pretenden domesticar el mundo a su alrededor? Mis ojos se dirigen a la sala de estar, hacia el bonsái de pino que Ah Cheong ha cuidado con tanto esmero. El inmenso tronco que el árbol habría desarrollado se ha reducido para que no quede fuera de lugar encima de un escritorio y se le ha dado la forma deseada mediante un alambre de cobre enrollado alrededor de sus ramas. Las personas como Frederik podrían pensar que tales prácticas son una equivocación, algo así como intentar asumir los poderes celestiales sobre la tierra. Y sin embargo, solo en el jardín de Yugiri, cuidadosamente planificado y creado, yo había logrado hallar sensación de orden y calma; incluso, durante un breve espacio de tiempo, había encontrado el olvido.

—Esta mañana vendrá a visitarme una persona —digo—. De Tokio. Para ver los grabados de Aritomo.

—¿Vas a venderlos? ¿Estás mal de dinero?

Su preocupación me conmueve y apacigua mi enfado. Además de diseñador de jardines, Aritomo también fue un maestro de la xilografía. Después de que en un momento de descuido, durante una entrevista, yo admitiera que me había dejado una colección de grabados, unos expertos en Japón intentaron convencerme para que me desprendiera de ellos o para que los expusiera. Siempre me he negado, para su indignación, y muchos han dejado claro que no me consideran su legítima propietaria.

—El profesor Yoshikawa Tatsuji contactó conmigo hace un año —le explico—. Quiere hacer un libro con los grabados de Aritomo. No quise hablar con él.

Frederik levanta las cejas.

—Pero ¿va a venir hoy?

—He hecho averiguaciones sobre él. Es historiador. Un historiador respetado. Ha escrito artículos y libros sobre la actuación de su país en la guerra.

—Negando que sucedieran ciertas cosas, estoy seguro.

—Tiene fama de ser objetivo.

—¿Por qué un historiador iba a interesarse por el arte de Aritomo?

—Yoshikawa es también una autoridad en el grabado japonés.

—¿Has leído algún libro suyo? —pregunta Frederik.

—Están todos en japonés.

—Pero tú hablas japonés, ¿no?

—Lo hablaba, y solo lo suficiente para hacerme entender. Hablarlo es una cosa, pero leerlo… Eso es otra historia.

—En todos estos años —continúa Frederik—, en todo este tiempo, nunca me has contado lo que te hicieron los *japos*. —Su voz es cálida, pero percibo en ella un rastro oculto de dolor.

—Lo que me hicieron a mí se lo hicieron a otros miles de personas. —Repaso con el dedo las líneas de la hoja que hay sobre el paquete de té—. Aritomo me recitó una vez un poema sobre un arroyo que se había secado. —Me quedo pensando un momento, luego añado—: «Aunque el agua haya dejado de correr, aún oímos el susurro de su nombre».

—Todavía te resulta duro, ¿verdad? —dice Frederik—. Incluso tanto tiempo después de su muerte.

Todavía me desconcierto cuando oigo a alguien mencionar la muerte de Aritomo, incluso después de todo este tiempo.

—Hay días en los que pienso que él sigue ahí, deambulando por las montañas, como uno de los Ocho Inmortales de la leyenda taoísta, un sabio que vuelve a casa —digo—. Pero lo que más me asombra es que aún venga gente hasta aquí solo porque han oído todas esas historias.

—Bueno, él vivió aquí durante… ¿cuánto? ¿Trece años? ¿Catorce? Recorría los senderos de la jungla todos los días. Los conocía mejor que algunos guías forestales. ¿Cómo pudo perderse?

—«Incluso los monos se caen de los árboles». —Me esfuerzo en recordar dónde he oído esa frase, pero no lo consigo. Ya me vendrá a la cabeza, intento convencerme a mí misma—. Puede que Aritomo no estuviera tan familiarizado con la jungla como él creía. —Percibo el sonido de la campana en el interior de la casa, mientras alguien tira de la cuerda en la puerta—. Ese debe de ser Yoshikawa.

Frederik apoya las manos en la mesa y se levanta con un gruñido de anciano. Yo permanezco sentada y observo cómo desaparecen las marcas que han dejado sus palmas sobre la superficie.

—Frederik, me gustaría que te quedaras mientras hablo con él.

—Tengo prisa. Va a ser un día complicado.

Despacio, me incorporo hasta encontrarme a su altura.

—Por favor, Frederik.

Me mira. Al cabo de un momento, asiente con la cabeza.

Capítulo dos

El historiador ha llegado exactamente a la hora acordada; me pregunto si habrá oído algo sobre cómo trataba a los abogados que se presentaban con retraso en mi juzgado. Ah Cheong lo acompaña a la veranda unos minutos más tarde.

—Profesor Yoshikawa —le doy la bienvenida en inglés.

—Por favor, llámeme Tatsuji —responde con una profunda reverencia que yo no devuelvo. Muevo la cabeza hacia Frederik.

—El señor Pretorius es un amigo mío.

—¡Ah! De la plantación de té Majuba —afirma Tatsuji, y me mira antes de hacer una reverencia también a Frederik.

Le ofrezco el asiento habitual de los invitados de honor, el que tiene la mejor vista del jardín. Ronda la mitad de la sesentena y viste un traje de lino gris claro, camisa blanca de algodón y corbata azul pálido. Es lo bastante mayor como para haber luchado en la guerra, pienso; se trata de una valoración casi subconsciente que a lo largo de mi vida he aplicado a todos los hombres japoneses que he conocido. Sus ojos recorren el techo bajo, los muros y los postes de madera antes de dirigirse al jardín.

—Yugiri —murmura.

Ah Cheong aparece con una bandeja de té y una pequeña campana dorada. Sirvo el té en las tazas. Tatsuji aparta la vista cuando lo sorprendo mirándome las manos.

—Su fama por negarse a hablar con cualquier persona de nuestros círculos es bien conocida, jueza Teoh —dice cuando coloco frente a él la taza—. Para ser sincero, no me sorprendió que también rechazara hacerlo conmigo, pero me quedé totalmente desconcertado cuando cambió usted de parecer.

—Descubrí su admirable reputación.

—«Mala reputación» sería una manera más adecuada de expresarlo —replica Tatsuji; no obstante, parece satisfecho.

—El profesor Yoshikawa tiene la costumbre de airear en público asuntos incómodos —explico a Frederik.

—Cada vez que hay algún intento de cambiar nuestros libros de historia o para eliminar cualquier referencia a los crímenes cometidos por nuestras tropas, cada vez que un ministro del Gobierno visita el santuario de Yasukuni —dice Tatsuji— escribo cartas a los periódicos mostrando mi oposición.

—Y ante eso… —inquiere Frederik— ¿cómo ha reaccionado su gente?

Durante unos instantes, Tatsuji se queda callado.

—Me han agredido cuatro veces en los últimos diez años —responde por fin—. He recibido amenazas de muerte. Pero sigo yendo a los programas de radio y televisión. Le cuento a todo el mundo que no podemos negar nuestro pasado. Tenemos que enmendarlo. Tenemos que hacerlo.

Saco a colación la razón de nuestro encuentro.

—Nakamura Aritomo pasó de moda hace mucho tiempo. Incluso cuando todavía vivía —digo—. ¿Por qué quiere escribir ahora sobre él?

—Cuando era más joven —explica Tatsuji—, tuve un amigo que poseía unas cuantas piezas de los *ukiyo-e* de Aritomo-*sensei*[1]. A él siempre le gustó decir a la gente que eran obra del jardinero del emperador. —El historiador acerca los labios a la taza y emite un sonido apreciativo—: Excelente té.

—De la plantación Majuba —comento.

—Me tengo que acordar de comprarlo —dice Tatsuji dirigiéndose a Frederik.

—*Uki*… ¿qué? ¿Cómo se llama lo que Aritomo hizo? —pregunta Frederik.

—Los grabados xilográficos, *ukiyo-e* —contesta Tatsuji.

[1] Término japonés utilizado para designar a un sabio, a un maestro o a alguien que merece especial respeto. *(N. de la T.).*

—¿Los ha traído? —le interrumpo—. Los grabados que tenía su amigo…

—Los destruyeron en un ataque aéreo, junto con su casa —se calla, espera y, como yo no digo nada, continúa—: A través de mi amigo comencé a interesarme por Nakamura Aritomo. No se ha escrito nada oficial acerca de sus ilustraciones ni de su vida después de que dejara Japón. Por eso quise escribir sobre él.

—Yun Ling no le da permiso a nadie para usar las ilustraciones de Aritomo, usted lo sabe —apunta Frederik.

—Estoy enterado de que Aritomo-*sensei* le dejó a usted todo lo que poseía, jueza Teoh —replica Tatsuji.

—¿Usted me envió esto? —Coloco el palo de madera sobre la mesa.

—¿Sabe qué es? —pregunta.

—Es el mango de una aguja de tatuaje —respondo—. Se usaba antes de que los tatuadores comenzaran a emplear las agujas eléctricas.

—Aritomo-*sensei* creaba un tipo de ilustraciones completamente diferentes que nunca mostró al público. —Tatsuji extiende el brazo sobre la mesa y agarra el mango. Sus dedos son esbeltos y me doy cuenta de que lleva las uñas bien arregladas—. Era un artista del *horimono.*

—¿De qué? —dice Frederik con la taza a medio camino de la boca. La mano le tiembla ligeramente. ¿Cuándo empecé a darme cuenta de esas pequeñas señales de la edad en la gente que me rodea?

—Aritomo-*sensei* fue algo más que el jardinero del emperador. —Tatsuji da forma al nudo de su corbata con el pulgar—. Era también un *horoshi*, un artista del tatuaje.

Enderezo la espalda.

—Siempre ha habido una estrecha relación entre el grabador y el maestro del *horimono* —continúa Tatsuji—, ambos beben de la misma fuente para inspirarse.

—¿Y cuál es esa fuente? —pregunto.

—Un libro —responde—. Una novela china traducida al japonés durante el siglo XVIII. *Suikoden.* Se hizo muy popular cuando la publicaron.

—Como una de esas modas pasajeras que a menudo llevan a la histeria a las colegialas japonesas —observa Frederik.

—Fue mucho más que eso —replica el historiador mientras levanta un dedo hacia su interlocutor, antes de volverse hacia mí—. Preferiría hablar en privado, jueza Teoh. Si pudiéramos quedar en otra ocasión…

Frederik hace ademán de levantarse, pero le hago un gesto negativo con la cabeza.

—¿Qué le hace estar tan seguro de que Aritomo era un artista del tatuaje, Tatsuji? —pregunto.

El historiador mira primero a Frederik y luego a mí.

—Un hombre que conocí tenía un tatuaje en el cuerpo. —Se detiene durante unos segundos mirando al vacío—. Me dijo que se lo había hecho Aritomo-*sensei.*

—Y usted le creyó.

Tatsuji me mira a los ojos y me quedo impactada por el dolor que hay en ellos.

—Era amigo mío.

—¿El mismo amigo que tenía la colección de grabados? —quiero saber. Tatsuji asiente con la cabeza—. Entonces debería haberlo traído hoy con usted.

—Falleció… hace unos años.

Durante un instante contemplo el reflejo de Aritomo sobre la superficie de la mesa. Tengo que contenerme para no darme la vuelta y cerciorarme de que no está detrás, mirando por encima de mi hombro. Parpadeo una vez y desaparece.

—Accedí a verle por el asunto de los grabados de Aritomo —le recuerdo a Tatsuji—. ¿Sigue usted interesado en ellos?

—¿Me va a dejar usar sus *ukiyo-e*?

—Cuando haya terminado de examinarlos discutiremos qué grabados aparecerán en su libro. Pero no habrá ninguna mención a los tatuajes que supuestamente hizo. —Levanto la mano cuando Tatsuji está a punto de interrumpirme—. Si incumple cualquiera de mis condiciones, cualquiera, haré que todos los ejemplares de su libro se conviertan en pasta de papel.

—Los japoneses tienen derecho a apreciar la obra de Aritomo-*sensei.*

Me señalo el pecho.

—Yo decidiré a qué tienen derecho los japoneses. —Me pongo en pie con una mueca de molestia por mis articulaciones oxidadas. El historiador se levanta para ayudarme, pero le aparto la mano—. Reuniré todos los grabados. Nos volveremos a ver dentro de unos días para que usted pueda verlos.

—¿Cuántos ejemplares hay?

—No tengo ni idea. Puede que veinte o treinta.

—¿Nunca los ha visto?

—Solo algunos.

—Estoy alojado en el hotel Smokehouse. —Anota el número de teléfono en un papel y me lo da—. ¿Podría ver el jardín?

—No está arreglado como es debido. —Toco la campana dorada que hay sobre la bandeja—. Mi mayordomo le acompañará a la salida.

El día se presenta totalmente despejado y sobre el jardín se vierte una luz intensa y clara. Las hojas del arce que hay junto a la casa han empezado a cambiar de color y pronto estarán rebosantes de rojo. Por alguna razón inexplicable este arce siempre ha desafiado la ausencia de estaciones de las tierras altas. Me apoyo contra un poste de madera y me alivio el dolor de la cadera con los nudillos. Me llevará un tiempo acostumbrarme de nuevo a sentarme al estilo japonés. Por el rabillo del ojo sorprendo a Frederik mirándome.

—No me fío de ese hombre, independientemente de su fama —dice—. Deberías dejar que otros expertos vieran los grabados también.

—No voy a estar aquí mucho tiempo.

—Pero esperaba que te quedaras una temporada —se queja—. Quería enseñarte nuestra nueva sala de té. Las vistas son espléndidas. No puedes irte otra vez tan pronto. —Me mira y, cuando por fin comprende, su cara se relaja—. ¿Qué ocurre? ¿Qué es lo que va mal?

—Algo en mi cerebro, algo que no debería estar ahí. —Me ajusto la rebeca al cuerpo. Noto que está esperando a que me explique—. He tenido problemas con los nombres. En ocasiones he sido incapaz de pensar en las palabras que quería utilizar.

Agita la mano en el aire.

—Yo también tengo esos momentos. Solo es la edad, nos estamos haciendo viejos.

—Esto es diferente —digo. Me mira y me pregunto si no debería haberme callado—. Una tarde, en el juzgado, de pronto no encontraba ni pies ni cabeza a lo que acababa de escribir.

—Y los médicos, ¿qué te han dicho?

—Los neurocirujanos me hicieron pruebas. Me confirmaron lo que ya sospechaba. Estoy perdiendo la capacidad de leer y escribir, de comprender el lenguaje, cualquier lenguaje. En un año, tal vez más, probablemente menos, no seré capaz de expresar mis pensamientos. Solo diré sandeces. Y lo que la gente diga o las palabras que vea escritas sobre una página, en un letrero de la calle, donde sea, serán ininteligibles para mí. —Permanezco en silencio durante unos segundos—. Mi capacidad mental se deteriorará. Y después vendrá la demencia, que trastornará mi mente.

Frederik me mira con atención.

—Los médicos pueden curarlo todo hoy en día.

—No quiero discutir sobre eso, Frederik. Ahórratelo. —Lo detengo con la palma de la mano y sus dos muñones. Un momento después, junto los tres dedos y los aprieto. Siento como si hubiera atrapado algo intangible en el aire—. Llegará un momento en que perderé todas mis facultades… quizás también mis recuerdos —digo esforzándome por mantener la voz calmada.

—Apúntalo —sugiere—. Anota los recuerdos que sean más importantes para ti. No debe de ser difícil… Será como escribir una de tus sentencias.

Lo miro de reojo.

—¿Qué sabes tú de mis sentencias?

Me lanza una sonrisa avergonzada.

—Mis abogados tienen instrucciones de enviarme una copia cada vez que aparecen publicadas en los repertorios de jurisprudencia. Escribes bien… Tus sentencias son claras e interesantes. Todavía recuerdo el caso sobre el ministro que usó magia negra para asesinar a su amante. En serio, deberías recopilarlas en un libro. —Las arrugas de la frente se le acentúan—. Una vez citaste a un juez inglés. ¿No decía que las palabras son las herramientas del oficio de abogado?

—Pronto ya no seré capaz de usar esas herramientas.

—Te las leeré —dice—. Cada vez que quieras volver a oír tus propias palabras te las leeré en voz alta.

—¿No comprendes lo que intento explicarte? ¡Para entonces ya no seré capaz de saber lo que me dice nadie! —No se achanta ante mi enfado, y me resulta insoportable mirar la tristeza que hay en sus ojos—. Será mejor que te vayas —le pido mientras me aparto del poste. Mis movimientos parecen lentos, pesados—. Ya te he hecho llegar tarde.

Mira el reloj.

—No es importante. Solo tengo que enseñar la finca y encandilar a unos periodistas para que escriban algo elogioso.

—Eso no será demasiado difícil.

En su cara se atisba una sonrisa que se borra un momento después. Quiere decir algo más, pero yo hago un gesto con la cabeza. Desciende los tres escalones bajos de la veranda y se da la vuelta lentamente hacia mí. De repente parece un hombre muy viejo.

—¿Qué vas a hacer? —pregunta.

—Voy a dar un paseo.

Ah Cheong me ofrece un bastón en la puerta delantera de la casa. Sacudo la cabeza, pero lo agarro. El bastón tiene un peso agradable. Lo miro un momento y luego se lo devuelvo. Tres o cuatro pasos más adelante me detengo y miro hacia atrás por encima de mi hombro. Él todavía se encuentra allí, en la entrada, observándome. Siento sus ojos clavados en mí durante todo el camino hasta que alcanzo el lado opuesto del estanque. Cuando vuelvo la vista desde la otra orilla, ya ha regresado al interior de la casa.

El aire está claro, como si ningún ser vivo lo hubiera respirado antes. Tras el calor bochornoso de Kuala Lumpur, se agradece este cambio. Es casi mediodía, pero el sol se ha ocultado tras las nubes.

Las hojas de loto cubren la superficie del agua. Hay demasiadas; no me había dado cuenta anoche, cuando llegué. En origen, los setos del lado opuesto del estanque estaban podados para que parecieran las olas de un océano golpeando la orilla, pero no los han cortado adecuadamente y las líneas se han desdibujado. Las vigas del techo del templete se están hundiendo. Toda la estructura parece derretirse, como si perdiera la memoria de su forma. El suelo está alfombrado de hojas, insectos muertos y cortezas. Algo se desliza entre ellos y me aparto.

El camino principal del jardín está enlosado con placas circulares de pizarra, piezas sobrantes de las perforaciones de las minas de oro de Raub. Cada curva del sendero muestra una panorámica diferente, en ningún momento se desvela el jardín entero, por lo que parece más extenso de lo que realmente es. Hay objetos ornamentales medio escondidos entre el carrizo, ahora demasiado crecido: un torso de granito, una cabeza de Buda de arenisca cuyos rasgos han suavizado la niebla y la lluvia, y rocas con formas y estrías inusuales. Entre los helechos ensortijados se esconden faroles de piedra con los aleros cubiertos de jirones de telarañas. Desde que Aritomo colocó la primera piedra, Yugiri fue diseñado para que pareciera antiguo y esa ilusión del paso del tiempo se ha hecho realidad.

Los empleados de Frederik se han ocupado del lugar siguiendo las instrucciones que yo misma les di. Pero el mantenimiento del jardín lo han llevado a cabo manos inexpertas: se han podado ramas que deberían haberse dejado crecer, se han despejado vistas que tendrían que haber permanecido ocultas, se ha ensanchado un sendero sin tener en cuenta la armonía global del conjunto. Incluso el viento que corre entre los arbustos suena mal porque se ha dejado crecer la maleza, que ahora es demasiado alta y densa.

Los errores y omisiones son como el ruido provocado por un grupo de instrumentos musicales desafinados. Aritomo me contó una vez que, de todos los jardines que había creado, este era el que más significaba para él.

A mitad de mi paseo me detengo, me doy la vuelta y vuelvo a la casa.

El Buda de bronce del siglo XIV que está en el estudio no ha envejecido: su cara no tiene señales de las preocupaciones del mundo. Ah Cheong ha abierto las ventanas para que se ventile la habitación durante todo el día, pero el olor a moho de los libros sobre las estanterías hace envejecer el atardecer e impregna la casa.

El presentimiento de que algo no iba bien surgió hace cinco o seis meses. A menudo me despertaba por la noche con dolores de cabeza y empecé a cansarme con frecuencia. Había días en que el trabajo no me interesaba lo más mínimo. Mis preocupaciones se convirtieron en miedo cuando comencé a olvidar nombres y palabras. No se trataba solo del paso del tiempo, sospechaba, había algo más. Cuando salí del campo de trabajos forzados estuve delicada y nunca recuperé del todo la salud. Me obligué a mí misma a retomar la vida que había conocido antes de la guerra. Me consolé siendo abogada y, más tarde, jueza; me resultaba placentero trabajar con las palabras y aplicar la ley. Durante más de cuarenta años conseguí aplazar esa extenuación del cuerpo, pero siempre había temido que llegara el día en que no quedara nada más que pudiera agotarse en mi interior. Lo que no imaginé era que el momento se presentara tan pronto y todo sucediera con tanta rapidez.

Me he convertido en una estrella colapsada que arrastra todo lo que tiene a su alrededor, incluso la luz, hacia un vacío en continua expansión.

Una vez que pierda toda capacidad de comunicación con el mundo exterior no quedarán más que mis recuerdos, que serán como un banco de arena aislado de la orilla por la marea creciente. Con el tiempo se sumergirán y serán inaccesibles para mí. Esa perspectiva me aterra. ¿De qué sirve una persona sin recuerdos? Un fantasma atrapado entre mundos, sin identidad, sin futuro, sin pasado.

La sugerencia de Frederik de que anote las cosas que no quiero olvidar ha arraigado en los surcos de mi mente. Es inútil, lo sé, pero una parte de mí quiere asegurarse de que, cuando llegue el momento, todavía tendré algo que me ofrezca una posibilidad, aunque sea exigua, de orientarme, algo que me ayude a identificar lo que es real.

Sentada en el escritorio de Aritomo, me doy cuenta de que hay fragmentos de mi vida que no quiero perder, aunque solo sea porque todavía no he encontrado un nudo con el que atarlos.

Cuando haya olvidado todo lo demás, ¿tendré por fin la claridad suficiente para ver lo que Aritomo y yo hemos significado el uno para el otro? Si para entonces todavía puedo leer mis propias palabras, aun desconociendo la identidad de quien las ha puesto por escrito, ¿me llegarán las respuestas?

Fuera las montañas se han dibujado en el jardín y ya forman parte de él. Aritomo fue un maestro del *shakkei,* el arte del «paisaje prestado», que toma elementos y panorámicas del exterior de un jardín para integrarlos en su propia creación.

Un recuerdo navega a la deriva. Trato de alcanzarlo, como si intentara agarrar una hoja que cae trazando espirales desde una rama alta. Tengo que conseguirlo. Quién sabe si volverá a mí de nuevo algún día.

Durante la Emergencia malaya, algunas de las personas que acudían a las visitas guiadas por la plantación de té Majuba pedían ver también Yugiri. Y a veces Aritomo lo permitía. En tales ocasiones, yo los esperaba en la entrada principal. La mayoría eran altos cargos del Gobierno acompañados de sus esposas que se encontraban en Cameron Highlands de permiso y que luego volvían a la guerra contra los terroristas comunistas que se escondían en la jungla. Habían oído hablar del jardín en las montañas y querían verlo para alardear después ante sus amigos del privilegio de haber paseado por él. Cuando recibía al grupo, un murmullo de expectación impregnaba el aire.

—¿Qué significa Yugiri? —preguntaba alguien, normalmente una de las mujeres, y yo contestaba—: «El jardín de las brumas».

Si la hora era buena y la luz apropiada, podían incluso vislumbrar a Aritomo, vestido con *yukata* y *hakama* —pantalones anchos con pliegues— grises, haciendo surcos con un rastrillo sobre la grava blanca como si practicara caligrafía sobre piedra. Al observar la expresión de los visitantes, sabía que algunos, si no todos, dudaban de la realidad de aquella imagen, como si estuvieran contemplando algo que no debía estar allí. La misma idea pasó por mi cabeza la primera vez que vi a Aritomo.

Él nunca los acompañaba en el recorrido por el jardín, prefería que los recibiera yo. Pero cuando le presentaba a los visitantes, dejaba lo que estuviera haciendo y hablaba con ellos. Estaba segura de que ya le habían formulado todas las preguntas anteriormente, en los largos años transcurridos desde que llegó por primera vez a aquellas montañas. Sin embargo, siempre contestaba con paciencia y nunca detecté el más leve indicio de hastío.

—Eso es —les confirmaba, introduciendo sus respuestas con una leve reverencia—, fui el jardinero del emperador. Pero eso fue en otra vida.

Invariablemente, siempre había alguien que deseaba saber por qué lo había dejado todo para venir a Malaya. Un gesto de desconcierto cruzaba entonces el rostro de Aritomo, como si nunca antes le hubieran hecho esa pregunta. Yo percibía un atisbo de dolor en sus ojos y, durante unos instantes, no oíamos nada más que los pájaros cantando en los árboles. Luego, soltaba una carcajada y respondía:

—Quizás algún día, antes de que cruce el puente flotante de los sueños, descubra la razón. Entonces se la diré.

En ocasiones, algún visitante —normalmente alguien que había luchado en la guerra o que, como yo, había sido prisionero en uno de los campos japoneses— se mostraba beligerante; yo siempre sabía quién sería, incluso antes de que abriera la boca para hablar. Los ojos de Aritomo se volvían glaciales, la comisura de sus labios se curvaba hacia abajo. Pero en todo momento permanecía cortés y acompañaba todas sus respuestas con una reverencia antes de alejarse de nosotros.

A pesar de las preguntas incómodas, siempre sentí que Aritomo disfrutaba pensando que él era una de las razones de que la gente acudiera a Yugiri; esperaban verlo, como si se tratara de una orquídea poco común imposible de encontrarse en ningún otro lugar de Malaya. Quizás fuera porque, a pesar de que no le agradaban los visitantes, Aritomo siempre dejó que se los presentara y siempre esperaba ataviado con sus ropas tradicionales cuando sabía que un grupo vendría a contemplar su jardín.

Ah Cheong ya se ha ido. La casa está tranquila. Cierro los ojos mientras me reclino en la silla. Diversas imágenes me llegan a la mente. Una bandera que ondea al viento. Un molino de agua que gira. Un par de grullas que alzan el vuelo sobre un lago y se elevan por el cielo batiendo las alas, cada vez más alto, hacia el sol.

El mundo parece diferente, en cierto modo, cuando abro los ojos de nuevo. Más claro, más definido, pero también más pequeño.

No será muy distinto de escribir una sentencia, me digo a mí misma. Encontraré las palabras que necesito, no son más que las herramientas que he usado durante toda mi vida. Extraeré del fondo de mi memoria todos los recuerdos del tiempo que pasé con Aritomo y los pondré por escrito. Bailaré con la música de las palabras una vez más.

A través de las ventanas veo que las brumas se espesan y borran las montañas que el jardín tomó prestadas. ¿Es también la bruma un elemento de *shakkei* incorporado por Aritomo —me pregunto— para servirse no solo de las montañas, sino también del viento, de las nubes, de la luz siempre cambiante? ¿La tomó prestada del cielo?

Capítulo tres

Me llamo Teoh Yun Ling. Nací en 1923 en Penang, una isla de la costa noroeste de Malaya. Mis padres, como eran chinos de los estrechos[1], hablaban sobre todo en inglés y pidieron a un amigo de la familia, que era poeta, que escogiera un nombre para mí. Teoh es mi apellido, el nombre de mi familia. Como en la vida, la familia debe ser lo primero. Eso es lo que siempre me enseñaron. Así que nunca cambié el orden de mi nombre, ni siquiera cuando estudiaba en Inglaterra, y nunca tomé uno inglés para ponérselo más fácil a nadie.

Vine a la plantación de té Majuba el 6 de octubre de 1951. Mi tren llegó con dos horas de retraso a la estación de Tapah Road, así que me sentí aliviada cuando vislumbré a Magnus Pretorius desde la ventana de mi vagón. Estaba sentado en un banco con un periódico doblado sobre las rodillas y se puso de pie cuando el tren se detuvo. Era el único hombre del andén con un parche en el ojo. Descendí y lo saludé con la mano. Pasé por delante del vagón acorazado Wickham que transportaba a los dos soldados responsables de las ametralladoras; la locomotora blindada había escoltado el tren desde nuestra salida de Kuala Lumpur. El sudor empapaba la espalda de mi blusa de algodón mientras me abría paso entre la multitud de jóvenes soldados australianos con uniformes de color caqui ignorando sus silbidos y sus miradas.

Magnus dispersó a los mozos que me acosaban ofreciendo sus servicios.

[1] Descendientes de los primeros inmigrantes chinos instalados en las colonias británicas de Singapur y la península de Malaca. *(N. de la T.).*

—Yun Ling —dijo—. ¿Este es todo tu *barang*?

—Sí, solo voy a quedarme una semana.

Tenía cerca de setenta años, aunque parecía diez años más joven. Era unos quince centímetros más alto que yo y mantenía a raya el exceso de peso tan común en los hombres de su edad. Se estaba quedando calvo, el cabello que exhibía a ambos lados de la cabeza era blanco y el ojo que aún conservaba, aunque estaba rodeado de arrugas, era de un azul extraordinario.

—Siento que hayas tenido que esperar, Magnus —dije—. Tuvimos que parar por culpa de unos controles interminables. Creo que la policía ha recibido un chivatazo sobre una emboscada.

—*Ag,* sabía que llegarías con retraso. —Su acento, con las vocales planas y truncadas, era inconfundible incluso después de cuarenta y tantos años en Malaya—. El jefe de estación nos avisó. Menos mal que no ha habido ningún ataque, ¿eh?

Lo seguí a través de las puertas de la cerca de alambre de púas que rodeaba la estación hasta un Land Rover verde oliva que estaba aparcado bajo unos mangos. Magnus arrojó mi maleta al asiento de atrás, subimos al coche y nos pusimos en marcha.

A lo lejos, por encima de las colinas de piedra caliza, se aproximaban unas nubes pesadas que más tarde, por la noche, descargarían lluvia sobre la tierra. La calle principal de Tapah estaba tranquila y las persianas de madera de las casas-tienda chinas —pintadas con anuncios de pastillas para la indigestión Poh Chai y de ungüento Bálsamo de tigre—, cerradas para protegerse del sol del atardecer. En el cruce con la carretera principal, Magnus se detuvo porque unos vehículos militares pasaron a toda velocidad: coches de reconocimiento con torretas, blindados con personal armado y camiones repletos de soldados. Se dirigían al sur, hacia Kuala Lumpur.

—Algo ha pasado —dije.

—Seguro que nos enteraremos en las noticias de la noche.

En un puesto de control de seguridad, justo antes de que la carretera comenzara su ascenso por las montañas, un agente especial malayo accionó la barrera metálica y nos ordenó bajar. Otro nos apuntaba desde detrás de un terraplén con una ametralladora Bren, mientras un tercero registraba el coche y examinaba los bajos con un espejo provisto de ruedas. El agente que nos había hecho parar nos pidió las tarjetas de identidad. Sentí una oleada de miedo cuando me registró a mí pero dejó en paz a Magnus. Parecía que, al cachearme, sus manos eran menos intrusivas de lo habitual: yo no era la típica campesina china a la que estaban acostumbrados, y la presencia de Magnus, un hombre blanco, probablemente fuera un elemento disuasorio.

Detrás de nosotros obligaron a una anciana china a bajar de su bicicleta. Un sombrero de paja en forma de cono le ensombrecía la cara y sus pantalones negros de algodón estaban rígidos como caucho seco. Un agente especial rebuscó en su bolsa de ratán y extrajo una piña.

—*Tolong lah, tolong lah* —suplicaba la mujer en malayo.

El policía tiró de la parte superior e inferior de la piña, que se partió por la mitad. El arroz crudo oculto dentro del fruto agujereado se derramó por el suelo. Los lamentos de la anciana se hicieron más fuertes cuando los agentes la llevaron a rastras hasta una cabaña situada al borde de la carretera.

—Ingenioso —observó Magnus, señalando con un movimiento de cabeza el montón de arroz.

—Una vez un policía pilló a un cauchero haciendo contrabando de azúcar fuera de su ciudad —dije.

—¿En una piña?

—La disolvió en el agua de su cantimplora. Fue uno de los primeros casos de los que me ocupé.

—¿Has tenido muchos casos como ese? —preguntó, mientras el agente especial levantaba la barrera y nos saludaba con la mano al pasar.

—Los suficientes como para recibir amenazas de muerte —dije—. Es una de las razones por las que dimití.

Menos de un kilómetro después, nos detuvimos delante de una fila de camiones con las lonas retiradas. Un grupo de escuálidos sirvientes chinos estaban sentados sobre unos sacos de yute llenos de arroz y agitaban abanicos de bambú rotos.

—Bien. Temía que hubiéramos perdido la caravana —afirmó Magnus apagando el motor.

—Subiremos por la montaña a paso de tortuga —dije mirando los vehículos.

—No hay más remedio, *meisiekind*[2]. Así iremos escoltados —concluyó Magnus mientras señalaba dos blindados que se encontraban en la cabecera.

—¿Ha habido algún ataque reciente en Cameron Highlands?

Habían pasado tres años desde que el Partido Comunista Malayo había lanzado sus guerrillas contra el Gobierno, lo que obligó al alto comisionado a declarar el estado de emergencia. No había señales de que la guerra fuera a terminar, ya que los terroristas comunistas —a los que las autoridades denominaban CT o, más comúnmente, «bandidos»— seguían atacando con regularidad las fincas de caucho y las minas de estaño.

—Han tendido emboscadas a autobuses y vehículos del ejército. Y la semana pasada entraron en una propiedad agrícola. Prendieron fuego a los edificios y mataron al encargado —me informó Magnus—. No has elegido el mejor momento para visitarnos.

El sol se reflejaba en los automóviles que teníamos delante. Bajé la ventanilla pero lo único que conseguí fue que entrara la oleada de calor que abrasaba la carretera. Detrás de nosotros, mientras esperábamos, se habían parado más coches. Quince minutos más tarde empezamos a movernos. Por razones de seguridad habían podado la maleza que rodeaba la carretera y habían talado los árboles, de manera que solo quedaba un campo estrecho de tocones. A lo lejos, donde una vez estuvo la sombra fresca de los árboles, se elevaba sobre unos pilotes una casa comunal indígena, como un arca que hubiera sido arrastrada por una riada. Una anciana con un pareo estaba acuclillada sobre un tocón; llevaba el pecho al aire y los labios pintados de rojo chillón.

Los bosques de bambú se inclinaban sobre la carretera y filtraban la luz dibujando parches de color amarillo pálido. Un camión cargado de repollos bajó a toda velocidad en sentido opuesto y nos empujó hacia la pared rocosa; si hubiera sacado el brazo, podría haber arrancado uno de los helechos que crecían en ella. La temperatura seguía descendiendo y el aire era cálido solo durante los breves tramos donde daba el sol. Al pasar junto a la cascada de Lata Iskandar, el agua pulverizada abrió sobre nosotros una cortina de susurros y bañó el aire con la humedad que viajaba desde las

[2] «Chica» en afrikáans. *(N. de la T.).*

cumbres montañosas arrastrando el olor penetrante de los árboles, el mantillo y la tierra.

Llegamos a Tanah Rata una hora más tarde; un edificio de ladrillo rojo elevado sobre una pendiente flanqueaba la carretera a su entrada a la población.

—Puedes explorar la zona si quieres —me sugirió Magnus—, pero recuerda que las puertas del pueblo se cierran a las seis.

La neblina tornaba gris la mole amorfa de los camiones que nos precedían. Cuando Magnus encendió los faros, el mundo se transformó en una lobreguez amarillenta. La visibilidad mejoró al salir de la calle principal.

—Ahí está el Green Cow —me informó—. Alguna noche vendremos a tomar algo.

Aceleramos y pasamos por delante del Club de Golf Tanah Rata. Mirando a Magnus por el rabillo del ojo, me pregunté cómo se las habrían apañado su mujer y él durante la ocupación. A diferencia de muchos de los europeos residentes en Malaya, ellos no se marcharon cuando llegaron los soldados japoneses; permanecieron en casa.

—Ya estamos aquí —dijo mientras disminuía la velocidad a medida que nos acercábamos a la entrada de la plantación de té Majuba. Los pilares de granito mostraban agujeros donde una vez estuvieron las bisagras, como los huecos que dejan en la boca los dientes arrancados.

—Los *japos* se llevaron las puertas. No he podido reemplazarlas. —Sacudió la cabeza disgustado—. La guerra terminó hace cuánto..., ¿seis años ya? Pero todavía andamos escasos de material.

Tras décadas de recolección, los arbustos de té cubrían las laderas en setos cuadrados. Los trabajadores recolectaban las hojas con dedos ávidos y las arrojaban a puñados por encima del hombro hacia la cesta de ratán que llevaban amarrada a la espalda, mientras se movían entre plantas que les llegaban por la cintura. El aire tenía un matiz herbal que era más un sabor que un aroma.

—El té, ¿verdad? —dije, respirando profundamente.

—La fragancia de las montañas —contestó Magnus—. Es lo que más echo de menos cuando estoy lejos.

—Este sitio no parece haber sufrido muchos daños durante la ocupación.

Al percibir la amargura de mi voz, la cara de Magnus se tensó.

—Fue necesario dedicarle mucho trabajo para reconstruirlo tras la guerra. Tuvimos suerte. Los *japos* necesitaban que mantuviéramos la producción.

—¿No os recluyeron a ti y a tu mujer?

—*Ja,* sí que lo hicieron, de alguna forma —replicó en tono defensivo—. Los superiores del ejército se trasladaron a nuestra casa. Vivíamos en un área cercada dentro de la finca. —Hizo sonar el claxon y un recolector de té, que había salido a la carretera, volvió de un salto al arcén cubierto de hierba—. Todas las mañanas teníamos que marcharnos a las laderas para trabajar junto a nuestros culis. Pero reconozco que los *japos* fueron más amables con nosotros que los ingleses con mi gente.

—Así que estuviste prisionero dos veces —dije al recordar que había luchado en la guerra de los Bóeres. Por entonces no tendría más que diecisiete o dieciocho años. Casi mi edad cuando me recluyeron.

—Y ahora estoy en medio de otra guerra. —Agitó la cabeza—. Parece que es mi destino, ¿verdad?

La carretera serpenteante nos condujo cuesta arriba por el interior de la plantación hasta que llegamos al largo camino de entrada flanqueado por eucaliptos. El acceso se abría en forma de embudo hacia un estanque ornamental donde una fila de patos flotaba difuminando el reflejo de la casa en el agua. La valla de alambre de púas que protegía los jardines me recordó al campo en el que estuve internada.

—Es una casa de estilo Cape Dutch —dijo Magnus, que había malinterpretado la inquietud de mi rostro—, muy común en mi tierra.

Un *gurkha*[3] se apresuró a abrir las puertas desde el puesto de vigilancia. Dos grandes perros marrones echaron a correr y acompañaron al coche mientras Magnus rodeaba la casa en dirección al garaje trasero.

—No te preocupes, no te van a morder. —Señaló la franja de pelo más oscuro que les recorría la espalda—. Son perros crestados rodesianos. Ese es Brolloks y el más pequeño es Bittergal.

Los animales, que me olieron las espinillas con sus hocicos fríos y húmedos cuando me bajé del Land Rover, me parecieron igual de grandes.

[3] Habitante originario de Nepal. *(N. de la T.).*

—Dame eso —dijo Magnus levantando mi maleta. Se detuvo sobre el césped delantero, extendió un brazo y anunció—: La Residencia Majuba.

Los muros de la casa, de una sola planta, estaban enlucidos en blanco y hacían resaltar la cubierta negra de cañas del tejado. Cuatro ventanales, bastante separados unos de otros, ocupaban los flancos de la puerta principal. Los postigos y los marcos de madera eran de color verde alga. Un gablete de estilo Holbol con relieves de hojas y uvas coronaba el porche. Unos tallos largos con flores cuyo nombre, strelitzias, averiguaría más tarde crecían junto a las ventanas; las flores rojas, naranjas y amarillas me recordaron a los pájaros de origami que le encantaba hacer a uno de los guardas japoneses de mi campo. Me deshice de aquel recuerdo.

Sobre el tejado, el viento hacia ondear una bandera con anchas franjas de color naranja, blanco, azul y verde que me resultó desconocida.

—La Vierkleur —me explicó Magnus, pendiente de mi mirada—; la bandera de Transvaal.

—¿No la vas a quitar? —El año anterior habían prohibido la exhibición de banderas nacionales extranjeras, para impedir que los seguidores del Partido Comunista Malayo hicieran ondear la china.

—Por encima de mi cadáver.

No se descalzó antes de entrar y yo seguí su ejemplo. Las paredes del vestíbulo estaban pintadas de blanco y los suelos de madera, de color amarillo, parecían mantequilla bajo la luz del atardecer que entraba por las ventanas. En el salón me llamó la atención la hilera de cuadros que decoraban la pared y me acerqué para verlos mejor. Eran escenas de un paisaje montañoso y baldío que se extendía hacia el horizonte.

—Thomas Baines. Y esas litografías de allí de las acacias… son de Pierneef —dijo Magnus mientras observaba mi interés con satisfacción—. Del Cabo.

En el marco se vislumbró un reflejo. Me di la vuelta y me encontré frente a una mujer china de unos cincuenta años con el pelo recogido hacia atrás en un moño.

—Mi *Lao Puo*, Emily —dijo Magnus y le dio un beso a su esposa en la mejilla.

—Estamos muy contentos de que estés aquí, Yun Ling —saludó ella. Llevaba una falda holgada de color *beige*, que suavizaba las líneas de su delgada figura, y una rebeca roja sobre los hombros.

—¿Dónde está Frederik? —quiso saber Magnus.

—No lo sé. Seguramente en su *bungalow* —respondió Emily—. Nuestra invitada parece cansada, *Lao Kung*. Ha sido un día muy largo para ella. Deja de enseñarle la casa y llévala a su habitación. Yo me voy a la clínica; a la mujer de Multhu le ha mordido una serpiente.

—¿Has llamado al doctor Yeoh? —preguntó Magnus.

—Por supuesto-*lah,* está en camino. Yun Ling, ¿hablamos después? —Se despidió con un movimiento de cabeza y se marchó.

Magnus me llevó al recibidor.

—¿Frederik es tu hijo? —pregunté; no recordaba haber oído nada sobre él.

—Mi sobrino. Es capitán en los African Rifles de Rodesia.

La casa estaba llena de recuerdos de la tierra natal de Magnus: tapetes de color ocre tejidos por alguna tribu africana, púas de puercoespín que asomaban por encima de un jarrón de cristal, una escultura de bronce de más de medio metro de altura que representaba a un leopardo persiguiendo una presa desconocida... Pasamos a una pequeña estancia del ala este, en la parte trasera de la casa, no mucho más grande que un armario para la ropa del hogar. Un aparato de radio ocupaba la mitad de una mesa estrecha.

—Así es cómo nos mantenemos en contacto con las otras granjas. Las conseguimos después de que los CT nos cortaran las líneas de teléfono demasiadas veces, la verdad.

Mi habitación era la última del pasillo. Las paredes —e incluso los interruptores de baquelita— estaban pintadas de blanco y durante unos segundos pensé que había vuelto al Hospital General de Ipoh. Sobre una mesa había un jarrón con unas flores de color crema y forma de trompeta que no había visto nunca antes en el trópico. Rocé una de ellas con la muñeca; tenía la textura del terciopelo.

—¿Qué son?

—Son lirios de agua. Me enviaron unos bulbos desde el Cabo —dijo Magnus—. Aquí crecen bien. —Dejó mi maleta junto a un armario de teca y añadió—: ¿Cómo está tu madre? ¿Alguna mejoría?

—Está perdida en su propio mundo. Completamente. Ya ni siquiera me pregunta por Yun Hong. —En cierto modo eso me alegraba, pero no se lo dije.

—Deberías haber venido aquí para recuperarte después de la guerra.

—Estaba esperando la respuesta de la universidad.

—Pero ¿trabajar para el Tribunal de Crímenes de Guerra después de lo que te pasó...? —Sacudió la cabeza—. Me sorprende que tu padre lo permitiera.

—Fue solo durante tres meses. —Me detuve, luego continué—: Durante toda la guerra no tuvo ninguna noticia de mí ni de Yun Hong. No sabía qué hacer conmigo cuando me vio. Era un fantasma para él.

Fue la única vez en mi vida que había visto llorar a mi padre. Había envejecido mucho. Y yo también, supongo. Mis padres se habían trasladado de Penang a Kuala Lumpur. Cuando llegué a la casa nueva, él me condujo por las escaleras hasta la habitación de mi madre. Caminaba con una cojera que no tenía antes de la guerra. Mi madre no me reconoció y me dio la espalda. Pasados unos días, recordó que yo era su hija, pero cada vez que me veía empezaba a preguntar por Yun Hong: dónde estaba, cuándo iba a volver a casa, por qué no había regresado todavía. Algún tiempo después comencé a tener miedo de visitarla.

—Para mí era mejor estar fuera de casa, mantenerme ocupada —le expliqué—. Aunque no lo decía, mi padre pensaba lo mismo.

No fue difícil que me contrataran como empleada de investigación —un puesto que en realidad era de administrativa— en el Tribunal de Crímenes de Guerra en Kuala Lumpur. Durante la guerra habían asesinado y herido a tanta gente que, cuando los japoneses se rindieron, la Administración Militar Británica se enfrentó a una reducción de personal. No obstante, registrar los testimonios de las víctimas del Ejército Imperial Japonés me afectó mucho más de lo previsto. Ver cómo se derrumbaban al relatar las brutalidades que habían soportado me hizo más consciente de que todavía tenía que recuperarme de mi propia experiencia. Me alegré cuando recibí la carta de admisión en Girton.

—¿A cuántos criminales de guerra atraparon al final? —preguntó Magnus.

—En total, en Singapur y Malaya, fueron sentenciados a muerte ciento noventa y nueve, pero ahorcaron solo a un centenar de ellos —dije mientras dirigía la mirada al cuarto de baño. Era luminoso y estaba bien ventilado. El suelo parecía un frío tablero de ajedrez de losetas blancas y negras. Junto a la pared había una bañera con patas terminadas en garras—. Asistí solo a nueve de los ahorcamientos antes de irme a Girton.

—*My magtig*... —Magnus parecía horrorizado.

Permanecimos un rato en silencio. Entonces abrió una puerta junto al armario y me pidió que lo acompañara. El sendero de grava que recorría la parte posterior de la casa nos llevó por delante de la cocina hasta una amplia terraza con un césped bien cuidado. En el centro, un par de estatuas de mármol enfrentadas se alzaban sobre sus plintos. A primera vista parecían idénticas, con los pliegues de sus ropajes derramados sobre la base.

—Se las compré por un precio ridículo a la mujer de un hacendado después de que este se fugara con su amante de quince años —me informó—. La de la derecha es Mnemósine. ¿Has oído hablar de ella?

—Es la diosa de la memoria —contesté—. ¿Quién es la otra mujer?

—Su hermana gemela, por supuesto. La diosa del olvido.

Lo miré dudando de si me estaría tomando el pelo.

—No recuerdo que hubiera una diosa del olvido.

—Ah, ¿no prueba su existencia el hecho de que no lo recuerdes? —Sonrió—. Quizás exista, solo que lo hemos olvidado.

—¿Y cómo se llama?

Se encogió de hombros, mostrándome las palmas de las manos vacías.

—Ya ves, ni siquiera recordamos ya su nombre.

—No son completamente iguales —dije al acercarme.

Los rasgos de Mnemósine eran definidos, con la nariz y los pómulos prominentes, los labios gruesos. El rostro de su hermana parecía casi borroso, ni siquiera las arrugas de su toga estaban delineadas tan claramente como las de Mnemósine.

—¿Cuál de ellas dirías que es la gemela mayor? —preguntó Magnus.

—Mnemósine, por supuesto.

—¿De verdad? Parece más joven, ¿no crees?

—La memoria tiene que existir antes que el olvido. —Le sonreí—. ¿O lo has olvidado?

Él se echó a reír.

—Vamos. Te voy a enseñar una cosa. —Se detuvo delante del muro bajo que recorría el borde de la terraza. Colgada en la planicie más elevada de la plantación, la Residencia Majuba ofrecía una vista ininterrumpida del campo. Señaló una hilera de abetos a tres cuartos de distancia de la cima de una colina.

—Ahí es donde empieza la propiedad de Aritomo.

—No parece que esté lejos caminando. —Calculé que llegar allí me llevaría unos veinte minutos.

—No te engañes. Está más lejos de lo que parece. ¿Cuándo has quedado con él?

—Mañana por la mañana, a las nueve y media.

—Frederik o alguno de mis empleados te llevará en coche.

—No, iré andando.

La determinación de mi cara lo enmudeció durante un instante.

—Tu carta sorprendió a Aritomo. No creo que le hiciera mucha gracia recibirla.

—La idea de que le preguntara fue tuya, Magnus. Espero que no le dijeras que estuve internada en un campo japonés.

—Me pediste que no lo hiciera —dijo—. Me alegro de que haya aceptado diseñar tu jardín.

—No lo ha hecho. Lo decidirá después de hablar conmigo.

Magnus se ajustó la correa del parche.

—¿Has dimitido incluso antes de que acepte? Un poco irresponsable, ¿no? ¿No te gustaba trabajar en la fiscalía?

—Me gustaba al principio. Pero en los últimos meses empecé a sentirme vacía... Notaba que estaba perdiendo el tiempo. —Me detuve—. Y me puse furiosa cuando se firmó el Tratado de Paz con Japón.

Magnus inclinó la cabeza hacia mí; su parche negro de seda tenía la textura de la oreja de un gato.

—¿Y eso qué tiene que ver?

—Uno de los artículos del tratado dice que las Fuerzas Aliadas reconocen que Japón debería pagar una indemnización por los daños y el sufrimiento causados durante la guerra. Sin embargo, como

Japón no puede afrontar el pago, las Fuerzas Aliadas renunciarán a todas las reivindicaciones de indemnización de los aliados y sus ciudadanos. ¡Y sus ciudadanos! —Me di cuenta de que estaba a punto de empezar a despotricar, pero era incapaz de detenerme. Era una liberación abrirme y dejar salir todas mis frustraciones—. Así que ya ves, Magnus, los británicos se han asegurado de que nadie, ni un solo hombre ni una sola mujer ni un solo niño de los que fueron torturados o masacrados por los japoneses, ninguno de ellos ni de sus familias, pueda solicitar ningún tipo de indemnización económica a los japoneses. ¡El Gobierno nos ha traicionado!

—Pareces sorprendida —resopló—. Bueno, ahora ya sabes de lo que son capaces los *fokken engelse.* Con perdón —añadió.

—Perdí el interés por mi trabajo. Insultaba a mis superiores. Me peleaba con mis compañeros. Hacía comentarios despectivos sobre el Gobierno a cualquiera que me escuchara. Uno de los que me oyó fue un periodista del *Straits Times.* —Al pensarlo, me invadió una oleada de amargura—. No dimití, Magnus, me echaron.

—Eso ha tenido que disgustar mucho a tu padre —reconoció. ¿Había un brillo pícaro, incluso malicioso, en su ojo?

—Me dijo que era una hija desagradecida. Movió muchos hilos para conseguirme el trabajo y lo he dejado en mal lugar.

Magnus cruzó las manos por detrás.

—Bueno, decida lo que decida Aritomo, espero que te quedes con nosotros una temporada. Una semana es muy poco. Y es la primera vez que vienes. Hay un montón de sitios bonitos que ver. Ven al salón luego, dentro de una hora o así, para tomar algo antes de la cena —me propuso, y volvió a entrar en la casa por la cocina.

El aire se enfrió pero yo permanecí fuera. Las montañas se tragaron el sol y la noche se filtró entre los valles. Los murciélagos chillaban mientras cazaban insectos invisibles. En una ocasión, un grupo de prisioneros del campo de internamiento cazó un murciélago. Cuando los hombres, famélicos, le estiraron las alas encima de un fuego exiguo, los finos huesos se le transparentaron por debajo de la piel.

En el límite de la finca de Aritomo, la luz tenue transformó los abetos en pagodas, centinelas que protegían el jardín posterior.

Capítulo cuatro

Dejé la Residencia Majuba al día siguiente, pasadas las seis de la mañana. Seguía acostumbrada a las rutinas del campo, incluso después de más de cinco años de mi liberación, y había pasado las dos últimas horas en vela. Dormí regular, preocupada por cómo me recibiría el jardinero japonés. Al final decidí que no esperaría hasta las nueve y media para verlo, sino que emprendería el camino tan pronto como hubiera suficiente luz en el cielo.

Con un rollo de papeles bajo el brazo cerré la puerta delantera sin hacer ruido y caminé hacia la verja. El aire se me clavaba en las mejillas y, por las nubes de vaho que emergían de mi boca, mi respiración parecía más fuerte de lo normal. Fuera, el *gurkha* estaba afilando su *kukri*[1]; antes de abrirme la puerta deslizó la hoja curva dentro de la funda.

Era domingo y los campos de té estaban desiertos. En los valles las luces de las granjas eran tan tenues como estrellas detrás de una cortina de nubes. Los olores de la jungla cercana me transportaron de vuelta al campo de prisioneros; aquello no me lo esperaba. Me detuve y miré a mi alrededor. La luna se retiraba por detrás de las montañas, la misma luna que había visto casi todos los días al amanecer mientras duró mi cautiverio y que, sin embargo, me parecía otra. Todavía, después de tanto tiempo, había momentos en que me costaba creer que la guerra hubiera terminado y que yo hubiera sobrevivido.

Recordé la conversación con Magnus de un mes antes, en el bar del Club Selangor, cuando todavía trabajaba como ayudante del fiscal

[1] Cuchillo curvo utilizado como arma en Nepal. *(N. de la T.)*.

del distrito. Al volver a mi oficina después de terminar un caso, tomé un atajo por uno de los estrechos callejones de la parte trasera de los juzgados. Al doblar una esquina, una multitud me bloqueó. Un grupo de hombres con camiseta blanca y pantalón negro levantaban efigies de soldados japoneses; los demonios del infierno destripaban figuras de tamaño real. Había oído hablar de esos ritos, pero nunca había presenciado ninguno. Se celebraban para calmar los espíritus de aquellos a quienes habían asesinado los *japos,* espíritus que ahora vagaban sin nombre por la eternidad.

Desde detrás de aquella turba, observé a un sacerdote taoísta que, con su toga negra desteñida, tañía las campanas y trazaba en el aire signos invisibles y hechizantes con la punta de una espada. Entonces prendieron fuego a las efigies y el calor de las llamas hizo retroceder a la muchedumbre. A mi alrededor, la gente gemía y sollozaba mientras las cenizas se elevaban hacia el cielo y dejaban en el aire el olor a quemado. Quizás se apaciguaran los espíritus pero, cuando la multitud se dispersó, yo solo experimenté una irritación renovada. Consciente de que durante el resto de la jornada no sería capaz de concentrarme en el trabajo, decidí ir a la biblioteca del Club Selangor. Hacía once o doce años que no veía a Magnus, pero lo reconocí en el vestíbulo —recordaba su parche en el ojo— y lo llamé. Se encontraba junto a un grupo de hombres que en ese momento entregaban las armas al recepcionista. Me miró tratando de recordarme. Cuando le expliqué lo ocurrido, se dibujó una sonrisa en su cara e insistió en que pidiéramos algo de beber. Nos sentamos en una mesa de la veranda con vistas al *padang* de *cricket* y los edificios de los juzgados.

—¡Camarero! —llamó a un anciano chino y pidió las bebidas.

Los ventiladores del techo, que traqueteaban a toda velocidad sobre nosotros, no conseguían disipar la humedad. Al otro lado del *padang* sonó el reloj del juzgado. Eran las tres en punto; hasta dentro de dos horas no aparecería por allí el habitual gentío de terratenientes y abogados.

Magnus me contó que había venido a Kuala Lumpur para sacar del banco Chartered el dinero de las nóminas de sus trabajadores como todos los meses.

—He oído que tus padres viven ahora en Kuala Lumpur —dijo—. Nunca pensé que tu padre se planteara alguna vez dejar Penang.

Tu madre… —Magnus bajó la voz y me miró con intensidad—, ¿cómo está?

—Tiene días buenos y días malos —contesté—. Por desgracia, los días malos parece que cada vez son más frecuentes.

—¿Sabes?… intenté visitarla, justo después de que te fueras a Inglaterra. Pero tu padre no lo permitió. Creo que no deja que nadie la vea.

—Ella se disgusta mucho cuando no reconoce a la gente —justifiqué—. Y ya no reconoce a casi nadie.

—Me enteré de lo que le pasó a tu hermana. Terrible —dijo—. Solo la vi una vez. Recuerdo que era una gran aficionada a la jardinería.

—Siempre soñó con construir su propio jardín japonés —apunté.

Me observó bajando su único ojo hasta mis manos antes de dirigirlo de nuevo hacia mi cara.

—Constrúyeselo tú. —Acarició la correa del parche con un dedo—. Podrías hacer que fuera un monumento para ella. No sé si te acuerdas, pero mi vecino es un jardinero japonés. Estuvo al servicio del mismísimo emperador, ¿a que es increíble? A lo mejor está dispuesto a echarte una mano. Podrías pedirle… Sí, pídele a Aritomo que diseñe un jardín para tu hermana.

—Pero es *japo* —señalé.

—Hombre, si quieres un jardín japonés… —dijo Magnus—. Aritomo no participó en la guerra. Y, de no haber sido por él, se habrían llevado a la mitad de mis trabajadores a alguna mina o los habrían empleado en el ferrocarril hasta desfallecer.

—Tendrían que ahorcar a su emperador antes de que yo pidiera ayuda a un *japo*.

Su mirada me desconcertó. Era como si la energía del ojo perdido se le hubiera traspasado al que le quedaba para duplicar su agudeza.

—Ese odio que guardas… —comenzó a decir un momento después—, no puedes dejar que afecte a tu vida.

—Eso no depende de mí, Magnus.

El camarero volvió con dos jarras heladas de cerveza Tiger. Magnus se bebió de un trago la mitad de la suya y se secó la boca con el dorso de la mano. Siguió mirándome.

—Mi padre tenía una granja de ovejas. Mi madre murió cuando yo tenía cuatro años. Me crio mi hermana, Petronella. Mi hermano mayor, Pieter, era profesor en el Cabo. Cuando estalló la guerra (estoy hablando de la guerra de los Bóeres, de la segunda) me alisté. Acababa de cumplir veinte años. Los ingleses me capturaron en menos de un año y me mandaron a un campo de prisioneros de guerra en Ceilán. —Se llevó la jarra a los labios de nuevo pero, sin llegar a beber, la soltó con fuerza en la mesa—. Yo estaba luchando contra los ingleses cuando, una mañana, los hombres de Kitchener entraron en nuestra granja —dijo—. Papá estaba en casa. Les hizo frente y le dispararon. Luego incendiaron la propiedad.

—¿Qué paso con tu hermana?

—La mandaron a un campo de concentración en Bloemfontein. Pieter intentó sacarla. Su esposa era inglesa, pero ni siquiera a él le permitieron visitarla. Petronella murió de fiebre tifoidea. O quizás no; los supervivientes contaron más tarde que los ingleses mezclaban polvo de vidrio con la comida de los prisioneros. —Miró fijamente hacia el *padang*; el césped estaba seco, el calor derretía el aire—. Volver a casa después de la guerra para enterarme de todo lo que le había pasado a mi familia… Bueno, ya no podía vivir en esa parte del país, el lugar donde había crecido. Me fui a Ciudad del Cabo. Pero seguía sin estar lo bastante lejos. Un día, en la primavera de 1905, creo, compré un billete para Batavia. El barco se vio obligado a atracar en Malaca para ser reparado y, según nos dijeron, el arreglo llevaría una semana. Estaba paseando por la ciudad, cuando vi una iglesia abandonada sobre una colina…

—La de Saint Paul.

Lanzó un gruñido.

—*Ja, ja*[2]. La de Saint Paul. En los jardines de aquel templo me topé con unas lápidas de trescientos o cuatrocientos años de antigüedad. Y, ¿qué crees que encontré? La tumba de Jan Van Riebeeck. —Al ver mi cara de circunstancia, sacudió la cabeza—. Ya sabes que el mundo no está hecho solo de historia inglesa. Van Riebeeck fundó el Cabo y se convirtió en su gobernador.

—¿Y cómo terminó en Malaca?

[2] «Sí, sí» en afrikáans. *(N. de la T.)*.

—La Compañía Holandesa de las Indias Orientales lo envió allí como castigo por algo que había hecho. —El recuerdo suavizó su cara y al mismo tiempo le hizo parecer mayor—. En cualquier caso, al ver su nombre allí, esculpido en aquel bloque de piedra, sentí que había encontrado un lugar para mí, aquí, en Malaya. Nunca volví al barco y nunca llegué a ir a Batavia. En vez de eso me abrí camino en Kuala Lumpur. —Se echó a reír—. Después de todo, acabé en territorio británico. Y he vivido aquí durante… ¿cuánto? —sus labios se movieron en silencio mientras contaba—: Cuarenta y seis años. ¡Cuarenta y seis! —Se levantó de la silla y miró alrededor buscando al camarero—. ¡Eso merece champán!

—¿Has perdonado a los británicos?

Se hundió de nuevo en su asiento. Permaneció un rato en silencio, con expresión concentrada.

—No pudieron matarme cuando estuve en la guerra. Y no pudieron matarme cuando estuve en el campo de prisioneros —dijo finalmente, con voz apagada—. Pero aferrarme a mi odio durante cuarenta y seis años… eso sí me habría matado. —Su ojo pareció ablandarse cuando me miró nuevamente—. Vosotros, los chinos, se supone que respetáis a los ancianos. Yun Ling, ¿no es eso lo que decía el tipo aquel… Confucio? Al menos es lo que sostiene mi mujer. —Por fin consiguió dar un sorbo a la cerveza—. Así que escúchame. Escucha a un viejo… No desprecies a todos los japoneses por lo que te hicieron algunos. Deja que se vaya ese odio que hay en ti, déjalo.

—Esto me lo hicieron ellos. —Levanté despacio la mano mutilada, protegida dentro del guante de piel.

Él señaló su parche.

—¿Y crees que esto se me cayó solo?

Tres semanas después de aquel encuentro con Magnus en el club, me echaron del trabajo. La idea de hacer un jardín para Yun Hong se me había quedado grabada; de hecho, cada vez estaba más presente. En el campo de internamiento mi hermana me hablaba a menudo del jardín que construiría una vez que acabara la guerra y nuestras vidas volvieran a la normalidad.

El último día en la fiscalía, me senté para recoger mi escritorio. Mientras empaquetaba mis cosas, me detuve al ver el recorte del

Straits Times. La fotografía que acompañaba el artículo mostraba un grupo de japoneses vestidos con frac detrás del primer ministro, Yoshida, durante la firma del Tratado de Seguridad de Japón con los americanos. Al mirar la fotografía pensé en el campo de internamiento. Pensé en Nakamura Aritomo y recordé la primera vez que había oído hablar de él, tantos años atrás. Jamás olvidé su nombre, siempre me había acompañado. Ya era hora de ir a visitarlo. Era algo que tenía que hacer por Yun Hong, se lo debía.

Saqué una hoja de papel en blanco, desenrosqué el capuchón de la pluma estilográfica y escribí una carta a Magnus solicitando que me concertara una cita con el jardinero. Cuando terminé, la metí en un sobre cerrado y pedí al administrativo, mientras abandonaba mi oficina definitivamente, que la enviara.

El mundo se iluminaba haciendo que la luna y las estrellas se difuminaran. A mitad de camino, hacia el fondo del valle, encontré el sendero que separaba dos secciones de arbustos de té. Por él habían transitado generaciones de recolectores. Ese atajo me llevaría a Yugiri, según me había informado Magnus la noche anterior durante la cena.

—En esa parte no hay valla —me dijo—, pero sabrás dónde empieza Yugiri cuando entres en él.

En la distancia, los abetos se volvían más altos a medida que me aproximaba. El sendero serpenteaba entre los árboles y continuaba entre matorrales de bambú, cuyas cañas entrechocaban ligeramente como si la noticia de mi llegada se transmitiera a través del jardín de unas plantas a otras.

Empezó a lloviznar. Me limpié las gotas de lluvia de la cara mientras avanzaba entre el bambú y, de pronto, aparecí en otro reino.

El silencio tenía una calidad diferente; sentí que me habían lanzado como una plomada con un sedal a un nivel del océano más denso y más profundo. Permanecí de pie y dejé que la quietud se filtrara en mi interior. Entre las hojas, un pájaro oculto silbaba acentuando el vacío del aire entre cada nota. Desde el follaje caían gotas de agua. A través de los árboles se vislumbraba, no muy lejos, el borde de una cubierta de tejas rojas. De camino hacia allí me topé con un rectángulo de piedrecillas blancas y redondas. Me agaché y cogí una. Era más o menos del tamaño de los huevos de tortuga laúd que mi madre compraba algunas veces en el mercado de Palau Tikus.

A unos quince metros de distancia, a mi izquierda, había dos dianas redondas. Sobre unos pilotes, a mi derecha, se alzaba una sencilla estructura de madera de una sola planta con el techo de hojas tradicional malayo. Dejé la piedra en el suelo y me acerqué. La parte delantera de la estructura estaba abierta, con las persianas de bambú enrolladas hasta los aleros. Había un hombre de pie en el borde de la plataforma vestido con túnica blanca y pantalones grises que dejaban ver unos calcetines blancos. Parecía tener unos cincuenta años y su pelo empezaba a encanecer. Con la mano derecha sujetaba un arco. No dio señal alguna de haberme visto pero yo supe, de algún modo, que era consciente de mi presencia.

Aunque hacía casi seis años que no veía a ninguno, siempre habría sido capaz de reconocer a un japonés. Escribir a Nakamura Aritomo me resultó bastante fácil, pero había sido una estupidez por mi parte creer que podría ponerme a charlar con él sin más cuando nos encontráramos. No estaba preparada para hacerlo y quizás nunca lo estuviera. Se apoderó de mí el impulso de darme la vuelta y abandonar el jardín. Pero cuando miré el rollo de documentos que llevaba en la mano, me di cuenta de que tenía que hablar con el jardinero, tenía que decirle lo que quería de él. Lo haría y me marcharía. Si decidía aceptar mi oferta, me lo comunicaría por correo. No era necesario volver a hablar con él en persona.

Al tiempo que levantaba el arco, tiró hacia atrás de la cuerda estirando los brazos en direcciones opuestas, hasta que pareció flotar por encima de la tarima. Permaneció así un rato, con el arco tensado y una expresión de paz absoluta en la cara. El tiempo se había detenido: no había principio, no había final.

Lanzó la flecha. La cuerda emitió un sonido cortante en el aire. El hombre, inmóvil, con el brazo aún extendido y el centro del arco a la altura de los ojos, miró la diana unos instantes antes de bajarlo. La flecha se había clavado bastante lejos del blanco.

Subí los tres escalones bajos hasta la plataforma y la tarima de madera reluciente crujió bajo mis pies.

—¿Señor Nakamura? —dije—. ¿Nakamura Aritomo? Habíamos quedado hoy, más tarde.

—¡Quítate los zapatos! —exclamó—. Vas a meter aquí dentro los problemas del mundo.

Miré hacia atrás y vi arena y briznas de hierba sobre el entablado. Me bajé de la tarima. Colocó el arco en su soporte, sus calcetines blancos no dejaron marca alguna en el suelo. Esperé hasta que se puso las sandalias.

—Da la vuelta y ve a la parte delantera de la casa —añadió—. Ah Cheong te acompañará al salón.

Un sirviente chino me condujo por la casa abriendo las puertas correderas que separaban las habitaciones y cerrándolas a nuestro paso. Tuve la impresión de que nos movíamos entre una serie de cajas y que cada una de ellas se abría para mostrar otra y luego otra. El sirviente me dejó en un salón. Las puertas abiertas daban hacia una veranda donde había una mesa baja cuadrada.

Sobre el césped que se extendía por delante de la veranda, una cuerda atada a cuatro tablillas de bambú delimitaba un rectángulo. Habían arrancado la capa superior de hierba y se veía la tierra húmeda y oscura por debajo. Más adelante, el suelo se inclinaba poco a poco hacia el borde de un hoyo ancho y vacío como una salina. A su lado se acumulaban montones de tierra y grava.

Había parado de lloviznar, pero el agua seguía vertiéndose desde los aleros de la casa como gotas que formaran coágulos de luz sobre la tierra. El sirviente salió portando una bandeja con dos tacitas de cerámica celadón, una tetera y un hervidor para el té que humeaba ligeramente. El arquero vino a mi encuentro unos minutos después. Se había puesto un par de pantalones de color *beige* y una camisa blanca que combinaban con una chaqueta de lino gris. Se sentó a la manera tradicional sobre una de las esterillas, con las piernas dobladas y el peso del cuerpo reposando en los talones. Me invitó a tomar asiento al otro lado de la mesa. Lo miré durante un segundo y luego seguí su ejemplo mientras colocaba el rollo de documentos junto a mis rodillas.

—Soy Nakamura Aritomo —dijo y dejó un sobre encima de la mesa.

Reconocí mi caligrafía en el anverso, dirigida a él. Le dije mi nombre y él contestó:

—Escríbelo en chino. —Trazó un garabato con los dedos sobre la mesa.

—Fui a un colegio de monjas, señor Nakamura. Me enseñaron latín, pero no chino. Solo aprendí un poco después de la guerra.

—¿Qué significa Yun Ling?

—Bosque nuboso.

Lo consideró durante momento.

—Un nombre bonito. En japonés se diría...

—Sé cómo se diría.

Me miró durante unos segundos. Después, vació la tetera en un cuenco y arrojó el té todavía humeante por la veranda. Me pareció raro, pero no dije nada. Rellenó la tetera con agua caliente del hervidor.

—Creía que habíamos acordado vernos a las nueve y media...

—Si ahora no le viene bien, vendré más tarde.

Sacudió la cabeza.

—¿Cuántos años tienes? ¿Treinta y tres? ¿Treinta y cuatro?

—Veintiocho. —Era consciente de que parecía mayor a causa de las penurias sufridas en el campo de internamiento; creía que había llegado a aceptarlo, pero ese repentino ataque de vergüenza me pilló por sorpresa—. ¿Está construyendo un estanque? —pregunté mirando el hoyo poco profundo del final de la pendiente.

—Solo lo cambio de forma para agrandarlo. —Levantó la tetera, llenó las tazas con un líquido verde translúcido y deslizó una sobre la superficie de la mesa como si fuera una pieza avanzando en un tablero de ajedrez—. Fuiste «huésped del emperador».

Esta vez su flecha había dado en el blanco.

—Estuve prisionera en un campo japonés. —Me pregunté cómo lo habría sabido.

—Mientras yo construía esta casa, Magnus me dio una acuarela que había pintado tu hermana —dijo Aritomo—. Me lo recordó cuando me trajo tu carta.

—Yun Hong exponía sus cuadros con distintos artistas.

—No me extraña. Tiene mucho talento. ¿Sigue pintando?

—Estuvo conmigo en el campo. —Moví el cuerpo para aliviarme el dolor de los tobillos; hacía mucho que no me sentaba de ese modo—. Murió allí.

Aritomo me agarró la mano izquierda cuando me disponía a coger la taza. En su cara apareció una mirada de cautela justo cuando sus dedos se aferraron a mi muñeca. Intenté apartarme pero él apretó más, mientras sus ojos me convencían para que no me resistiera. Como un animal exhausto retenido en una trampa, mi mano dejó de moverse y se volvió inerte. Él la giró y tocó las costuras de los dos últimos dedos del guante, que estaban cortados. Retiré la mano y la coloqué en el borde de la mesa.

—Quieres que te diseñe un jardín.

Desde que envié la carta había dado muchas vueltas imaginando su respuesta cuando lo conociera.

—Yun Hong... mi hermana... oyó hablar de usted hace once años —titubeé en busca de las palabras justas—. Usted se acababa de mudar a Malaya. Fue en 1940.

—Once años. —Se giró para mirar el estanque vacío, con el rostro apagado—. Cuesta creer que lleve viviendo aquí tanto tiempo.

—A Yun Hong le fascinaban los jardines japoneses, incluso antes de que oyéramos hablar de usted. Antes de que usted viniera a Malaya —continué.

—¿Por qué conocía nuestros jardines? —preguntó—. No creo que por entonces hubiera ningún jardín japonés en Penang ni en toda la península. Incluso hoy en día el mío es el único.

—Mi padre nos llevó durante un mes a Japón. En 1938. El Gobierno japonés quería comprarle caucho. Él estaba ocupado con sus reuniones, pero las esposas de los directivos nos acompañaron a ver la ciudad. Visitamos unos cuantos templos y jardines. Incluso cogimos el tren para ir a Kioto. —El recuerdo de aquellas vacaciones (la única vez que había estado en el extranjero hasta entonces) me hizo sonreír—. Nunca olvidaré lo entusiasmada que estaba Yun Hong. Yo tenía quince años y ella era tres años mayor que yo. Pero durante aquellas vacaciones... durante aquellas vacaciones ella fue como una niña pequeña y yo me sentía como la hermana mayor.

—Ah… Kioto… —murmuró Aritomo—. ¿Qué templos visteis?

—Joju-in, Tofuku-ji y el Templo del Pabellón Dorado —respondí—. Cuando volvimos a casa, Yun Hong leyó todos los libros sobre jardines japoneses que encontró. Quería saber… bueno, estaba obsesionada por saber cómo se habían creado.

—No se puede aprender jardinería a través de los libros.

—Enseguida nos dimos cuenta de eso —dije—. Intentó construir un jardín de rocas detrás de nuestra casa. Yo la ayudé, pero fue un desastre. Mi madre se puso furiosa porque echamos a perder el césped. —Me detuve un instante—. Cuando Yun Hong se enteró de que vivía usted aquí, quiso ver su jardín.

—No hubiera podido. Yugiri no estaba terminado en aquel tiempo.

—El amor de Yun Hong por los jardines nos mantuvo vivas cuando estuvimos en el campo de internamiento —dije.

—¿Cómo os mantuvo vivas?

—Huíamos hacia mundos de fantasía —continué—. Algunos se imaginaban a sí mismos edificando la casa de sus sueños o construyendo un velero. Cuantos más detalles incluían, mejor se aislaban de los horrores que nos rodeaban. Una mujer euroasiática, la esposa de un ingeniero holandés de la Shell, quería volver a contemplar su colección de sellos. Eso le dio voluntad para seguir viviendo. Otro hombre recitaba los títulos de todas las obras de Shakespeare una y otra vez, en el mismo orden en que habían sido escritas, cuando lo torturaban. —Noté que se me secaba la garganta y tomé un sorbo de té—. Yun Hong mantenía elevado nuestro ánimo hablando sobre los jardines que habíamos visitado en Kioto y describiéndome incluso los detalles más pequeños. «Así es como sobreviviremos —me decía—, así es como saldremos de este lugar».

El sol despuntaba tras las montañas. Sobre las lejanas copas de los árboles, una bandada de pájaros se desplegó formando un hilo negro ondulante que surcó el cielo.

—Un día, un guarda me golpeó por no hacer la reverencia correctamente. No dejaba de pegarme. Me vi a mí misma en un jardín. Había árboles en flor por todas partes, el aroma del agua… —callé un instante—. Me di cuenta de que era una combinación de todos los jardines que había visitado en Kioto. Se lo conté a Yun Hong.

Aquel fue el momento en el que empezamos a crear nuestro propio jardín, aquí —dije, golpeando suavemente mi sien con el dedo—. Todos los días le añadíamos detalles nuevos. El jardín se convirtió en nuestro refugio. En el interior de nuestra mente éramos libres.

Tocó el sobre que estaba en la mesa.

—Mencionaste que trabajabas como investigadora para el Tribunal de Crímenes de Guerra.

—Quería asegurarme de que se castigara a los responsables. Quería ver que se hacía justicia.

—¿Crees que soy tonto? No solo se trataba de justicia.

—Era la única forma de que me permitieran examinar los documentos judiciales y los archivos oficiales —reconocí—; estaba buscando información sobre el sitio en el que estuvimos presas. Quería saber dónde habían enterrado a mi hermana.

Entornó los ojos.

—¿No sabías dónde estaba situado aquel campamento?

—Cuando los *japos*... quiero decir, los japoneses, nos condujeron allí, nos vendaron los ojos. Estaba en algún lugar de la jungla. Era todo lo que sabíamos.

—Y los demás supervivientes... ¿qué pasó con ellos?

Una mariposa temblaba por encima de las cañas de Indias que había junto a la veranda. Finalmente se posó sobre una hoja y unió las alas como en una oración.

—No hubo otros supervivientes.

—¿Tú fuiste la única? —Me observó como si tratara de engañarlo.

Mantuve la mirada sin apartar mis ojos de los suyos.

—Yo fui la única.

Nos quedamos en silencio durante un rato. Luego desplacé la bandeja hacia un lado, desaté el cordel que rodeaba el cilindro de papeles y los desenrollé sobre la mesa, sujetando las esquinas con las tazas.

—Mi abuela nos dejó un terreno en Kuala Lumpur a Yun Hong y a mí. Unas dos hectáreas y media. —Señalé el primer documento, un mapa de la Oficina de Bienes Inmuebles—. Está a un paseo corto subiendo desde Lake Gardens. El clima es demasiado caluroso y húmedo para un jardín japonés auténtico, lo sé —añadí rápidamente—, pero quizás podríamos usar flora local. Aquí tengo fotografías del sitio, así se hará una idea de cómo es el terreno y de lo que necesitaría.

Echó solo una mirada somera al mapa y las imágenes.

—Tu hermana era quien soñaba con crear jardines, no tú.

—Yun Hong yace en una tumba sin nombre, señor Nakamura. Es para ella, un jardín en su memoria. —Rebusqué entre mis pensamientos las palabras para convencerlo, pero no encontré ninguna—. Es lo único que puedo hacer por ella.

—Me resulta incómodo... el hecho de que me estés pidiendo que haga esto por lo que le ocurrió a tu hermana... y lo que te ocurrió a ti.

—No debería ser así si usted no estuvo involucrado en la ocupación —hablé con más dureza de la que pretendía.

La línea de su mandíbula se acentuó.

—Y si lo hubiera estado, ¿no me habrían ahorcado? ¿Quizás incluso por orden tuya?

—No se acusó, y mucho menos se castigó, a todos los japoneses culpables.

Algún componente del aire que circulaba entre nosotros se alteró, como si un viento que soplara con suavidad de repente se hubiera calmado.

—Los soldados británicos vinieron aquí un día, no mucho después de la rendición —dijo—. Me sacaron de mi casa a rastras e hicieron que me arrodillara en el suelo. Justo ahí. —Señaló un trozo del césped—. Me apalearon. Cuando me caía e intentaba levantarme, ellos me volvían a pegar, una y otra vez. Luego me llevaron con ellos.

—¿Dónde?

—A la prisión de Ipoh. Me encerraron en una celda. Nunca me acusaron de nada. —Comenzó a acariciarse la mejilla con el dorso de la mano mientras continuaba hablando—: Había otros prisioneros, oficiales japoneses, esperando el cumplimiento de sus sentencias. Algunos de ellos lloraban cuando iban a ser ejecutados. Uno a uno se los fueron llevando, hasta que solo quedé yo. Y entonces, una tarde, los guardias vinieron a por mí. —Dejó de acariciarse la mejilla—. Me sacaron de la celda. Pensé que me iban a ahorcar, pero dejaron que me fuera. Magnus me estaba esperando en la entrada de la cárcel. Permanecí allí dentro dos meses.

La mariposa echó a volar emitiendo su código de señales negras y amarillas con las alas. El jardinero tamborileó sobre la mesa con los dedos. Al final, se puso de pie.

—Ven, te enseñaré parte del jardín.

—Se nos va a enfriar el té. —Yo esperaba recibir una respuesta, aún no me había dicho si iba a aceptar mi oferta.

—Es poco probable que nos quedemos sin té en esta parte del mundo —dijo—. ¿No te parece?

Agarró un viejo salacot de un perchero junto a la puerta delantera y me condujo al exterior. Bordeamos el estanque vacío; observé que el fondo ya estaba revestido con arcilla endurecida. Más lejos, dentro del jardín, un culi tamil amontonaba en una carretilla unas rocas bañadas en fango y raíces.

—*Selamat pagi, Tuan* —saludó a Aritomo.

El jardinero examinó el trabajo de aquel hombre y sacudió la cabeza con evidente irritación. El tamil apenas hablaba inglés y Aritomo no era capaz de decirle exactamente lo que quería que se hiciera. Me coloqué entre ambos y traduje sus instrucciones al malayo. Aritomo me dio más indicaciones detalladas para que se las transmitiera y me asegurara de que lo había entendido con precisión.

—Seguirá metiendo la pata —asumió mientras el tamil empujaba la carretilla.

—¿Cuántos trabajadores tiene aquí?

—Antes tenía nueve —respondió Aritomo—. Cuando terminó la guerra, se marcharon a Kuala Lumpur. Ahora solo hay cinco empleados. No tienen interés ni aptitudes para la jardinería. Y, como has visto, no entienden mis instrucciones.

—Ya lleva aquí nueve años —dije mientras miraba a nuestro alrededor—. Pensé que el jardín estaba ya terminado.

—Estoy cambiando algunas cosas —contestó—. Los soldados que vinieron a por mí disfrutaron destruyéndolo. Durante mucho tiempo me pregunté si tenía sentido arreglarlo. No quería que otro grupo de soldados lo destrozara. Aplacé su restauración hasta hace unos meses.

—Y esos cambios, ¿cuánto tiempo llevarán?

—Probablemente un año más. —Se detuvo a observar una hilera de flores de heliconia. —Quiero llevar a cabo unas cuantas ideas nuevas.

—Parece mucho tiempo para terminar un jardín.

—Está claro que sabes muy poco. Hay que desenterrar las rocas y transportarlas. Hay que quitar árboles y replantarlos. Todo tiene que hacerse a mano; absolutamente todo. —Aritomo arrancó los extremos de unas ramas bajas—. Así que, como ves, no puedo aceptar tu encargo.

Una decepción amarga me destrozó.

—Estoy dispuesta a esperar un año —dije finalmente—. Incluso dos años si lo necesita.

—Tu propuesta no me interesa.

Se dirigió con grandes zancadas hacia un pedrusco enorme junto a un seto; lo seguí un momento después. La piedra me llegaba por la cadera. En su superficie lisa había una cavidad del tamaño de un lavabo pequeño. Un hilito de agua salía por un caño de bambú y llenaba el hueco antes de que el líquido se desbordase por los lados. Junto a la fuente natural había un cacillo también de bambú. Aritomo recogió un poco de agua, bebió y al acabar me lo pasó. Vacilé antes de cogerlo.

El agua estaba helada y sabía a musgo y minerales, a lluvia y bruma. Al agacharme para devolver el cacillo a su sitio, se me fueron los ojos a través de la superficie del agua hacia un hueco del seto, al otro lado del cual se veía, en la distancia, la cumbre de una montaña solitaria. La imagen fue tan inesperada y estaba tan perfectamente enmarcada por las hojas que mi mente se quedó en calma por un momento. La tranquilidad de mi interior se desvaneció cuando me erguí y cierta sensación de pérdida se apoderó de mí.

—Una vez un maestro de té horrorizó a sus discípulos cuando plantó en su jardín un seto que tapaba las vistas del mar interior que tanta fama daban a su escuela —dije, en parte para mí misma—. Solo dejó un hueco entre sus ramas y colocó una fuente delante. Todo aquel que bebiera de ella tendría que agacharse y contemplar el mar a través de aquel agujero.

—¿Dónde has oído esa historia?

Por un momento pensé en decirle que Yun Hong la leyó en un libro, pero por alguna razón sabía que no me creería.

—Un *japo* me lo contó —dije—. En el campo de prisioneros.

—¿Un soldado?

—No estaba en el ejército. Por lo menos yo nunca lo vi de uniforme. Nunca supe qué era. Se llamaba Tominaga. Tominaga Noburu. Él me contó esa historia.

En los ojos de Aritomo destelló algo fugaz, como una mariposa nocturna que se arriesga ante la llama de una vela. Era la primera vez que veía un ápice de incertidumbre en él.

—Hacía años que no oía ese nombre —dijo.

—¿Lo conoce?

—Ese maestro de té era su tío abuelo —respondió—. ¿Por qué crees que plantó el seto para tapar las famosas vistas?

—Tominaga me lo explicó —dije—. Pero hasta ahora no lo había entendido: el efecto de esa visión del paisaje resultaba mucho más potente que si el mar no se hubiera ocultado en absoluto.

Me observó durante unos instantes, después asintió con la cabeza.

Nos estábamos acercando a su casa cuando llegó el mayordomo acompañado de un europeo alto de cabello rubicundo.

—Buenas tardes, señor Nakamura —dijo el hombre. Se volvió para mirarme—. Y tú debes de ser Yun Ling. Soy Frederik.

Su acento era más inglés que el de su tío. Supuse que sería dos o tres años mayor que yo.

—El tío Magnus me ha enviado para que te lleve a casa. Le preocupa que haya problemas.

—¿Ha pasado algo? —preguntó Aritomo.

—¿No lo ha oído? Lleva toda la mañana en las noticias. Ha muerto el alto comisionado. Lo han matado los CT.

Aritomo me miró.

—Tienes que irte.

Frederik se detuvo en la deteriorada puerta de la entrada principal y dijo:

—Ah, señor Nakamura... Magnus me pidió que le recordara lo de la fiesta. ¿Por qué no viene con nosotros? Le estará esperando.

—Tengo trabajo que terminar —dijo Aritomo.

Levantó el pestillo y abrió la puerta. Me retiré para dejar que Frederik se adelantara hacia el Land Rover que estaba aparcado al otro lado de la carretera. Aritomo me hizo una reverencia pero yo no se la devolví: el gesto me recordó las veces en que me obligaron a hacerla y las palizas cuando no respondía con la suficiente rapidez o la inclinación adecuada.

Abrí la boca para hablar, pero Aritomo sacudió la cabeza. Atravesé la salida y entonces me giré para mirarlo. Hizo otra reverencia y cerró la puerta de madera. Me quedé allí durante un rato contemplándola. Oí que echaba el pestillo y giraba la llave en la cerradura.

Capítulo cinco

A todos los niños les gusta tener un tío importante y, como yo no lo tenía, Magnus Pretorius se convirtió en una figura fascinante para mí, pese a que no estuvo demasiado presente durante mi infancia. Sabía de él por lo que me contaban mis padres y por lo que callaban, fragmentos deshilachados de conversaciones interrumpidas, aunque también por lo que el propio Magnus me contó después, cuando lo conocí mejor.

En 1905, al llegar a Kuala Lumpur desde Ciudad del Cabo, Magnus trabajó como subdirector en una de las plantaciones de caucho Guthrie, en Ipoh. Le gustaba contar que consiguió el empleo porque el entrevistador se enteró de que jugaba al *rugby*. Fue durante ese periodo cuando entabló amistad con mi padre. Hicieron negocios juntos, compraron una plantación de caucho y, a lo largo de los años, adquirieron otras cuantas más.

Los hacendados de las regiones remotas vivían aislados en medio de las plantaciones de caucho y, por lo general, el vecino europeo más cercano estaba a más de treinta kilómetros de distancia. Al haberme criado en Penang, había oído historias de propietarios que bebían hasta morir o que fallecían por la picadura de una serpiente, por la malaria o por otras enfermedades tropicales. Magnus, acorralado entre las interminables hileras de árboles de caucho, llegó a odiar aquella vida y comenzó a buscar alternativas. Un fin de semana, mientras bebía en el FMS[1] de Ipoh, oyó por casualidad a un

[1] El Federated Malay States Bar (Bar de los Estados Federados Malayos), fundado en 1906, era el lugar de encuentro de hacendados y propietarios de minas durante la colonización británica. *(N. de la T.)*.

funcionario hablar de una meseta enclavada a más de novecientos metros de altura en la cordillera Titiwangsa. Tenían planeado ubicar allí un centro administrativo del Gobierno y levantar un complejo vacacional, una estación de montaña, para los altos directivos del Servicio Civil Malayo.

Magnus, que en cierta ocasión había ascendido hasta una de las cumbres de esa región, comprendió de inmediato las posibilidades que aquellos planes le ofrecían. Una semana más tarde había obtenido una concesión gubernamental de casi doscientas cincuenta hectáreas en las tierras altas. Le vendió a mi padre sus participaciones en las plantaciones de caucho justo antes de la Gran Depresión, un acto que mi padre siempre le echaría en cara.

Un topógrafo del Gobierno, William Cameron, había cartografiado las tierras altas en 1885. Al trazar el mapa de las fronteras de Pahang y Perak, mientras recorría las cordilleras a lomos de sus elefantes, se topó con valles y montañas brumosos e interminables. «Como Aníbal cuando atravesó los Alpes», oí que Magnus contaba con frecuencia a sus invitados durante mi estancia en Majuba.

Magnus compró semillas y plantas de té de las colinas de Ceilán. Llegaron peones desde el sur de India para despejar la jungla. Al cabo de cuatro o cinco años, las laderas de las colinas y montañas de su finca se cubrieron con arbustos de té. Los árboles terminaron atrofiándose, sometidos a la continua recolección, como los bonsáis mantenidos por las generaciones de la nobleza japonesa. Unos cuantos años después de empezar a plantar, se establecieron en Cameron Highlands otras dos plantaciones de té rivales, pero para entonces la firma Majuba ya había arraigado en Malaya.

Fue la única marca de té que mi padre prohibió en casa.

En el breve trayecto de vuelta, Frederik trató de entablar conversación, pero yo tenía la cabeza puesta en Aritomo y en mi fracaso para convencerlo. Mientras miraba por la ventanilla presté escasa atención a los bancales de las granjas agrícolas más allá de Majuba y a los *bungalows* aislados frente a los que pasábamos. Cuando el *gurkha* nos abrió las verjas en la Residencia Majuba fue cuando me percaté de los coches aparcados en el camino de entrada.

—¿Qué pasa?

—El *braai* de Magnus. Celebra uno todos los sábados —explicó Frederik—. Empieza a las nueve de la mañana y normalmente dura hasta las siete o las ocho de la noche. Te va a encantar.

Recordé vagamente que Magnus me había contado algo sobre el *braai* la noche anterior, pero lo había olvidado por completo hasta ese momento. En el pasaje que daba a la cocina casi nos chocamos con Emily, que salió a toda prisa llevando una bandeja con unos cilindros de apariencia extraña.

—*Aiyoh,* estábamos muy preocupados por ti-*lah* —me regañó—. Todos están ya fuera. —Señaló con la barbilla hacia la parte trasera de la casa—. Ve y únete a ellos. ¡No! ¡Tú no, Frederik! Tú ven a ayudarme. Llévale esto a Magnus. —Me pasó la bandeja. Los cilindros brillantes, como pude comprobar, eran rollos de salchicha crudos de unos dos centímetros y medio de ancho por treinta de largo cada uno.

En el jardín de la terraza, detrás de la casa, se congregaban de quince a veinte personas, una mezcla de chinos, malayos y europeos. Algunos se recostaban sobre sillas de ratán, otros permanecían de pie conversando en pequeños grupos con una bebida en la mano. El día era soleado y sin viento, pero el ambiente era lúgubre. Una mujer se echó a reír, pero paró de repente y miró a su alrededor. Los platos, los cubiertos y las fuentes de comida ocupaban una mesa alargada al fondo de la terraza. El *curry* hervía a fuego lento sobre hornillos de carbón y la luz del sol parpadeaba al rozar las bulbosas botellas de cerveza Tiger colocadas dentro de un cubo con hielo. Bajo la sombra de un alcanforero, Magnus vigilaba una barbacoa fabricada a partir de un bidón de gasolina cortado en dos a lo largo, que descansaba sobre un caballete. A sus pies, los perros vegetaban y se rascaban mientras veían que me acercaba.

—Ah, ¡te han encontrado! —exclamó Magnus—. Imaginé que estarías en Yugiri cuando no viniste desayunar.

—Nunca las había visto en Cold Storage[2] —dije mientras tendía hacia él la bandeja de salchichas.

[2] Nombre de una importante cadena de supermercados de Singapur y Malasia fundada en 1903. *(N. de la T.).*

—Son *boerewors*. Las he preparado yo.

—Pues por su pinta parecen algo salido de Brolloks y Bittergal —dije. Los perros levantaron la vista al oír sus nombres y golpearon el césped con la cola.

—*¡Sies!* —Magnus hizo una mueca—. Ponlas en el *braai*. Enseguida verás lo *lekker*[3] que es su sabor.

Las salchichas estaban aderezadas con semillas de cilantro y otras especias que Magnus se negaba a desvelar. «Es la receta de mi *ouma*» era todo lo que decía. Cuando empezaron a cocinarse sobre el carbón desprendieron un aroma maravilloso y me di cuenta de repente de que, excepto el té que había bebido con Aritomo, no había tomado nada en toda la mañana.

—Antes de que pienses que soy un irrespetuoso —dijo Magnus señalando con la botella de cerveza Tiger hacia donde se encontraba la gente diseminada por el césped—, cuando nos enteramos de la muerte de Gurney ya era demasiado tarde para cancelarlo. —Tomó otro trago de su botella—. ¿Has conseguido lo que querías de Aritomo?

—Me ha rechazado.

—*Ag*, lástima. Pero quédate aquí todo el tiempo que quieras. El aire te vendrá estupendamente. —Su ojo buscó entre los invitados—. ¿Le ha recordado Frederik lo del *braai* a Aritomo?

—Tiene cosas que hacer —dije. Magnus agarró un par de pinzas metálicas—. ¿Hubo represalias contra él cuando terminó la ocupación?

—¿Por parte de las guerrillas antijaponesas? —Se secó los labios con la mano—. Claro que no.

—Me contó que lo detuvieron.

—Bueno, pero los británicos no pudieron acusarle de nada —replicó Magnus—. Y yo di la cara por él. —Volteó las *boerewors* y, cuando la grasa cayó sobre el carbón, se formó una aromática nube de humo—. Él se aseguró de que no nos mandaran a los campos. En determinado momento de la guerra, llegó a tener a más de treinta personas trabajando para él. Todos ellos y sus familias sobrevivieron.

—Deberíamos habernos venido aquí hasta que la guerra terminara.

Dejó de recolocar las salchichas en la barbacoa y me miró.

[3] «Agradable» en afrikáans. *(N. de la T.)*.

—Unas semanas antes de que atacaran los *japos,* le dije a tu padre que os trajera a todos.

Me quedé mirándolo fijamente.

—Nunca dijo nada.

—Tendría que haberme escuchado. Ojalá lo hubiera hecho.

A mis espaldas, el ruido de la fiesta parecía cada vez más lejano. Sentí una furia repentina hacia el orgullo obstinado de mi padre. Magnus tenía razón, las cosas habrían ocurrido de otra manera: yo seguiría ilesa, mi madre no habría perdido la cabeza y Yun Hong todavía estaría viva.

—¿Sabías con antelación que los japoneses nos atacarían? —pregunté observándolo atentamente.

—Cualquiera con dos dedos de frente que hubiera mirado un mapa se habría dado cuenta —contestó Magnus—. China era demasiado grande para que Japón la engullera, todo lo que podían hacer era mordisquear los bordes. Pero estos pequeños territorios de los Mares del Sur eran una presa más fácil.

Frederik llegó con otra bandeja, esta vez llena de chuletas de cordero.

—*Baie dankie* —le dijo Magnus.

—¿Vaya qué? —me pregunté si le había oído bien.

—Estoy intentando que este jovencito hable más afrikáans —explicó Magnus—. Lleva tanto tiempo sumergido en el inglés que ha olvidado su propia lengua. Dile lo que significa.

—*Baie dankie* —repitió Frederik y yo le pedí que me lo deletreara—. Significa «gracias». También he recibido clases de malayo —añadió—. Es curioso, hay muchas palabras comunes: *pisang, piring... pondok.*

—Eso es por los esclavos que llevaron desde Java hasta el Cabo —aclaró Magnus. Derramó su cerveza sobre el carbón y nos pidió que lo acompañáramos para presentarnos a los invitados. A pesar del frío, nadie más que yo llevaba guantes.

—Os presento a Malcolm —anunció Magnus—. Es el protector de los aborígenes. Tened cuidado con lo que decís cuando él está cerca; este hombre habla malayo, cantonés, mandarín y hokkien.

—Malcolm Toombs —dijo el hombre con una sonrisa cálida. Tenía cerca de cincuenta años y un rostro cándido que me gustó de inmediato, algo que probablemente le venía muy bien a la hora de trabajar por el bienestar de los *orang asli*[4].

—No es una persona fúnebre, a pesar de que su apellido suena parecido a «tumbas» —me susurró Frederik.

Llenamos nuestros platos con la comida del bufet y, cuando estábamos a punto de empezar a comer, Toombs nos pidió que nos colocáramos en círculo. La boca de Magnus se tensó, pero no dijo nada. Cerramos los ojos en un minuto de silencio por la memoria del alto comisionado. Fue entonces cuando el verdadero significado de la muerte de Gurney me sacudió. A pesar de lo que el Gobierno nos había estado diciendo, las cosas empeoraban.

—¿Cómo están las *boerewors?* —preguntó Magnus una vez que todo el mundo se sentó a comer.

—Están mucho más ricas de lo que aparentan. —Mastiqué, tragué y añadí—: ¿Cómo ha muerto Gurney?

—Los terroristas tendieron una emboscada a su coche y le dispararon. Fue ayer por la tarde en la carretera hacia Fraser's Hill —contestó Magnus—. Según parece, se iban de vacaciones él y su mujer. Viajaban en un convoy armado.

—Y aun así se las arreglaron para matarlo —apuntó Jaafar Hamid, el propietario del hotel Lakeview en Tanah Rata. Arrimó su silla hacia nosotros.

—¿Por qué puñetas no han divulgado la noticia hasta hoy? —preguntó Magnus.

—Hoy en día todo está censurado —dije—. Pero, en estos momentos, no creo que haya una sola radio en el mundo que no retransmita lo sucedido. Seguramente ya lo habían matado cuando me trajiste desde la estación. Por eso había tantos vehículos militares en la carretera.

—Es posible… —corroboró Toombs en voz baja—. Es un buen tanto para los rojos. Me temo que esta noche bailarán y cantarán en la jungla.

—¿Y la mujer de Gurney? —pregunté mirando a Magnus.

—La radio dijo que los CT incendiaron primero el vehículo de delante. Cuando comenzaron a disparar hacia su Rolls, Gurney se bajó del coche y se alejó.

[4] Término malayo que hace referencia a los aborígenes. *(N. de la T.).*

—Una imprudencia por su parte —comentó en voz alta una mujer europea.

Magnus la corrigió inmediatamente:

—Quería evitar que dispararan contra ella, Sarah.

—Pobre mujer… —musitó Emily.

Magnus apretó el hombro de su esposa.

—Creo que estaría bien que repasáramos nuestras medidas de seguridad y que propusiéramos algunas mejoras.

—No podemos hacer mucho más, ¿verdad? —el que hablaba era un hombre de mediana edad que anteriormente se había presentado como Paul Crawford. Según me contó, poseía una plantación de fresas en Tanah Rata y era viudo sin hijos—. Hemos levantado vallas alrededor de nuestra casa, hemos entrenado a nuestros trabajadores para que hagan de centinelas y hemos creado una Guardia Ciudadana en los *kampongs*[5]. Pero todavía estamos esperando a los agentes especiales que solicitamos.

Cuando la guerra terminó, deseé no volver a vivir algo como aquello. Pero ahí estaba yo, en el corazón de otra guerra.

—Durante varias semanas, después de que los *japos* se rindieran —dijo Emily—, tuvimos noticia de que los comunistas seguían matando a los malayos en los *kampongs* y que los malayos se vengaban con los chinos. Fue aterrador.

—Los ocupantes chinos con los que he hablado todavía creen que fueron los comunistas quienes derrotaron a los *japos* —observó Toombs.

—Durante mi primera semana en Malaya —intervino Frederik—, un soldado me contó que había estado con la primera tanda de tropas que volvieron para tomar el control del país. Pensó que los comunistas habían ganado la guerra. En todas las ciudades por las que pasaba su regimiento había banderines y carteles para celebrar la victoria de los comunistas sobre los *japos*.

—Malaya, Malaya —refunfuñó Hamid—. ¿A ninguno os resulta extraño que lo que vosotros, los ingleses, habéis llamado de manera tan despreocupada Malaya (mi *tanah-air*, mi hogar) no existiera oficialmente hasta hace poco?

[5] Palabra malaya para referirse a las aldeas y pueblos. *(N. de la T.)*.

—Este también es mi hogar, Enchik Hamid —dije.

—Tú, china *orang,* vosotros sois todos descendientes de inmigrantes —replicó Hamid—. Vuestra lealtad siempre estará con China.

—Eso es una tontería —contesté.

—Oh, perdona. Tú eres una china de los estrechos, ¿verdad? ¡Todavía peor! Vosotros pensáis que vuestro hogar es Inglaterra, un lugar que pocos habéis visto alguna vez. —Hamid se golpeó el pecho con el puño—. Nosotros, los malayos, somos los verdaderos hijos de la tierra, los *bumiputera.* —Miró a su alrededor—. Ninguno de los que estáis aquí puede recibir tal nombre.

—Por favor-*lah,* Hamid —pidió Emily.

—Los viejos países están muriendo, Hamid —dije, controlando mi enfado—, y nacen otros nuevos. No importa de dónde vengan los ancestros de cada uno. ¿Puedes decir, con absoluta seguridad, que ninguno de tus antepasados vino navegando desde Siam, Java o Aceh, o desde las islas del estrecho de la Sonda?

—¿Qué quieres decir? ¿Que hasta hace poco no existía Malaya? —intervino ahora Peter Boyd, el subdirector de una plantación de caucho. Había llegado de Londres hacía tan solo unas semanas para ocupar el lugar de su predecesor, asesinado por los CT.

—Siempre ha habido un nombre para la variada colección de territorios sobre la que los británicos han tomado el control —expliqué antes de que Hamid pudiera contestar—. Primero fueron los Estados Federados Malayos, dirigidos cada uno de ellos por un gobernador y situados en la costa oeste. —Me impactaba la ignorancia generalizada entre los europeos enviados para gobernar Malaya; no era de extrañar que los malayos estuvieran hartos y deseosos de que los *mat sallehs*[6] se largaran—. Luego fueron los Estados Malayos No Federados —continué—, regidos por sus respectivos sultanes con la ayuda de asesores británicos. Y después fueron las Colonias del Estrecho: Malaca, Penang y Singapur.

—Todos robados a los malayos —aseguró Hamid.

—Que fueron demasiado vagos para remediarlo —interrumpió Emily—. Sabes muy bien, Hamid, que fuimos los chinos quienes

[6] «Occidentales» en malayo. *(N. de la T.).*

levantamos la industria del estaño. Fundamos ciudades e introdujimos el comercio. ¡Kuala Lumpur fue fundada por un chino! No me digas que no lo sabías.

—¡Ah! Éramos demasiado listos como para querer pasarnos el día trabajando como mulas para el *mat salleh* en las minas de estaño, no como vosotros, chinos *orang*. —Hamid se inclinó hacia delante con su plato—. Eh, Emily, ponme un poco más de tu *belachan,* por favor.

El descubrimiento del estaño en el valle Kinta durante el siglo XVIII obligó a los británicos a traer culis del sur de China para trabajar en las minas, pues los malayos preferían quedarse en sus *kampongs* y cultivar sus propias tierras. Los inmigrantes chinos vinieron con la intención de volver a su tierra natal después de haber hecho fortuna. Sin embargo, muchos de ellos se quedaron, ya que preferían la estabilidad de la vida en una colonia británica a las guerras y revueltas de la patria. Fundaron familias e hicieron dinero en Penang, Ipoh y Kuala Lumpur, y abrieron el camino a otros compatriotas de los puertos del sur de China. Estos inmigrantes enseguida formaron parte de Malaya. Nunca me lo había planteado, al igual que nunca consideré extraño haber nacido bajo los cielos monzónicos del ecuador y el hecho de que al respirar por primera vez el aire húmedo y caluroso de los trópicos me hubiera sentido de inmediato y para siempre en casa.

Magnus se frotó el ojo bueno con los nudillos.

—Recuerdo que hace un par de años estaba sentado en mi despacho, escuchando las noticias vespertinas —dijo—. Lo que oí me hizo perder la esperanza. —Se giró hacia Crawford y Toombs—. Vuestro Attlee reconocía oficialmente el Gobierno del amigo Mao en China, mientras los comunistas nos mataban a centenares en Malaya cada mes.

—No olvides que hay elecciones dentro de un par de semanas —advirtió Crawford—. Podríamos conseguir que volviera Winston.

Magnus hizo una mueca que demostró lo poco atractiva que le parecía esa posibilidad.

—Si eso sucede —intervino Frederik—, él será el heredero de Mao en esta parte del mundo y Mau en África.

—Eres tremendo-*lah* —dijo Emily, escondiendo su risa tras la mano.

—Lo que Yun Ling acaba de mencionar sobre los antiguos países que mueren... bueno, ella tiene razón —señaló Magnus—. No hay otro más antiguo que China y mira cómo está ahora. Un nombre nuevo y un emperador nuevo.

—¿Emperador Mao? —dijo Frederik.

—Lo es en todo menos en el nombre.

—Por el amor de Dios —interrumpió Emily—. Vamos a hablar de otra cosa, ¿os parece? ¿Alguien ha leído ese libro nuevo de la tal Han Suyin? Vino a visitarnos el año pasado, como sabéis. Eh, Molly, ¿es verdad que van a hacer una película sobre él con William Holden?

El almuerzo parecía distenderse cuando uno de los criados salió de la casa y susurró algo a Magnus. Él se levantó y entró a la casa por la cocina seguido de los perros. Cuando se reincorporó a la reunión unos minutos más tarde, parecía preocupado.

—Me ha llamado por teléfono uno de mis subgerentes —dijo mientras nos miraba a todos—. Los CT han prendido fuego a un asentamiento ocupado[7] de Tanah Rata hace una hora. Al jefe le dieron un machetazo con un *parang*. A su mujer y a sus hijas las obligaron a presenciarlo. No pretendo echaros, pero a las seis en punto se ha establecido un toque de queda en la zona.

Enchik Hamid se puso en pie de un salto esparciendo las migas de su regazo.

—*¡Alamak!* Mi mujer está sola en casa.

Los demás se levantaron también y me di cuenta de que el asesinato del alto comisionado los había asustado más de lo que habían querido admitir. Magnus y Emily acompañaron a los invitados fuera y yo me quedé en el jardín. Caminé por delante de las estatuas de las diosas hermanas, me detuve ante la balaustrada baja de piedra y me apoyé en ella. En la terraza inferior se extendía un jardín formal donde las hojas de roble se dispersaban por el césped como piezas

[7] Los asentamientos ocupados eran poblados abandonados donde se instalaban nuevas comunidades, normalmente de ascendencia china, que se dedicaban a la agricultura a pequeña escala. Por lo general funcionaban al margen de las administraciones coloniales. *(N. de la T.).*

de un puzle *jigsaw* incompleto. Un pavo real perseguía a su compañera por el césped y las plumas de sus colas rastrillaban las hojas. En un lateral había una rosaleda diseñada en espiral.

Al principio pensé que el ruido venía de un camión que subía con esfuerzo una carretera empinada en algún lugar de la colina de al lado. En cuestión de segundos se hizo más fuerte hasta que explotó en un estruendo ensordecedor cuando un aeroplano sobrevoló la Residencia Majuba trazando círculos sobre los campos de té.

—Un Dakota —dijo Frederik mientras salía de la casa para acompañarme.

La puerta que estaba junto a la cola del avión se abrió y dejó escapar una nube marrón que se rompió en pedazos un momento después. Durante un segundo pensé que el aparato se desintegraba, que el fuselaje se descascarillaba.

—¿Qué es eso? —pregunté.

—Salvoconductos y avisos para instar a los CT a que se rindan —me explicó Frederik—. Dice Magnus que es un infierno limpiar el terreno cuando el viento los arrastra por la plantación de té. Los culis siempre se quejan.

El Dakota viró tras una colina y su petardeo se fue alejando de forma gradual. Las hojas de papel sobrevolaban la casa en remolinos. Me dirigí a la parte más alejada del césped y agarré uno de aquellos panfletos en el aire. Había oído hablar de esos avisos emitidos por el Departamento de Guerra Psicológica, pero hasta entonces no había visto ninguno. En el papel había dos fotografías impresas, una junto a la otra. La primera mostraba a un CT en el momento de su rendición, escuálido, desnutrido y vestido con harapos, con los pómulos prominentes y los dientes salidos. «Camaradas, me llamo Chong Ka Heng. Antes era miembro del Cuarto Regimiento de Johor», leí en voz alta. La otra fotografía era del mismo hombre, sonriendo y bien alimentado, con aspecto de oficinista, ataviado con una elegante camisa blanca y pantalones negros de pinzas, y con el brazo alrededor de la cintura de una joven china poco atractiva pero sonriente. «El Gobierno me ha tratado bien desde que me rendí. Te ruego que pienses en tu familia, en tus padres, que te añoran. Abandona la lucha y regresa con la gente que te echa en falta». Los ofrecimientos de amnistía y recompensas se repetían en malayo, chino y tamil.

El papel era fino, de color marrón claro, como si hubiera estado toda la noche en remojo con los posos del té.

—Han elegido un color extraño —dije.

—Es intencionado. Así es menos llamativo en caso de que lo recoja un bandido. —Frederik carraspeó—. Magnus me permite utilizar uno de los *bungalows;* está al otro lado de la finca —añadió tras una pausa—. ¿Vienes a tomar algo?

—El toque de queda ha empezado.

—Pero no saldremos de la propiedad.

—Hoy no, Frederik —rechacé su ofrecimiento mientras arrugaba el panfleto—. Pero gracias por recogerme esta mañana.

Cuando volví a mi habitación, comenzó a dolerme la mano izquierda, que palpitaba a la vez que mi pulso. Mi ira hacia Aritomo, aplacada durante la fiesta, resurgió. Menudo descaro, me había hecho recorrer todo el trayecto desde Kuala Lumpur solo para rechazar mi oferta sin pensarlo, casi de manera inmediata. Maldito *japo.* ¡Maldito *japo* de mierda!

Abrí el cajón de la mesilla de noche y saqué mi cuaderno. Era pesado y había aumentado su grosor con los recortes de periódico que había ido pegando. Pasé las páginas sin mirarlas realmente; me sabía de memoria su contenido. Cuando trabajaba como ayudante de investigación en los juicios por los crímenes de guerra, comencé a recopilar noticias sobre sentencias en Tokio y en los países ocupados por los japoneses. Conocía a la perfección los delitos de los que se acusaba a los oficiales nipones, pero seguía leyendo los recortes con frecuencia, pese a haber aceptado, tiempo atrás, que no incluían ningún nombre reconocible ni ningún rostro familiar en las fotografías. Nunca se mencionaba el campo en el que yo estuve encerrada.

Entre las páginas finales del cuaderno había un sobre azul claro con una dirección escrita en japonés y en inglés. Al cogerlo, se notaba ligero como una pluma. El sobre señalaba la página donde anoté la última conversación mantenida con un criminal de guerra convicto, una semana antes de mi marcha a Cambridge. Recordé la promesa que le hice a aquel hombre, la promesa de que mandaría su carta por correo.

Lentamente, el dolor de mi mano remitió. Pero volvería. Las voces de los criados llegaban débilmente desde algún lugar de la casa. Uno de los pavos reales llamaba a su pareja. Guardé de nuevo el sobre entre las páginas, cerré el cuaderno y salí a la terraza.

Me quedé allí de pie durante un buen rato, mirando hacia Yugiri, hasta que las laderas de los valles se hundieron en la noche y el jardín de Aritomo desapareció de mi vista.

Capítulo seis

Tras el asesinato del alto comisionado, Magnus y Frederik se dedicaron a supervisar a los trabajadores que reparaban la valla que protegía la casa. Colocaron en ella un par de focos que apuntaban hacia el exterior. Magnus decidió cubrir las ventanas con una delgada tela metálica cuando alguien del Club de Golf de Tanah Rata mencionó que unos CT lanzaron una granada de mano al comedor del *bungalow* donde vivía el director de una plantación de caucho de Ipoh durante una comida familiar.

—Emily me ha dicho que no has visto nuestra clínica —dijo Magnus mientras le ayudaba a clavar unos trozos de tela metálica sobre las ventanas de mi habitación.

La malla ensombrecía la estancia, así que encendí la luz. Habían pasado ya dos días desde que Aritomo me había rechazado, pero yo seguía resentida.

—Ve a echar un vistazo —continuó Magnus—. Nuestra enfermera nos dejó el año pasado; decía que era muy peligroso trabajar aquí. Emily decidió entonces atenderla ella misma. Ya sabes que recibió formación sanitaria antes de ver la luz y casarse conmigo.

Yo era reacia a visitar la clínica, pero sabía que tenía que hacerlo, aunque solo fuera por respeto a Emily. El *bungalow* encalado se encontraba a poca distancia de las casas de los trabajadores. Cuando entré en la sala de espera, un tamil recostado en una silla me sonrió. Emily estaba sentada detrás de un mostrador y movía los labios en silencio mientras metía unas píldoras en un bote. A través de una puerta abierta, vi una habitación con dos camas detrás de una mampara. De una de las camas sobresalían las piernas desnudas de una mujer.

—Esa es Letchumi —dijo Emily mirándome.

—A la que le mordió la serpiente.

Emily ladeó la cabeza.

—Eso es. La noche en que llegaste. Ahora ya está bien. El doctor Yeoh le puso una inyección. ¡Maniam! ¡Eh, Maniam! *Ambil ubat.*

El culi que estaba en la silla se acercó para recoger el bote de pastillas. Ella le hizo repetir las instrucciones de dosificación en malayo antes de dejar que se marchara. Luego se volvió hacia mí y señaló unas cajas de medicinas apiladas en una esquina.

—Han llegado hoy. He pedido más, por si los CT nos atacan. —Sacudió la cabeza—. Es curioso que ellos fueran quienes mataron a Gurney, ¿verdad?

—¿A qué te refieres?

—Gurney se quedó sentado sin hacer nada después de que los CT atacaran aquella finca en Sungai Siput. No movió el culo.

—Sí que lo hizo: declaró el estado de emergencia en toda la nación.

—Pero solo porque los hacendados lo obligaron. Magnus consiguió que todo el mundo de por aquí firmara la petición. Vosotros, los que vivís en las ciudades —dijo antes de emitir un sonido burlón con la garganta—, no creo que os hayáis dado cuenta de que hay una guerra. —Había cierta verdad en sus acusaciones—. Si de algo me alegro —continuó— es de que al menos Magnus ya no pierda el tiempo los domingos dando vueltas por las montañas con sus amigos.

—¿Qué hacían? ¿Cazar jabalíes?

—¿No has oído la historia? Dicen que los *japos* de Tanah Rata ocultaron un montón de lingotes de oro en algún lugar de estas montañas antes de rendirse.

—Pero eso es solo un rumor, seguro.

—Son como colegiales-*lah* buscando un tesoro enterrado. Si quieres saber mi opinión, yo creo que lo hacen para estar lejos de sus esposas. —Abrió un armario y comenzó a desempaquetar cajas de compresas. Mostrándome uno de aquellos paquetes, dijo—: Espero que no pienses que soy una entrometida, porque no lo soy. Pero siempre he sentido curiosidad... ¿Cómo te las apañabas cuando estabas prisionera?

—Muchas de nosotras dejábamos de menstruar.

—Suele pasar. Por las pésimas condiciones y la falta de comida.

—Incluso después de que me liberaran, tardé en manchar otra vez dos o tres meses. De repente un día, en la oficina, volvió sin más.

Me pilló desprevenida y tuve que pedir a mi secretaria que me diera algo para ponerme. Pero recordé el alivio que sentí después. Al fin asumí que la guerra había terminado de verdad. Mi cuerpo era libre para recuperar sus ritmos de nuevo.

El olor de los desinfectantes de la clínica comenzó a provocarme náuseas; debió de resultar obvio porque Emily me miró preocupada.

—¿Quieres un poco de bálsamo de tigre? —preguntó.

—Este sitio, su olor... me recuerda a los hospitales.

—*Sayang* —dijo sacudiendo la cabeza apesadumbrada—. Esperaba que pudieras echar una mano aquí.

—No voy a quedarme mucho tiempo.

Salí de la clínica contenta de volver al sol y al aire fresco. Al llegar a la Residencia Majuba, encontré sobre mi tocador un paquete con papeles enrollados: los mapas y fotos que había dejado en Yugiri para que los viera Aritomo.

A la mañana siguiente, la sirena que llamaba a los trabajadores estaba terminando de sonar cuando salí de casa. Me quedé fuera del garaje frotándome las manos. El mundo era gris y húmedo. Un minuto más tarde me llegó el sonido de un crujido continuo sobre la grava, y entonces, entre la bruma, apareció Magnus con los perros rodesianos detrás. La noche anterior le había pedido que me enseñara la finca, pero cuando me vio pareció sorprenderse.

—No pensé que serías capaz de levantarte tan temprano —dijo mientras abría la puerta trasera del Land Rover para que entraran los animales. Vislumbré fugazmente un revolver enfundado bajo su chaqueta.

—No necesito dormir mucho —contesté.

Durante el breve y agitado camino hacia la fábrica, me explicó a grandes rasgos cómo funcionaba la plantación.

—Geoff Harper es mi subgerente —dijo—. Tenemos cinco ayudantes que vigilan en la oficina a los *keranis* o administrativos.

—¿Y fuera, en el campo?

—La finca se divide en treinta y cinco secciones. Cada sección está controlada por un *kangani* o supervisor. Por debajo de él están los *mandors* o capataces. Son los responsables de sus respectivas cuadrillas: recolectores, escardadores y barrenderos. Hay vigilantes que aseguran que no haya robos o momentos de inactividad. Y he colocado a varios miembros de la Guardia Ciudadana para que los vigilen.

—Ayer, cuando pasé por delante de la fábrica, vi que había algunos niños.

—Son los hijos de los trabajadores —me aclaró Magnus—. Les pagamos veinte centavos por cada bolsa de orugas que atrapan en los arbustos de té.

La fábrica era del tamaño de un almacén de muelle. Los culis ya estaban alineados fuera. El aroma a clavo de los cigarrillos *kretek* impregnaba el aire. Magnus los saludó y un *kangani* veterano los iba llamando uno a uno mientras los marcaba en un registro que llevaba en una carpeta. Me recordó a cuando pasaban lista en el campo de prisioneros.

Magnus consultó al subgerente Geoff Harper, un hombre bajo y fornido entrado en los cincuenta que llevaba un par de rifles colgados a la espalda.

—¿Han venido todos los trabajadores? —preguntó.

Harper asintió con la cabeza y dijo:

—El precio del caucho era bajo.

—Esperemos que se quede así.

—Anoche nos tendieron una emboscada en la carretera que va a Ringlet. Una pareja de chinos —dijo Harper—. Los hijos de puta…, perdone, señorita, los CT los hicieron picadillo y los abandonaron en la carretera.

—¿Los conocíamos?

—Eran visitantes de Singapur. Volvían en coche después de cenar en una boda.

Los recolectores marcharon hacia las laderas. Yo seguí a los trabajadores que entraban en la fábrica.

—Prensas, rodillos y hornos —explicaba Magnus al tiempo que iba señalando las enormes y silenciosas máquinas alineadas en el interior.

El olor de las hojas tostadas impregnaba el aire; sentí como si hubieran abierto una lata de té. Los trabajadores empujaron unos estantes con bandejas de estaño cubiertas de hojas mustias curvadas que parecían larvas de insectos. Las máquinas empezaron a funcionar un segundo después y a aporrear la fábrica entera con su traqueteo. Magnus me hizo señas para que lo acompañara fuera.

Enfilamos un sendero entre los arbustos de té. Los perros corrían delante con el hocico pegado al suelo.

—¿Qué tiene que ver el precio del caucho con tus trabajadores? —pregunté.

—Geoff lo consulta en la radio todas las noches. Si sube, algunos de ellos se irán a trabajar a las plantaciones de caucho. La mayoría de los que se fueron antes de la ocupación han vuelto, pero siempre estamos faltos de personal.

—¿Los contrataste de nuevo después de que te abandonaran?

Se dio la vuelta para mirarme y luego continuó caminando.

—Cuando vinieron los *japos,* les comuniqué que eran libres para marcharse, que su antiguo puesto estaría disponible para ellos una vez que terminara la guerra. Les dije que mantendría mi promesa si seguía con vida.

El terreno se empinó de repente y mis pantorrillas se tensaron. De las copas de los arbustos se desenroscaban volutas de vapor. Magnus miró atrás y apresuró el paso, lo que hizo que me resultara aún más difícil mantener el ritmo. Cuando llegamos a la cima me costaba respirar. Se paró y señaló hacia las montañas.

Brotaban de la tierra, al norte, a casi quinientos kilómetros de distancia, cerca de la frontera con Tailandia, y se extendían hacia Johor, en el sur, formando una suerte de columna vertebral que dividía Malaya en dos. Con la delicada luz de la mañana, las montañas tenían la suavidad de un paisaje pintado sobre seda.

—Esto siempre me recuerda a la semana que pasé en China, en la provincia de Fujian —dijo Magnus—. Visité la montaña Li Wu. Allí había un templo de mil años de antigüedad, o eso decían los monjes, que cultivaban su propio té. Me dijeron que el árbol de té original lo había plantado un dios en esas tierras, ¿no es increíble? El templo era famoso por el sabor de su té, un sabor que no se encuentra en ninguna otra parte del mundo.

—¿Qué tipo de sabor?

—Para conservar la pureza del té —continuó—, solo los monjes que no habían alcanzado la pubertad podían recoger las hojas. Y durante un mes antes de la recolección, a esos muchachos no les estaba permitido comer chili, repollo en vinagre, ajo ni cebolla. No podían tocar ni siquiera una gota de salsa de soja, ya que de otro modo su respiración podía contaminar las hojas. Los jóvenes recogían el té al amanecer, justo ahora. Llevaban guantes para que el sudor no empañara su sabor. Una vez recogido y empaquetado, se lo mandaban al emperador como tributo.

—Mi padre siempre pensó que estabas loco por haberte metido en una plantación de té.

—No era el único que lo pensaba. —Magnus se echó a reír mientras arrancaba una hoja de un arbusto y la hacía girar entre los dedos por debajo de la nariz.

Las voces y los cantos de los recolectores flotaban por el valle. La mayoría eran mujeres, con las cabezas cubiertas por ajados sombreros de paja. Llevaban a la espalda grandes cestas de mimbre atadas con cintas que se sujetaban por delante de la frente. Recolectaban unos dieciocho kilos de hojas al día; volvían a la fábrica para descargar sus cestas rebosantes antes de dirigirse de nuevo a las laderas para repetir la misma rutina una y otra vez hasta que la jornada tocaba a su fin. Al contemplarlas me di cuenta de lo engañosos que eran los anuncios que veía de pequeña en las paredes de las mohosas tiendas de alimentación junto a otros carteles descoloridos de cerveza Tiger y cigarrillos Chesterfield. Aquellas imágenes exhibían voluptuosas recolectoras vestidas con saris impolutos de colores vivos, con los dientes blanquísimos, aretes brillantes en la nariz y las orejas, y las muñecas cargadas de brazaletes dorados.

A las trabajadoras que veía ahora en el valle les pagaban mal por realizar una de las tareas más mecánicas y agotadoras jamás concebidas. Por mis paseos por la finca, sabía que Magnus era un patrón bastante decente, que proporcionaba alojamiento a sus empleados y escolarización básica a los hijos de estos, pero me daba cuenta de que, con aquella vida tan dura, la risa y los cantos que se elevaban de las laderas eran, en realidad, el reflejo amargo de la vida de esas gentes. Aquellas mujeres volverían cada noche a su choza de suelo sucio, con sus ocho, nueve o diez hijos y un marido encurtido en una mezcla de licor, agua y azúcar.

—Un sargento del ejército me contó que al día siguiente de que dispararan a Gurney, las fuerzas de seguridad llegaron a Tras y desalojaron a todos los ocupantes —dijo Magnus.

—¿Dónde está eso?

—Es un asentamiento ocupado que se encuentra cerca de donde lo asesinaron.

—Habrán pensado que los habitantes del asentamiento ayudaron a los CT.

—Al menos los soldados no han reducido las casas a cenizas... —La mirada de Magnus pareció detenerse en otro horizonte trazado a lo largo de otro mundo más antiguo—. Cuando estuve en la unidad militar, solíamos recorrer a caballo las granjas que los soldados angloafricanos habían incendiado. A veces las ruinas, aún ardientes y humeantes, sumían toda aquella extensión de tierra en un crepúsculo macabro que duraba varios días. Había ovejas muertas llenas de moscas por todas partes; los «caquis»[1] las habían atado a los caballos y las habían destrozado. Cabalgáramos por donde cabalgáramos, el aire parecía vibrar siempre con un zumbido grave y constante. Eran las moscas las que provocaban aquel sonido. —Se acarició el pecho de manera distraída—. Albergábamos tanta furia, tanto odio hacia los ingleses, que solo eso nos incitaba a combatirlos hasta las últimas consecuencias. —Extendió el brazo hacia las colinas de té—. El primer lote de plantones vino del mismo estado de Ceilán donde trabajé como prisionero de guerra. La historia está llena de ironía, ¿no te parece?

Las nubes transitaban por las cumbres de las montañas como espíritus que huyen del sol naciente. Creí sentir un estremecimiento en las profundidades de la tierra, como si percibiera la proximidad de la luz.

—Regreso a casa mañana. —Di una patada a una piedra que se deslizó por la cornisa—. ¿Podrás llevarme hasta Tapah? Desde allí cogeré el tren.

Me miró.

[1] Modo de referirse a los soldados británicos debido al color de su uniforme. *(N. de la T.).*

—¿Y qué vas a hacer? ¿Volver a tu antiguo trabajo?

—¿Después de las cosas que dije sobre el Gobierno?

—Habrá más jardineros a quienes contratar para que diseñen el jardín, seguro.

—En Malaya no. No hay nadie con la fama de Aritomo. Y no quiero ir a Japón —dije—. No puedo. Creo que jamás podré. —La negativa del jardinero se había interpuesto en mi camino y no tenía ni idea de qué iba a hacer—. Habla con él de mi parte, Magnus. Pídele que lo reconsidere —le rogué—. Tengo dinero ahorrado. Le pagaré bien.

—Lo conozco desde hace diez años, Yun Ling. Una vez que ha tomado una decisión, nunca cambia de idea.

No muy lejos, en la cima de un monte, un par de cigüeñas con las alas ribeteadas de gris ceniza saltaron desde las copas de los árboles y sobrevolaron la colina en dirección hacia otros valles que se escapaban de nuestra vista. La quietud era tal que casi oía el batir de sus alas al abanicar la débil bruma con un movimiento semejante al de las olas.

Como Magnus tenía que inspeccionar más secciones antes del desayuno, le dije que volvería sola a la Residencia Majuba. Iba caminando por un sendero entre los campos de té y el margen de la jungla cuando me paré en seco. Examiné las filas de árboles sin saber bien qué buscaba. Al retomar mi camino, di un respingo. A unos tres metros de distancia distinguí una figura de pie entre las sombras que empezaba a acercarse. Di un paso atrás, pero aquello seguía avanzando. Cuando por fin alcanzó una zona soleada, suspiré aliviada. Era una niña, de unos nueve o diez años, con la cara y la ropa manchadas de barro. Era aborigen y estaba llorando.

—*Kakak saya* —dijo con palabras temblorosas entre sollozos—. *Tolon mereka.*

—*¿Mana?* —pregunté mientras me arrodillaba para mirarla a la cara. Le sacudí suavemente los hombros—. ¿Dónde?

Ella señaló hacia los árboles de detrás. Sentí como si la jungla me oprimiera.

—Vamos a llamar a la policía —dije, todavía en malayo—. Los *mata-mata* ayudarán a tu hermana.

Me puse de pie y comencé a caminar hacia la casa, pero la niña me agarró la mano y tiró de mí, intentando arrastrarme hacia los árboles. Yo me resistí, porque temí que fuera una emboscada de los CT. Me llevé la mano a los ojos para no deslumbrarme y miré con los párpados entornados hacia las laderas, pero los recolectores todavía no habían llegado a aquella sección de la finca y no vi ni rastro de la Guardia Ciudadana. La niña empezó a llorar más fuerte y a tirarme del brazo otra vez. La seguí, pero cuando llegamos al borde de la jungla me detuve en seco.

Por primera vez desde el final de la guerra me disponía a adentrarme en la selva tropical. Temía que, si entraba, no volvería a salir. Antes de que pudiera darme la vuelta, la pequeña me apretó la mano y me empujó hacia los helechos.

Los insectos emitían repiqueteos metálicos. Las cigarras tejían una malla de ruido que lo cubría todo. El canto de los pájaros martilleaba clavos afilados y brillantes en el aire. Era como entrar en una ferretería de los callejones de George Town. La luz del sol se filtraba a través de un entramado de ramas y hojas, pero era incapaz de descender lo suficiente como para disipar la penumbra empapada del suelo. Las enredaderas colgaban como sogas anchas y lacias. La niña me condujo a través del rastro estrecho dejado por un animal; las piedras enceradas con musgo amenazaban con hacerme caer a la mínima falta de concentración. Durante quince o veinte minutos la seguí entre los helechos arborescentes que derramaban su frondosidad sobre nosotras y teñían la luz de un verde traslúcido.

Aparecimos en un pequeño claro. Ella se detuvo y señaló hacia una choza de bambú entre los árboles con el techo cubierto de una capa poco espesa de nipas. La puerta estaba medio abierta, pero dentro parecía reinar una oscuridad total. Nos acercamos a la cabaña haciendo el menor ruido posible. Entre los árboles, a nuestra espalda, las ramas crujieron y algo pesado cayó al suelo. Me di media vuelta y miré hacia atrás. Los árboles estaban en calma. Quizás solo fuera un durián maduro que, con su armadura de espinas, había desgarrado las hojas al caer. Entonces percibí otro sonido que se mezclaba entre el ruido de la jungla, una vibración tan débil que resultaba casi relajante. Procedía del interior de la choza.

La puerta no se movió cuando la empujé con el pie. Volví a intentarlo, esta vez con más fuerza, y se abrió de par en par. Sobre el suelo de tierra batida yacían tres cuerpos en un charco de sangre tan oscura y espesa que parecían pegados. Cientos de moscas se posaban en las caras, en los vientres hinchados y en los taparrabos. Los habían degollado. La niña gritó y yo le tapé la boca con la palma de la mano. Ella forcejeó, agitando los brazos como loca, pero la agarré con fuerza. Las moscas se elevaron de los cadáveres y, cuando revolotearon hasta el techo de paja, lo ennegrecieron como una plaga de moho.

Al aproximarnos a la cocina me llegó un olor a comida. Frederik y Emily estaban ya sentados. Dejaron de hablar y levantaron la vista cuando entré con la niña, que se asomó por detrás de mí. Emily hizo que nos sentáramos en la mesa, donde se había dispuesto el desayuno típico de los hacendados: platos de beicon crujiente, salchichas y huevos, pan frito y mermelada de fresa. Frederik nos sirvió el té endulzado con mucha leche condensada. Bebí unos cuantos sorbos. El calor se extendió por mi cuerpo y me calmó los escalofríos. Les expliqué rápidamente lo sucedido.

—¿Dónde está Magnus? —Los ojos de Emily se clavaron en los míos.

—Sigue fuera en las colinas, creo. No lo sé.

—¡Ve a por Geoff! —le dijo a Frederik con brusquedad—. Dile que busque a tu tío. Y llama a la policía. Y a Toombs. ¡Rápido!

Una criada trajo dos mantas y Emily le colocó una a la niña sobre los hombros y me pasó la otra. Al cabo de un rato Frederik regresó con Magnus. Los perros se acercaron a olisquear las piernas de la niña. Ella gritó y se encogió en la silla. Emily ahuyentó con un grito a los animales que se fueron sigilosamente hacia una esquina.

—¡Maldita sea, Yun Ling! —exclamó Magnus—. ¡Deberías haber venido a casa de inmediato!

La pequeña empezó de nuevo a llorar.

—No grites-*lah,* estás asustando a la criatura —dijo Emily mirando a su esposo con el ceño fruncido.

—Me pidió que la siguiera —me justifiqué.

—Entrar en la jungla ha sido una estupidez por tu parte —continuó—. ¡Una estupidez! Si te hubiera pasado algo, tu padre me habría cortado las pelotas.

—Pero no me ha pasado nada.

Mientras me miraba, arrastró una silla y se dejó caer sobre ella con pesadez.

Cuando Toombs llegó, la niña se bajó de la silla y se aferró a su pierna. El protector de los aborígenes se agachó sobre una rodilla y la interrogó con delicadeza, en un malayo mucho más fluido que el mío. Después de un rato, la tomó de la mano, la llevó de nuevo a la mesa y le dijo que se terminara la taza de té. Ella dio un sorbo, luego otro, sin apartar la vista de Toombs.

—No nos ha dicho cómo se llama —dijo Emily.

—Se llama Rohana —dijo Toombs. Se giró hacia mí—. Los cadáveres que has visto… eran su hermana, su hermano y su primo.

—¿Qué hacían en la choza? —pregunté.

—No era una choza, en realidad. Era un escondite de caza. Estaban esperando a que salieran los jabalíes por la noche. Hace dos días que dejaron el pueblo para ir a cazar y se llevaron a Rohana con ellos. Ella estaba jugando no muy lejos del escondite, anoche, cuando oyó gritos. Entonces se ocultó entre los árboles.

—¿Vio lo que ocurrió? —preguntó Magnus.

—Había cuatro CT, dos de ellos mujeres —respondió Toombs, mirando fijamente a la niña. Los ojos de la pequeña, grandes y oscuros, lo observaban por encima de la taza—. Obligaron a sus hermanos y a su primo a entrar en el refugio. Los oyó gritar un momento después. Luego chillaron más fuerte. Cuando los CT salieron de nuevo, se llevaron el jabalí que su hermano había cazado. Uno de ellos la vio y la persiguieron. Rohana echó a correr por la jungla. Se ha pasado toda la noche escondida.

La policía llegó una hora más tarde y, bajo las órdenes del subinspector Lee Chun Ming, nos interrogaron a Rohana y a mí por separado. Toombs se quedó junto a la niña cuando le tocó a ella. El subinspector Lee me pidió que le mostrara a la policía el refugio donde hallamos los cadáveres. Nos aproximamos en dos coches lo más cerca posible del lugar donde encontré a la niña antes de continuar a pie por la jungla.

Más tarde, en el camino de vuelta hacia la Residencia Majuba, pasamos por delante de varios grupos de recolectores acuclillados junto a la carretera que fumaban cigarrillos *kretek* mientras hablaban entre ellos con las cestas junto a los pies. Siguieron los coches con la mirada. La noticia de los asesinatos ya se había difundido por la plantación.

Era de noche cuando el subinspector Lee y sus hombres terminaron de interrogar a los trabajadores de la finca. Me fui a mi habitación y preparé la maleta. Cuando terminé, me tumbé en la cama para descansar, pero mi mente no quería tranquilizarse. Salí a la terraza. Desde donde me encontraba, se veía una esquina del patio. Emily salió de la cocina un momento después con tres varas de incienso entre las manos. Levantó la cabeza hacia el firmamento, delante del altar rojo metálico del dios del cielo que colgaba de un muro, y se llevó las manos a la frente con los ojos cerrados mientras movía los labios en silencio. Cuando acabó de rezar, se puso de puntillas e insertó las varillas en el portaincienso situado entre dos naranjas y tres tacitas de té. Los hilos de humo se elevaron hacia el firmamento. El olor del sándalo llegó hasta mí y me arrulló en un breve momento de paz antes de difuminarse. Entonces me di cuenta de que tenía que hacer algo antes de regresar a Kuala Lumpur.

—*Eh*, ¿dónde vas? —protestó Emily cuando me vio caminando por delante de la cocina—. Vamos a cenar pronto. Estoy preparando *char-siew*.

—No voy a tardar.

Una vez más, seguí a Ah Cheong por la casa y, al igual que en la primera ocasión, no me dirigió la palabra. Pasamos por la habitación donde me senté con Aritomo la mañana en que nos conocimos, casi una semana antes. El mayordomo no se paró allí, sino que me condujo por una pasarela que discurría junto a un pequeño patio con un jardín rocoso. Se detuvo en el exterior de una estancia con una puerta corredera a medio abrir y llamó suavemente en el marco. Aritomo, detrás de su escritorio, colocaba un montón de documentos en una caja de madera. Sorprendido, levantó la mirada hacia mí.

—Pasa —dijo.

A pesar del frío punzante las ventanas estaban abiertas. A lo lejos, las montañas se diluían en el anochecer. Eché un vistazo a la sala en busca de lo que quería. Sobre el alféizar se apoyaba un Buda de bronce de unos treinta centímetros de alto, con el brazo curvado sobre la cadera, suave como la línea montañosa de detrás. De una pared colgaba la fotografía en blanco y negro del emperador Hirohito con uniforme militar; aparté la vista. El fondo de la habitación estaba dividido en estanterías alineadas que contenían títulos sobre historia malaya y libros de memorias escritos por Stamford Raffles, Hugh Clifford y Frank A. Swettenham. Un par de arqueros chinos de bronce, de unos veinte centímetros, reposaban sobre el escritorio mientras tensaban arcos sin cuerda ni flecha. Una jaula de pájaro de bambú pendía de una cuerda delgada del techo, pero su único contenido era una vela medio consumida. El jardinero parecía un coleccionista de mapas antiguos; tenía cartas de navegación enmarcadas del archipiélago malayo y del sudeste asiático, dibujadas a mano al detalle por distintos exploradores holandeses, portugueses e ingleses del siglo XVIII.

En el fondo de la habitación había un cuadro de una residencia de estilo angloindio, un tipo de arquitectura muy popular en Penang. Una ancha veranda rodeaba tres fachadas de la casa, rematada con un pórtico delantero. En el centro del frontón aparecía grabada la palabra «Athelstane» y, más abajo, «1899». Detrás de la mansión, las aguas verdes del canal separaban Penang de la península. Recuerdo el orgullo de mi hermana al terminar de pintarlo.

Aritomo desplazó la silla hacia atrás y vino a mi lado. Yo miraba fijamente el cuadro.

—La policía me ha interrogado acerca de los indígenas semai —dijo—. Ha tenido que ser muy duro para ti haberlos encontrado de ese modo.

—No es la primera vez que veo cadáveres. —Observé su reflejo en el cristal—. El olor… Creía que había olvidado aquel olor, pero eso nunca se olvida.

Extendió una mano para corregir la inclinación del marco.

—¿Es tu casa?

—La construyó mi abuelo.

La casa se había levantado en el extremo este de Northam Road, un largo tramo de carretera cubierto de árboles autóctonos con mansiones de funcionarios coloniales de alto rango y chinos acaudalados.

—El viejo señor Ong era nuestro vecino —dije, ya sin mirar el cuadro, pero con la imagen de la casa en la memoria—. Empezó como mecánico de bicicletas antes de convertirse en uno de los hombres más ricos de Asia. Y todo por enamorarse de una chica. —Sonreí, recordando lo que mi madre nos había contado en una ocasión a Yun Hong y a mí—. El viejo señor Ong quería casarse con ella, pero el padre de la muchacha se opuso. El hombre pertenecía a una antigua familia acaudalada y miraba por encima del hombro al inculto mecánico de bicicletas. Lo echó de su casa y le pidió que jamás volviera a molestarlo.

Aritomo se cruzó de brazos.

—¿Y lo hizo?

—Ong solo tardó cuatro años en convertirse en un hombre rico. Construyó su casa justo al otro lado de la carretera, enfrente de donde vivía la joven. Era la casa más grande de Northam Road. Y también la más fea, decía siempre mi madre. —Me miré en el cristal. Tenía ojeras y los ojos hundidos—. Ong no quiso que nadie se enterara de que aquella mansión era suya hasta que, la tarde después de mudarse, ordenó a su chófer que lo llevara al otro lado de la calle en su Daimler plateado. Entonces, nuevamente pidió la mano de la muchacha a su padre que ahora, por supuesto, se la concedió. La boda tuvo lugar un mes después. Fue la más fastuosa que se celebró nunca en la isla, al menos eso era lo que decía la gente mayor.

—Una de las cosas que me gusta de Malaya —dijo Aritomo— es que está llena de historias como esa.

—A menudo veía al viejo señor Ong en su jardín, vestido como un culi, con una chaqueta blanca gastada y unos pantalones cortos anchos azules, con su pájaro cantor en una jaula. Siempre le hablaba al pájaro con ternura, mucha más de la que jamás dedicó a sus esposas.

Aritomo señaló el frontón.

—Athelstane. Ese era el segundo nombre de Swettenham.

Lo miré con sorpresa, pero de inmediato recordé que en su estantería había libros del primer residente general.

—Mi abuelo le puso ese nombre por él. Un nombre absurdo y pretencioso para una casa —dije—. Estoy segura de que los vecinos se reían de mi abuelo y de nosotros.

—La próxima vez que vaya a Penang, buscaré la casa.

—La destruyeron los aviones de los *japos* cuando bombardearon la isla. —El rostro de Aritomo no mostró reacción alguna—. Fue pocos días después de que nos marcháramos. Lo dejamos todo atrás... Todas nuestras fotografías. Y todos los cuadros de Yun Hong.

Me inquietaba ver una de sus obras allí; sentía que ella seguía viva, que estaba a punto de aparecer por la puerta de mi habitación para ponerme al día de algún chisme que le habían contado sus amigas. Levanté la mano y toqué el cuadro. La marca de vaho que dejé sobre el cristal despareció un segundo después, como si hubiera encontrado un modo para penetrar en la acuarela.

—Quiero comprárselo.

Aritomo sacudió la cabeza.

—Fue un regalo.

—Este cuadro no significa nada para usted. —Me giré para colocarme frente a él—. Le estoy pidiendo que me lo venda. Me lo debe, después de todo.

—¿Por qué? ¿Por lo que mi país te hizo?

—Véndamelo.

Hizo un gesto como si acariciara el aire con las manos.

—Desde que viniste he estado pensando en tu oferta.

Me puse tensa al imaginar lo que estaba a punto de decirme.

—¿Va a diseñar y construir mi jardín?

Sacudió la cabeza.

—Puedes aprender a hacerlo sola.

Me llevó un momento captar el sentido de su propuesta.

—Me está pidiendo que sea... ¿su aprendiz? —Eso no era de ninguna manera lo que yo deseaba—. Es ridículo.

—Te enseñaré las técnicas para construir tu propio jardín —propuso—. Un jardín simple, elemental.

—Un jardín medio japonés no es suficiente para Yun Hong.

—Es todo lo que puedo ofrecerte —dijo—. No tengo tiempo ni ganas de crear un jardín para ti. Ni para nadie. El último encargo que asumí me enseñó a no volver a aceptar ningún otro.

—¿Y por qué quiere hacerlo? ¿Por qué ha cambiado de opinión?

—Necesito que alguien me ayude.

La idea de ser su aprendiz, de estar a su entera disposición, no me atraía lo más mínimo. Mientras me recuperaba en el hospital, después de mi encarcelamiento, me prometí a mí misma que nadie volvería a controlar mi vida.

—¿Durante cuánto tiempo me enseñará?

—Hasta el monzón.

La estación lluviosa, calculé, volvería en seis o siete meses. Caminé despacio por la habitación mientras consideraba su propuesta. No tenía empleo, pero había ahorrado suficiente dinero como para no tener que trabajar en una temporada. Y disponía de tiempo. La oferta de Aritomo era el único modo de poder ofrecer a mi hermana un jardín japonés. Son solo seis meses, me dije. Había soportado cosas peores. Me detuve y lo miré.

—Hasta el monzón.

—Contratar a un aprendiz, sobre todo a una mujer, no es una cuestión baladí. —Levantó un dedo en señal de advertencia—. Las obligaciones que se me imponen son fuertes.

—Soy consciente de que no va a ser un pasatiempo de fin de semana.

Con el ceño fruncido se acercó a una estantería y sacó un libro.

—Esto te ayudará a comprender lo que hago.

El delgado ejemplar estaba encuadernado en tela gris y su título aparecía escrito en inglés bajo una línea de caligrafía japonesa.

—*Sakuteiki* —leí.

—Es la colección más antigua de escritos sobre jardinería japonesa. Los pergaminos originales se redactaron en el siglo XI.

—Pero los diseñadores de jardines no existían en aquella época —dije. Aritomo arqueó las cejas—. Me lo dijo Yun Hong —añadí—. Uno de sus libros de jardinería lo mencionaba, me acuerdo.

—Tu hermana tenía razón. Tachibana Toshitsuna, el hombre que recopiló el *Sakuteiki,* era miembro de la nobleza. Se dice que era muy diestro con los árboles y las plantas.

—Mi japonés no es tan avanzado como para leerlo.

—La copia que tienes en tus manos es una versión que traduje al inglés y que publiqué hace años. Es tuya. Ahora, vamos con tus clases. —Me interrumpió cuando iba a darle las gracias—: Durante el primer mes trabajarás en los diferentes terrenos del jardín que están en proceso de renovación. Empezaremos a las siete y media. La jornada terminará a las cuatro y media o cinco, incluso más tarde si es necesario. Tendrás una hora de descanso para comer, a la una en punto. Trabajamos de lunes a viernes. Los fines de semana vendrás si te lo pido.

Sabía que no sería fácil convencerlo para que diseñara y creara el jardín. Pero en ese momento me di cuenta de que la parte más dura estaba por llegar. De repente me sentí insegura y dudé acerca del compromiso que había adquirido.

—La niña que una vez caminó por los jardines de Kioto con su hermana —dijo Aritomo mientras me miraba a los ojos fijamente como si buscara una piedrecita arrojada en el fondo de un estanque—, esa niña, ¿está todavía ahí?

Pasó un rato antes de que pudiera hablar. Incluso entonces, mi voz sonó queda y seca:

—Le han pasado muchas cosas.

No apartó la mirada de mis ojos.

—Esa niña está ahí —respondió a su propia pregunta—. En lo más profundo, ella sigue estando ahí.

Capítulo siete

Todavía faltaba una hora para la salida del sol pero, tumbada en la cama, sentía la llegada del amanecer a medida que la luz se curvaba sobre la tierra. En el campo de internamiento siempre temí ese instante; significaba el comienzo de otro día de crueldad imprevisible. Cuando estaba prisionera tenía miedo de abrir los ojos por las mañanas, pero ahora que aquello había quedado atrás y era libre, mi miedo era cerrarlos al acostarme por los sueños que me esperaban.

Esa noche, mientras leía la traducción del *Sakuteiki,* recordé algunos de los fundamentos de jardinería japonesa que Yun Hong me había enseñado. El comentario de Aritomo sobre los orígenes de ese arte en Japón me demostró que mis conocimientos eran solo superficiales.

La práctica del diseño de jardines surgió en los templos de China, donde los monjes realizaban el trabajo y creaban jardines para acercarse a la idea del paraíso después de la muerte. El *Sakuteiki* hacía referencia a menudo al Monte Sumeru, el centro del universo budista, lo cual me hizo entender por qué tantos jardines de los que había visto en Japón se caracterizaban por albergar una formación rocosa particular. Las montañas dominaban los paisajes geográficos y emocionales de Japón y, a lo largo de los siglos, su presencia se había ido filtrando en la poesía, el folclore y la literatura.

Quizás esa fuera la razón por la que Aritomo se había trasladado a aquellas montañas, pensé. Quizás por eso había construido su hogar entre las nubes.

La primera referencia al diseño de jardines en Japón databa del periodo Heian, unos mil años atrás, y hacía hincapié en el *mono no aware,* un concepto que alude a la sensibilidad hacia lo efímero, con una obsesión constante por todos los aspectos de la cultura china. Los jardines creados durante este periodo, de los cuales no quedaba ninguno, se diseñaron para imitar los extensos jardines de esparcimiento de los aristócratas chinos que vivían por todo el mar del Japón. Los construían alrededor de los lagos para permitir las actividades en barco, las fiestas literarias y los certámenes poéticos, durante los cuales se cantaban canciones cuyas palabras flotaban sobre el agua.

Con el tiempo la influencia de China disminuyó, y fue imponiéndose la estética de los sucesivos periodos Muromachi, Momoyama y Edo, durante los cuales los jardineros japoneses establecieron sus propios principios de composición y creación. Los diseños de los jardines en Japón abandonaron las modas del antiguo continente al otro lado del mar para asumir la influencia de los paisajes característicos del campo nipón. El crecimiento del budismo zen condujo el arte hacia un ascetismo más estricto; se eliminaron los excesos de los periodos anteriores y los monjes reflejaban ahora su fe mediante la creación de jardines menos recargados, cuyos diseños se reducían casi hasta el vacío.

Dejé el libro y cerré los ojos. El vacío: me atraía la posibilidad de deshacerme de todo lo que había visto, oído y vivido hasta entonces.

Esa misma noche, un poco antes de acostarme, informé a Magnus de que no me iría de Cameron Highlands. Se quedó encantado, pero apretó los labios cuando le dije que quería alquilar un *bungalow* en la zona.

—No puedes vivir sola —me advirtió.

—No es seguro, Yun Ling —añadió Emily desde su butaca al otro lado del salón después de levantar la vista de la novela que leía.

—Las colinas están plagadas de CT —insistió Magnus alzando la voz—. ¡Mira lo que les hicieron a aquellos jóvenes semai!

—En Kuala Lumpur vivía sola —dije. Mientras fui prisionera estuve rodeada de cientos de personas; ahora quería proteger mi intimidad—. Por otra parte —puntualicé—, Frederik tiene su propio *bungalow.*

—Pero él es un hombre, Yun Ling, y es soldado —señaló Magnus—. Y vive dentro de la finca. Mira, ya te lo he dicho, puedes quedarte con nosotros todo el tiempo que quieras.

—No quiero abusar de vuestra amabilidad.

Miró a Emily antes de girarse de nuevo hacía mí. Su pecho se hinchó y se hundió un instante después, como si hubiera respirado profundamente y luego hubiera soltado el aire.

—Tenemos algunos *bungalows* libres en la finca. Mis ayudantes vivían antes en ellos. Hablaré con Harper para ver cuál es el más apropiado para ti.

—No soy exigente, pero tendría que estar cerca de Yugiri. E insisto en pagarte un alquiler.

—A cambio —propuso Emily— tienes que venir a cenar con nosotros… una vez a la semana como mínimo. No quiero que te quedes allí recluida.

—Emily tiene razón —dijo Magnus—. Y otra cosa: un empleado te acompañará a Yugiri todas las mañanas. Y volverá a casa contigo cuando termines por la tarde.

—Sírveme un vaso de vino, vamos a brindar. —Me alegraba el ofrecimiento del guarda, ya que me preocupaba tener que caminar hasta Yugiri en la penumbra del amanecer.

Mientras él descorchaba una botella de vino, di una vuelta por el salón para admirar las acacias de las litografías de Pierneef. Al final de la hilera de cuadros había una xilografía de una hoja. Mirándola con detenimiento, descubrí que la Residencia Majuba estaba oculta entre sus líneas.

—Es de Aritomo —dijo Magnus.

Junto a ella, en un marco cuadrado, una medalla atada a una cinta de colores similares a los de la bandera que ondeaba sobre el tejado.

—¿Qué significa *oorlog?* —dije al leer la inscripción de la medalla.

Él me corrigió la pronunciación y me explicó:

—Significa «guerra».

A continuación señalé la fotografía sepia de un anciano tocado con un sombrero de copa y con las mejillas cubiertas de una poblada barba blanca.

—¿Tu padre? —pregunté.

Magnus me tendió un vaso de vino.

—¿Él? *Ag, nee,* es Paul Kruger, el presidente de la República de Transvaal durante la segunda guerra de los Bóeres —me aclaró—.

¿No has oído hablar de «los millones de Kruger»? ¿No? Bueno, pues cuando los ingleses ocuparon Pretoria, descubrieron que en la casa de la moneda de Transvaal faltaba oro y plata por un valor de dos millones de libras. Hace cincuenta años era un montón de dinero. ¡Imagina lo que podría valer eso ahora!

—¿Quién se lo llevó?

—Hay gente que cree que *oom* Paul enterró el oro y la plata en algún lugar de los Lowveld, las tierras bajas, durante los últimos días de la guerra.

—¿Como lo que dicen que han hecho los *japos?*

Se echó a reír y miró a Emily.

—*Lao Puo,* ¿te has estado quejando de mi entretenimiento de fin de semana delante de esta jovencita? En fin, lo que los *japos* hayan enterrado en Tanah Rata probablemente sea una miseria en comparación con los millones de Kruger.

—No puede valer más que el oro de Yamashita —dije—. ¿Has oído hablar de él?

—¿Y quién no?

—Es extraño que siempre haya historias así cuando hay una guerra —señalé—. ¿Y ha encontrado alguien el oro que Kruger enterró?

—Llevan buscándolo cincuenta años —dijo Magnus—, pero nadie lo ha conseguido. —Ante el estrépito sordo de un trueno, levantó la vista hacia el techo.

Más lejos, en la misma pared, había otra fotografía.

—Ese es mi hermano Piet, el padre de Frederik. La foto se tomó poco antes de que muriera —dijo Magnus colocándose a mi lado—. Le pedí a Frederik que la trajera cuando vino. Es la única fotografía de alguien de mi familia que tengo.

—Frederik se parece mucho a su padre.

Emily dejó la novela para mirar a su marido.

—Lo perdimos todo: los diarios de mi *oupa,* los libros de recetas de mi *ouma,* mis animales tallados en madera… —se lamentó Magnus—, las fotografías de mis padres y de mi hermana… Todo.

—¿Todavía…? —me atasqué y volví a intentarlo—: ¿Puedes recordar sus rostros?

Me miró durante unos instantes. En su único ojo pude ver que comprendía perfectamente mis miedos.

—Durante mucho tiempo no fui capaz —dijo—. Pero en los últimos años… bueno, han vuelto a mí otra vez. A medida que te haces viejo empiezas a recordar las cosas antiguas.

—Va a llover —anunció Emily.

Se levantó, tendió la mano a Magnus y salieron juntos a la veranda que daba al jardín trasero. Una ráfaga de viento humedecida por la lluvia de las montañas entró en la sala de estar como un remolino que agitó las cortinas. Después de un momento de indecisión salí yo también, aunque me quedé algo apartada de ellos.

—*Nou lê die aarde nagtelang en week in die donker stil genade van die rëën* —dijo en voz baja Magnus mientras pasaba el brazo alrededor de la cintura de Emily y la apretaba contra sí.

Por alguna razón el sonido de aquellas palabras movió algo en mi interior.

—¿Qué quiere decir? —pregunté.

—«Yace la tierra en la noche tras lavarse en la gracia silente y oscura de la lluvia» —dijo Emily—. Es de su poema favorito. —Se dio la vuelta y se apretó más fuerte contra Magnus.

Un relámpago sacudió las montañas. Un minuto después, la lluvia se precipitó y desdibujó la noche.

Justo antes de las seis en punto encendí la lamparilla y me vestí con una vieja blusa amarilla y unos pantalones cortos que me llegaban hasta las rodillas. Me puse un par de guantes viejos de algodón que me había dado Emily. Cuando entré en la cocina los criados estaban encendiendo los hornillos. Comí dos rebanadas de pan y bebí un vaso de leche. Mientras abría la puerta delantera y me alejaba de la Residencia Majuba, oí que Magnus tosía y carraspeaba en el cuarto de baño. La sirena de la finca comenzó a sonar, pero pronto la distancia y los árboles la fueron acallando.

La luz del día ya roía los bordes del cielo cuando llegué a Yugiri. Me había adelantado unos minutos, así que me dirigí hacia la parte de atrás. Ah Cheong apoyaba su bicicleta en el muro. Hizo un gesto con la cabeza cuando lo saludé. Aritomo estaba en la plataforma de tiro con arco. Permanecí a un lado observándolo. Al terminar el entrenamiento, me pidió que esperara frente a la casa. Cuando volvió a salir se había puesto una camisa azul y unos pantalones color caqui. Señaló mi cuaderno.

—No quiero que tomes notas —dijo—, ni siquiera cuando regreses a casa al final del día.

—Pero no voy a ser capaz de acordarme de todo.

—El jardín te lo recordará.

Dejé el cuaderno en la casa y lo seguí por el jardín con gran atención mientras él enumeraba las tareas del día.

Los primeros jardineros de Japón fueron monjes que recrearon el sueño del cielo en la tierra en los terrenos de sus monasterios. Por la introducción del *Sakuteiki,* sabía que los hombres de la familia de Aritomo habían sido *niwashi,* jardineros, para los gobernantes de Japón desde el siglo XVI, y que cada primogénito continuaba la labor donde su padre la había dejado. Una leyenda decía que el primer Nakamura fue un monje chino de la dinastía Sung al que desterraron de China. El monje, que cruzó el océano hasta Japón, esperaba difundir allí las enseñanzas de Buda. Pero se enamoró de la hija de un cortesano, abandonó los votos y se quedó en Japón durante el resto de su vida. Por el rabillo del ojo miraba a Aritomo y casi podía creerme esa historia. Había ciertos aspectos de monje en su porte, en su acercamiento tranquilo pero decidido y en su manera lenta y considerada de hablar.

—Presta atención. —Aritomo chascó los dedos frente a mi cara—. ¿Qué tipo de jardín estoy haciendo aquí?

Mientras trataba de recordar las partes del jardín que había visto, los caminos serpenteantes y las diversas vistas, formulé una rápida conjetura.

—Un jardín de paseo. No, espera… una combinación de jardín de paseo y jardín de contemplación.

—¿De qué época?

Eso me descolocó por completo.

—No puedo elegir una en particular —admití—. No es Muramachi. Tampoco es del todo Momoyama, ni Edo.

—Exacto. Cuando diseñé Yugiri, quise combinar elementos de diferentes periodos.

Sorteé un charco de lluvia.

—Eso ha tenido que dificultar la consecución de una armonía global en tu jardín.

—No todas mis ideas eran factibles. Esa es una de las razones de que esté haciendo estos cambios.

Al pasear por el jardín del que había oído hablar hacía casi media vida, deseé que Yun Hong estuviera conmigo. Ella lo habría disfrutado más que yo. Me pregunté qué hacía yo allí viviendo la vida que debería haber sido de mi hermana.

En cada curva del sendero, Aritomo dirigía mi atención hacia la disposición de las rocas, hacia una escultura poco corriente o hacia un farol de piedra. Parecía como si todos aquellos elementos estuvieran allí, sobre una base de musgo y helechos, desde siglos atrás.

—Estos objetos indican al viajero que está entrando en otra etapa del viaje —explicó—. Le dicen que pare y ponga en orden sus pensamientos para saborear la vista.

—¿Alguna vez han enseñado a una mujer el oficio de jardinera?

—Nunca. Pero eso no significa que no esté permitido —contestó—. Aunque para crear un jardín hace falta fuerza física. Una mujer podría no durar mucho tiempo como jardinera.

—¿Qué crees que nos obligaban a hacer los guardias? —le espeté en un arranque de ira—. Nos forzaban a cavar túneles a hombres y a mujeres. Los hombres rompían las rocas y nosotras las arrojábamos por un desfiladero que estaba a varios kilómetros de distancia. —Inspiré profundamente y fui soltando el aire despacio—. Yun Hong me dijo en una ocasión que lo que hacía falta para crear un jardín era fuerza mental, no física.

—Es obvio que tú posees ambas en abundancia —replicó.

La ira volvió a invadirme pero, antes de que pudiera responder, nos llegó un sonido de voces y risas.

—Aquí están los trabajadores —anunció Aritomo—. Tarde, como siempre.

Los hombres estaban descalzos, vestían camisetas remendadas y pantalones cortos y traían una toalla colgada del hombro. Aritomo me los presentó. Kannadasan, el único que hablaba algo de inglés, era el jefe. Los otros cuatro solo sabían tamil y malayo. Un destello de dientes blancos contra la piel oscura apareció cuando oyeron que iba a unirme a ellos.

Seguimos a Aritomo hacia la zona de atrás del cobertizo de herramientas. Allí habían colocado unas piedras; las más pequeñas del tamaño de un coco y las más grandes como losas que me llegaban por encima del hombro.

—Las encontré alrededor de las cuevas que hay cerca de Ipoh, durante la ocupación —explicó Aritomo.

—¿Ya estabas planeando hacer cambios en el jardín por aquel entonces? —pregunté.

—Necesitaba una buena razón para mantener a los trabajadores aquí —respondió—, así que viajé para buscar materiales que me sirvieran.

—Entonces verías y oirías lo que la Kempeitai[1] hacía a la gente.

Me miró, luego se dio la vuelta y se fue, dejando un doloroso silencio entre nosotros. Al advertir la palpable tensión en el aire, los trabajadores apartaron la vista de mí. Mientras observaba la figura de Aritomo alejarse me di cuenta de que, por mucho que me costara, tenía que desterrar mis prejuicios si quería aprender de él.

Eché a correr para alcanzarlo.

—Esas rocas que encontraste… tienen todas unas marcas raras —dije.

Permaneció un rato en silencio. Al final, me respondió:

—El diseño de jardines es conocido como «el arte de poner piedras»; eso indica lo importantes que son.

Me sentí aliviada, aunque no se lo demostré. Caminamos de nuevo hacia las rocas y las examinó mientras las frotaba con las manos. Las más grandes medían entre un metro y medio y dos de altura, eran estrechas y afiladas, y tenían la superficie estriada. La hierba trepaba por sus laterales como si quisiera hundirlas en la tierra fría y húmeda.

—Cada piedra tiene su propia personalidad, sus propias necesidades. —Seleccionó cinco tocándolas una a una—. Muévelas hacia adelante.

Se me cortó la respiración. Su orden me transportó a mi época de esclava del ejército japonés. Mi determinación empezaba a mermar, incluso al sentir su mirada de curiosidad. Miré a mi alrededor y recordé cómo, en el campo, me obligué a mí misma a dar los primeros pasos para salvar mi vida. Me di cuenta de que aquella travesía no había acabado.

[1] Policía militar del Ejército Imperial Japonés. *(N. de la T.).*

—Y quítate los guantes —añadió Aritomo.

—Se pueden lavar. Conseguiré más pares.

—¿Qué clase de jardinera serás si no palpas la tierra con las manos desnudas?

Nos miramos el uno al otro durante un momento que pareció interminable. Mantuve los ojos clavados en los suyos incluso cuando me quitaba los guantes y me los metía en los bolsillos. Bajó la vista hacia mi mano izquierda. Ni siquiera parpadeó, pero los trabajadores murmuraron entre ellos.

—¿A qué estáis esperando? ¿A que crezca la hierba? —Aritomo dio una palmada—. ¡A trabajar!

Dos hombres levantaron la primera roca unos cuantos centímetros del suelo, mientras Aritomo deslizaba por debajo un arnés hecho de cuerda de yute. El arnés estaba unido a un torno que colgaba de un trípode de más de dos metros de alto. Cada una de las patas del trípode, amarradas en la parte superior con cuerdas, podía regularse para adaptarse a las irregularidades del terreno. Kannadasan hizo girar el torno y la roca se elevó con lentitud, como una montaña que se hubiera librado de las ataduras de la gravedad. Una vez en el aire, a una altura de casi un metro, Aritomo detuvo a Kannadasan y me tendió un cepillo de cerdas duras de bambú. Me coloqué entre los huecos del arnés y raspé los restos de suciedad, raíces y larvas de la roca. Cuando terminé, la atamos con cuerdas al centro de un palo resistente. Levanté con el hombro la parte delantera del palo, pero el peso no me permitía estirar las rodillas. Los trabajadores se congregaron a mi alrededor para ayudarme, pero les hice un gesto para que se apartaran. Por detrás oí a Kannadasan que decía:

—Señorita, pesa demasiado para usted-*lah.*

Aritomo se quedó a un lado observándome. Sentí un arrebato de odio hacia él. Esta vez es diferente, me dije a mí misma mientas el sudor me caía por el centro de la espalda. Ya no soy una prisionera de los *japos,* soy libre, libre. Y estoy viva.

La náusea remitió, pero me dejó una capa agria en el fondo de la garganta. Me humedecí los labios y tragué saliva una vez y luego otra.

—Espera, Kannadasan, *tunggu sekejap.* —Apreté las cuerdas y le hice señas—. *¡Satu! ¡Dua! ¡Tiga!*

A la de tres levantamos el palo con los hombros. Los trabajadores gritaban y me animaban mientras yo, como un animal herido, me tambaleaba sobre los pies reprimiendo el dolor que se me clavaba en el hombro.

—*¡Jalan!* —grité mientras avanzaba.

Me pasé la mañana limpiando rocas y transportándolas a la zona de la veranda delantera. Cuando solté la última, Kannadasan y los trabajadores se pusieron en cuclillas sobre la hierba y se pasaron un paquete de cigarrillos mientras se secaban la cara con sus toallas. Yo seguí a Aritomo dentro de la casa hasta la sala de estar. Las puertas de papel estaban plegadas y descubrí que tras ellas había otras correderas de cristal. Aritomo me indicó que me sentara. Yo señalé la ropa manchada de tierra.

—Estoy mugrienta.

—Siéntate.

Esperó hasta que cumplí su orden y luego empujó las puertas de cristal primero y después las pantallas de papel para abrirlas al jardín. La línea de las montañas arañaba el cielo por encima de los árboles.

Aritomo se arrodilló junto a mí y dio órdenes a Kannadasan y a los demás trabajadores sobre el lugar donde quería que colocaran la primera piedra. Una vez que estuvo satisfecho con su posición, los hombres la fijaron al suelo. Llevó a cabo el mismo proceso con las cuatro piedras restantes y ordenó que las colocaran en hilera, dejando entre una y otra cada vez más distancia, como si estuviera componiendo los acordes de una música que solo él oía.

—Parecen una fila de cortesanos que se inclinan y se alejan del emperador —dije.

Emitió un gruñido de aprobación.

—Estamos creando un cuadro dentro de este marco. —Trazó un rectángulo en el aire para señalar las líneas del tejado, los postes y el suelo—. Cuando miras el jardín, estás mirando una obra de arte.

—Pero la composición no está equilibrada —observé—. El hueco entre la primera y la segunda piedra es muy amplio, y la última piedra está demasiado cerca de la tercera. —Estudié de nuevo el conjunto—. Parece que estén a punto de caerse al vacío.

—Sin embargo, hay dinamismo en esa disposición, ¿no te parece? —replicó—. Mira nuestros cuadros: tienen amplias zonas de vacío, la composición es asimétrica... Poseen un sentido de incertidumbre, de tensión y de posibilidad. Eso es lo que quiero conseguir.

—¿Cómo sabré dónde colocar las piedras?

—¿Cuál es el primer consejo que ofrece el *Sakuteiki?*

Pensé un momento.

—«Obedece la demanda de la piedra».

—Las palabras que dan comienzo al libro —dijo asintiendo con la cabeza—. El lugar donde estás sentada es el punto de partida. Desde ahí el invitado ve el jardín. Todo lo que se haya plantado o dispuesto en Yugiri tiene una distancia, una escala, un espacio calculado en relación con lo que se ve desde aquí. Este es el punto donde el primer guijarro rompe la superficie del agua. Sitúa la primera piedra adecuadamente y las otras seguirán su demanda. El efecto se extiende por todo el jardín. Si sigues los deseos de las piedras, ellas estarán contentas.

—Lo dices como si tuvieran alma.

—Por supuesto que la tienen.

Descendimos por los escalones de la veranda y nos reunimos con los trabajadores.

—Solo debe verse un tercio de cada piedra por encima del suelo —dijo al tiempo que me pasaba una pala—. Así que cavad profundo.

Nos dejó trabajar. El mango de la herramienta me provocó ampollas en las palmas de las manos desnudas. Aunque el suelo no era duro, al cabo de unos minutos empecé a sudar. Habían pasado años desde la última vez que tuve que hacer un trabajo físico tan duro, así que de cuando en cuando tenía que pararme a descansar. Aritomo regresó dos horas más tarde, cuando ya habíamos enterrado las cinco rocas hasta el nivel que él quería. Se arrodilló, aplastó la tierra de alrededor de la base y me dijo que hiciera lo mismo.

Clavé los dedos en la tierra suelta y sentí que el tacto frío y húmedo del suelo me aliviaba el dolor de la mano izquierda. Un acto tan simple y básico como tocar con las manos desnudas la tierra sobre la que caminamos, y yo no recordaba la última vez que lo había hecho.

Por la noche tenía el cuerpo agarrotado y dolorido. Antes de irme a casa, pasé por la zona donde habíamos colocado las rocas. A un lado había sacos que contenían grava para ser esparcida. Toqué la punta redondeada de una de las rocas y la empujé. Era sólida, inamovible, como si se tratara de la parte saliente de unos cimientos hundidos a kilómetros de profundidad y no algo que hubiéramos colocado allí esa misma mañana.

Aritomo salió de la casa seguido de un gran gato birmano marrón chocolate. Vio que lo miraba.

—Este es Kerneels —anunció—. Magnus me lo dio.

Durante un rato observamos las sombras de las rocas que cruzaban el terreno.

—¿Dónde están los planos y los dibujos del jardín? —pregunté—. Me gustaría mirarlos.

Se giró hacia mí, tocándose la sien ligeramente. En ese momento fui consciente de su parecido con aquellos pedruscos con los que habíamos trabajado toda la mañana. Solo le mostraba al mundo una pequeña parte; el resto estaba profundamente enterrado, escondido, y no se podía ver.

Capítulo ocho

El *bungalow* que alquilé a Magnus estuvo listo para la mudanza a finales de la primera semana de prácticas con Aritomo. Frederik, que venía a la Residencia Majuba todas las noches, se ofreció durante la cena del viernes a ayudarme para trasladar mis cosas.

—¿Te viene bien mañana por la mañana? —propuso—. ¿Sobre las nueve?

—Mejor que digas que sí —dijo Magnus desde el otro lado de la mesa—. Este muchacho se marchará pronto.

—A las nueve está bien —acepté. Tenía el cuerpo dolorido por el trabajo de toda la semana en Yugiri y agradecía que alguien me echara una mano.

Esa noche, antes de irme a la cama, pasé unos minutos junto a la balaustrada de la terraza, entre las sombras que proyectaban las estatuas de mármol. La inminente lluvia dejaba en el aire un olor tostado y metálico, como si los rayos escondidos entre las nubes la hubieran chamuscado. Aquel aroma me recordó a mi época en el campo de internamiento cuando, para distraerme, mi mente se aferraba a las cosas más pequeñas e insignificantes: una mariposa que flotaba sobre unos matorrales o una telaraña atada con hebras de seda a las ramitas tamizando el aire para atrapar insectos.

Desde las ventanas abiertas de la sala de estar se desplegaron lánguidamente las primeras notas de *Und ob die wolke*. Magnus había vuelto a poner sus discos de Cecilia Wessels. Abajo, en el valle, un punto de luz apareció entre los árboles que rodeaban Yugiri. Me quedé mirándolo mientras imaginaba qué estaría haciendo Aritomo en su casa.

El aria terminó. Esperé, sabiendo lo que vendría a continuación. Un momento después, una música improvisada al piano tomaba forma de nocturno de Chopin. Magnus tenía la costumbre de tocar su Bechstein todas las noches antes de apagar las luces. El primer nocturno dio paso al siguiente y enseguida oí los suspiros de apertura del *larghetto* del primer concierto para piano de Chopin. Magnus había hecho que lo transcribieran para un piano solo. Siempre era la última pieza de la noche. Me dijo que era la favorita de Emily. En ese momento, estaría tumbada en la cama y se quedaría dormida con la música que Magnus interpretaba para ella.

Cerré los ojos y me dejé llevar por la melodía que flotaba en la oscuridad de las montañas. Cuando llegaron las últimas notas, se sostuvieron en el aire para desvanecerse en el silencio un momento después. Cuánto iba a echar de menos aquel ritual nocturno de Magnus cuando me trasladara a mi propio *bungalow*.

Justo antes de volver adentro, mis ojos se volvieron a dirigir hacia Yugiri. Busqué la luz entre los árboles, pero ya no la encontré. Se había apagado mientras miraba hacia otro lugar.

La Casa Magersfontein, construida en el típico estilo angloindio, se levantaba sobre cuatro pilares gruesos de hormigón clavados en una ladera a medio kilómetro de la Residencia Majuba. La herrumbre manchaba el tejado ondulado de estaño, y el enlucido de la chimenea, desconchado, dejaba ver los ladrillos rojos. Una amplia veranda se asomaba hacia las mullidas laderas de té. A un lado, un árbol de la lluvia se inclinaba hacia una de las ventanas como queriendo escuchar a escondidas las conversaciones que a lo largo de los años se habían desarrollado allí dentro.

—Los criados lo han limpiado lo mejor que han podido —dijo Frederik mientras sacaba mi maleta del Austin y la llevaba dentro—. Tienes agua corriente y electricidad, pero no hay teléfono. No esperes que sea el hotel Eastern & Oriental —se echó a reír— ni el Coliseum.

La casa olía a humedad y las sillas y mesas de ratán estaban destartaladas y desemparejadas. Las estanterías combadas contenían algunos ejemplares mohosos de las revistas *Punch* y *Malayan Planter's Weekly*. A un lado del pequeño salón había una chimenea y, junto a ella, un cajón de madera. Me producía un placer infantil tener fuego en las frías noches de invierno; algunos días incluso olvidaba que estaba en el trópico y que, sobre el mapa, la península malaya solo distaba un par de centímetros de la línea del ecuador.

—Para mí está estupendamente —dije.

—Deberías ponerte algo ahí —Frederik señaló la costra que me cubría una herida en el codo—; pídele a Emily un poco de violeta de genciana.

—Es solo un rasguño. —Me bajé la manga para taparla.

—Voy a Tanah Rata —anunció—. Vente conmigo.

—Es que debería colocar mis cosas.

—Pero necesitas comprar comida, ¿no?

Estaba en lo cierto. De ahora en adelante tendría que cocinar.

—Vamos —dijo al ver que mi determinación se debilitaba—. Te invitaré a desayunar en el *kopitiam* Ah Huat's. La gente conduce kilómetros para degustar sus *roti bakar*.

Tanah Rata se situaba sobre una meseta, de la que había tomado su nombre, y estaba rodeada de colinas bajas. En las cimas boscosas se veían *bungalows* por todas partes, casas que pertenecían a las compañías caucheras europeas que estaban a disposición de los directivos como residencias de vacaciones y, la mayoría de las veces, del personal europeo.

—La primera vez que vine —me explicó Frederik mientras reducía la velocidad del Austin al entrar al pueblo—, pensé que había una ley que obligaba a que las casas tuvieran todas la fachada de ese espantoso estilo de imitación Tudor. Al menos Magnus mostró algo de originalidad cuando construyó la suya.

Aparcamos en un terreno vacío junto al *pasar pagi*[1]. El mercado matutino al aire libre estaba abarrotado y en el aire pesaba el olor a sangre fresca y vísceras de los pollos sacrificados a demanda de los clientes. La carne colgaba de ganchos gruesos; el pescado, las gambas y los calamares blancos se amontonaban sobre capas de cubitos de hielo medio derretido que, al gotear en el suelo, obligaba a todo

[1] En malayo, mercado tradicional que se monta en la calle durante el día. *(N. de la T.).*

el mundo a bordear los charcos. Unas ancianas malayas se acuclillaban junto a unas ollas de barro con *curry*. Constantemente nos quedábamos atascados entre las amas de casa chinas e indias que se paraban a chismorrear en medio de la calzada sin que les importara lo más mínimo cortarnos el paso a quienes caminábamos por detrás.

Las tiendas de la calle principal eran más tranquilas, la mayoría de la gente era «europea» (esa era una de las palabras más educadas con las que describíamos a cualquiera que fuera blanco, con independencia de su lugar de origen). Entregamos a los tenderos la lista de las cosas que queríamos, les mostramos el permiso del funcionario de distrito y les dimos instrucciones para que entregaran la compra en Majuba.

—Allí está Ah Huat's —dijo Frederik señalando el establecimiento que se encontraba al final de la hilera de tiendas—. Vamos. Espero que haya alguna mesa libre.

El *kopitiam* era el típico negocio que se encuentra en todas las ciudades y pueblos, un lugar donde viejos con camiseta y pantalones de algodón cortos y anchos pasan las mañanas charlando y bebiendo café en platillos. Unos mensajes de felicitación, escritos con caligrafía china de color rojo, surcaban un gran espejo sin marco en una de las paredes. Los tableros de mármol de las mesas estaban amarillentos, teñidos por capas y capas de café derramado desde hacía mucho. En la radio, una mujer cantaba una canción en mandarín. Detrás del mostrador y justo debajo del espejo estaba sentado un chino grueso, de mediana edad, con unos dedos sorprendentemente elegantes, que hacía traquetear un ábaco mientras gritaba ordenes a la cocina. Se metió la uña larga del meñique en la oreja y luego se quedó mirando lo que había extraído.

—¡Ah, *señol Fledlik*! *¡Cho san!* —gritó cuando nos vio—. *Wah,* ¿novia suya?

—Buenos días, Ah Huat. *Cho san.* —Frederik me lanzó una mirada avergonzada y de disculpa a la vez—. Y no, no es mi novia.

Los huevos pasados por agua, el café y el *roti bakar* llegaron unos minutos más tarde. Las rebanadas de pan blanco tostado y crujiente untado con mantequilla y mermelada de coco estaban tan buenas como Frederik me había prometido. Siguiendo el ejemplo de los ancianos del local, Frederik vertió su café en el platillo y sopló sobre él.

—Mi madre nos regañaba si hacíamos eso —dije—. Decía que era vulgar.

—Pero así sabe mucho mejor. —Recogió el platillo y sorbió haciendo ruido—. Prueba.

Removí mi taza para mezclar la capa de leche condensada que estaba en el fondo. Eché un vistazo rápido a mi alrededor, derramé el café en el plato y me lo llevé a la boca. Pero enseguida lo volví a dejar: me recordaba demasiado al modo en que tomaba la comida cuando estaba prisionera.

—¿También creciste en el Cabo? —pregunté—. No hablas para nada como Magnus.

—Mi madre habría saltado de alegría si te oyera —contestó Frederik—. Ella despreciaba a los bóeres. Uf, no sabes hasta qué punto.

—¿Por qué?

—Era inglesa, nacida en Rodesia. Solo Dios sabe por qué se casó con mi padre; él no era rico y tampoco es que fuese una alegría vivir con él. Ya de pequeño me daba cuenta de que no eran felices juntos. Después de que mi padre muriera, nos mudamos a Bulawayo.

—¿Cuántos años tenías?

—Ocho o nueve. Mi padre siempre se había posicionado del lado de los británicos, para disgusto de Magnus. Por eso no se llevaban bien, creo.

Me explicó lo fascinante que siempre le pareció su tío de Malaya, aquel que poseía una plantación de té en las montañas:

—Cuando tenía quince años vine en un barco P&O desde Ciudad del Cabo para pasar la Navidad —dijo—. Esto era muy diferente de lo que había leído, de todas esas historias de Maugham que mi madre no quería que conociera.

—Mis padres tampoco me dejaban leerlas —apunté sonriendo—. Pero a mi hermana se las prestaba una amiga y luego ella me las pasaba a mí.

—Magnus me contó lo que le sucedió a tu hermana. Lo siento.

Aparté la mirada. Estaba entrando más gente en el *kopitiam.* Frederik cascó sus huevos pasados por agua en el plato y rebañó el interior de la cáscara con una cucharilla. Espolvoreó un poco de pimienta blanca por encima y añadió un cantidad generosa de salsa de soja a aquel preparado acuoso antes de llevarse el cuenco a los labios.

—Sí que se te han pegado nuestras costumbres —dije—. ¿Cuánto tiempo te quedaste la primera vez que viniste?

—Solo un mes —respondió Frederik mientras se limpiaba los labios con el pañuelo—. Me di cuenta de que quería volver algún día. No deseaba estar en ningún otro lugar del mundo. —El recuerdo de su felicidad le iluminó los ojos; la luz se apagó a los pocos segundos, quizás por la conciencia de su infancia perdida. En ese preciso instante vi al niño que fue una vez y vislumbré al anciano que llegaría a ser algún día.

—Y al final volviste —añadí.

—Mi madre murió hace cuatro años. Escribí a Magnus y me pidió que me mudara aquí y que le ayudara a dirigir la finca —dijo Frederik—. No pude aceptar su oferta porque tenía que acabar mis estudios. ¿Vas a comerte eso? —Miró el último trozo de tostada que había en mi plato. Se lo acerqué—. Los African Rifles de Rodesia se disolvieron después de la guerra, pero el año pasado se restablecieron —continuó—. Cuando me enteré de que iban a enviar a mi antiguo regimiento a Malaya para luchar contra los rojos, me volví a alistar. —Se detuvo para echar una ojeada al local—. Pensé que sería una campaña fácil: cazar comunistas. Pero no está siendo así en absoluto.

—¿Dónde estuviste durante la guerra?

—En Birmania. Allí vi verdaderos horrores… —vaciló—. Y, ¿tú cómo lo llevas? ¿Cómo te enfrentas a un *japo,* un día tras otro, después de lo que te hicieron?

Tardé un rato en sopesar la respuesta.

—Hay muchas cosas que hacer, así que no me da tiempo a pensar en nada más —contesté al fin. Frederik me miró incrédulo y decidí ser franca—: Pero de vez en cuando él dice algo, una palabra o una frase, que hace saltar un recuerdo que creía desterrado.

Recordé el incidente de la tarde anterior. Aritomo me había conducido hasta un montón de árboles que había hecho talar un mes antes. Los habían podado.

—Haz que uno de los hombres corte estos *maruta* en trozos más pequeños y llévatelos —ordenó.

En lugar de seguir sus instrucciones, me di la vuelta y me alejé con rapidez. Oí que me llamaba pero no me detuve. Apreté el paso y me adentré en el jardín. Tropecé, me levanté y seguí por la cuesta hasta que llegué al borde de un gran desnivel: frente a mí solo estaban las montañas y el cielo. No sé cuánto tiempo permanecí allí. Después de un rato noté que Aritomo se acercaba; se colocó a mi lado.

—*Maruta* —dije mirando al frente—. Así es como los oficiales del campamento nos llamaban: leños. Para ellos éramos solamente leños que trocear, que incinerar.

Por unos instantes, el jardinero se quedó en silencio. Luego sentí que me agarraba del brazo.

—Estás sangrando. —Me sostuvo el codo y apretó su pañuelo contra la herida.

«¡Tiew neh mah chau hai!».

Unas maldiciones en cantonés, enérgicas y jocosas, me hicieron volver al *kopitiam*. Frederik me miraba fijamente. Parpadeé unas cuantas veces, me bebí el café y me giré sobre el asiento. Un grupo de chinos canosos estaba sentado cerca de nosotros, unas cuantas mesas más allá. Un hombre muy flaco abrió un periódico chino. Alguien gritó:

—*¡Diam, diam! Mo chou.*

Y la conversación se transformó en un silencio expectante. El hombre miró a sus amigos uno por uno y comenzó a leer en voz alta el periódico de manera lenta y meticulosa.

—Eso lo he visto en todos los *kopitiam* donde he estado —dijo Frederik. Se sabía que los CT acudían a lugares como aquel para ponerse al día de las noticias y pasar mensajes a sus enlaces—. Me voy mañana —anunció Frederik—. Han pedido a mis hombres ayuda para trasladar a unos ocupantes desde su asentamiento hasta una nueva aldea.

Durante la ocupación japonesa miles de chinos se fueron a vivir a los márgenes de la jungla y evitaron por todos los medios el contacto con la Kempeitai con la esperanza de que no los acorralaran y los masacraran. La guerra había terminado hacía ya seis años, pero ellos permanecieron en sus asentamientos viviendo de la tierra gracias a una agricultura de subsistencia. Los comunistas utilizaban a los ocupantes —los Min Yuen, el Movimiento Popular— como fuente de alimento, medicinas e información y para recaudar dinero.

El teniente general sir Harold Briggs, director de operaciones, reconoció que ellos eran el principal problema de la Emergencia. En todo el país, el ejército estaba trasladando a medio millón de personas (los niños, las abuelas, las familias, incluso todo el ganado) hacia las «nuevas aldeas» construidas para ellos.

—¿Qué asentamiento trasladáis ahora?

—Deberías saber que eso no se pregunta. —Agitó el dedo hacia mí sonriendo—. Y tampoco puedes preguntarme dónde está situado el *sun chuen*[2].

—Solo quería comprobar lo bien que guardas los secretos. —Me quedé callada un instante y luego añadí—: Cuando trabajaba para la fiscalía tuve que ir a una de esas «nuevas aldeas».

—¿Fue tuyo el caso Chan Liu Foong? —Me miró con un creciente interés—. Salió en todas las noticias.

—Fue el último que llevé, sí.

Chan Liu Foong era una cauchera de treinta años a la que sorprendieron suministrando comida a los terroristas y ejerciendo de mensajera. Visité su casa en Salak South, a unos quince kilómetros de Kuala Lumpur, para hacerme una idea de cómo había llevado a cabo el contrabando de las provisiones y las tareas de información. La nueva aldea a la que la habían trasladado era el hogar de seiscientos ocupantes con sus respectivas familias. Una doble valla de más de dos metros de altura y terminada en alambre de púas protegía un tramo de tierra de nadie de unos tres metros de ancho. Unos centinelas armados vigilaban el perímetro desde atalayas. Todos los días cacheaban a los aldeanos y cotejaban sus rostros con los de las fotografías de los carnés de identidad, tanto cuando salían por la mañana como cuando volvían por la noche.

—La policía me enseñó la casa de Chan Liu Foong —dije—. Estaba vacía. El Cuerpo Especial se llevó a su marido detenido y metieron en un centro de bienestar social a su hija de cuatro años.

Recordé las caras huraňas que me observaban desde las ventanas de los vecinos. Se estableció un toque de queda para que los demás habitantes dejaran de ayudar a los comunistas. Casi todos trabajaban como caucheros en una finca situada a ocho kilómetros de

[2] Barrio o aldea donde se desplazaba a los ocupantes. *(N. de la T.)*.

distancia. Solo les permitían permanecer fuera de la valla desde las ocho de la mañana hasta la una de la tarde. Eso afectó a su forma de ganarse la vida; los cortes de los árboles de caucho tienen que realizarse al amanecer, antes de que la savia se seque.

—¿Al final la deportaron a China? —preguntó Frederik.

Asentí.

—¿Y a su marido y su hija? ¿Les permitieron ir con ella?

—Mi trabajo consistía en asegurarme de que se castigaba a los terroristas.

Frederik partió un trozo de tostada, rebañó el resto de huevo del plato y se lo metió en la boca.

Cuando salimos del *kopitiam* estaba lloviendo. Nos resguardamos en la pasarela cubierta junto a la hilera de tiendas y esperamos a que el cielo se despejara. Sobre una cuesta, justo antes de que la carretera girara y descendiera por la montaña, había un edificio bajo de ladrillo rojo.

—¿Qué es eso?

—Era un colegio de monjas antes de que los *japos* lo convirtieran en un hospital para sus tropas. Ahora es un hospital del ejército británico —me explicó—. Me dijeron que, poco después de la rendición, nuestros soldados descubrieron que varias chinas jóvenes vivían dentro. Los *japos* intentaban hacerlas pasar por pacientes enfermas de tuberculosis.

—*Jugan ianfu* —dije.

—¿Cómo?

—«Mujeres de solaz».

—Ah. Nos topamos con algunas en Birmania cuando los *japos* se rindieron —apuntó—. Volvían a casa y las llevamos en coche.

—Sus familias nunca las volverían a aceptar. —Sentí un escalofrío mientras un rayo iluminaba el cielo—. Se avergonzarían de ellas y de lo que habían sido.

—No tuvieron la culpa —dijo Frederik.

—Nadie querría casarse con ellas sabiendo que habían estado con doscientos o trescientos hombres durante la guerra.

Me miró y extendió la mano por fuera del toldo.

—Está amainando. Vamos, corramos.

Cuando llegamos a la Casa Magersfontein, apagó el motor del coche, se estiró hacia el asiento trasero y sacó de una bolsa un paquete envuelto en papel marrón.

—Para ti. Es un regalo.

Lo abrí y me eché a reír al ver la botella de violeta de genciana.

—Así que para eso te colaste en la tienda de medicina china.

—Por si te haces algún otro rasguño.

La botella era pesada y oscura. Mientras acariciaba con un dedo la etiqueta lo miré.

—Te cocinaré algo cuando vuelvas a Majuba.

—Cualquier cosa menos patas de pollo. —Se estremeció—. No puedo comprender cómo los chinos podéis comer esas cosas.

—¿Por qué no? ¡Están ricas y crujientes!

Él se echó a reír, pero luego se quedó callado al ver que yo no sonreía. Me miró, buscando mis ojos. Lo miré fijamente. Se inclinó y me besó. Me acarició el hombro con la mano y la deslizó por mi espalda. Al cabo de unos instantes me aparté.

—Pasa —le susurré al oído—. Voy a necesitar ayuda con la violeta de genciana.

Siva, el joven tamil que me asignaron como guarda, me esperaba todas las mañanas a la entrada del *bungalow* para escoltarme hasta Yugiri. Por las tardes volvía a casa sola, pero nunca a la misma hora y por un camino diferente cada día.

La irritabilidad que se había acumulado en mi interior remitió después de acostarme con Frederik. Siempre me habían considerado la menos agraciada de las dos hermanas y para mí había sido una sorpresa que, tras la guerra, los hombres me encontraran atractiva. Una vez curada de mis heridas y convencida de que todavía era agradable físicamente, me acosté con varios hombres. El hecho de que nunca me quitara los guantes cuando hacía el amor solo parecía intrigarlos más. Al volver la vista atrás y recordar esa época, me pregunto si intentaba reafirmar mi influencia sobre otra persona después de haber carecido de poder durante tanto tiempo.

A pesar del miedo a un ataque de los CT, disfrutaba viviendo sola de nuevo en aquellas montañas donde la respiración de los árboles se convertía en bruma, donde la bruma se introducía en las nubes y descendía sobre la tierra otra vez en forma de lluvia, donde la lluvia era absorbida por las raíces en las profundidades de la tierra y se prolongaba de nuevo como vapor a través de las hojas a treinta metros del suelo. Allí los días comenzaban detrás de una cordillera y terminaban por detrás de otra, y llegué a pensar en Yugiri como en un lugar situado en una grieta entre el amanecer y la puesta de sol.

Una mañana, mientras los trabajadores soltaban las herramientas para descansar y tomar el té, Aritomo me llevó a una parte del jardín en la que nunca había estado. Señaló un césped minuciosamente cortado delante de nosotros.

—¿Percibes algo raro en él?

Me agaché para verlo mejor.

—Hay algo extraño. —Rocé las puntas de la hierba con la palma de la mano, en parte porque esperaba obtener la respuesta a través de ellas. Aunque me hicieron cosquillas, no me revelaron nada. Me levanté—. ¿Qué tiene de inusual?

Me indicó con el dedo que lo siguiera por un sendero empinado. El sonido del caudal del agua llegaba desde detrás de los árboles. Las hojas de arce se mecían sobre nosotros estampando sus sombras sobre nuestros brazos y el camino. El esfuerzo para mantener su ritmo me dejó sin respiración.

—Este es el punto más alto de Yugiri —dijo cuando llegamos a la cima.

Las laderas empezaban ahí y ascendían hacia montañas salpicadas de nubes. A nuestros pies se extendía el jardín, con la casa más o menos en el centro. Entre las ramas se vislumbraba una esquina del tejado de terracota como una cometa abandonada por el viento.

Reanudamos la marcha y llegamos a una charca sobre la que caía una exigua cascada. En la orilla crecían unas plantas altas como juncos.

—Cálamos —dijo mientras arrancaba unas cuantas hojas—. A mi mujer le encantaba su fragancia. —Estrujó las hojas y, cuando me las acercó a la nariz, me embriagaron con su dulce perfume.

—¿Ella dónde está?

—Asuka murió hace años.

Nos sentamos en un banco de piedra y levanté la cara hacia el sol un instante.

—Esa rueda parece antigua —dije.

La rueda hidráulica, de unos cinco metros de diámetro, se posaba sobre el borde más alejado de la charca, bajo la cascada. Giraba despacio y levantaba espuma sobre el agua de la presa, que después caía por un estrecho riachuelo bordeado de helechos y rocas cubiertas de musgo.

—Hace dos siglos los soldados la robaron de un templo budista que saquearon en las montañas a las afueras de Kioto. Uno de los *shogunes* Tokugawa[3] se había enfadado con el abad por apoyar a un grupo de rebeldes. Fue un regalo del emperador Hirohito.

Inspiré tan bruscamente que me sonó fuerte hasta a mí. Me quedé inmóvil. Aritomo había apoyado el pie derecho sobre una roca al borde de la charca y parecía absorto mientras se ataba los cordones. A nuestra espalda, en algún lugar, un pájaro cantó. El nombre del emperador siempre me hacía regresar al campo de prisioneros, donde toda actividad se ajustaba al horario japonés. Cada día, al amanecer, teníamos que hacer una reverencia en dirección al emperador. A esa hora él se sentaba a desayunar en palacio, según nos decían los oficiales. En una ocasión, Yun Hong comentó que teníamos suerte de que en Tokio solo fuera una hora más que en Malaya.

—Muchas veces me siento aquí a oír cómo gira la rueda. —Aritomo cerró los ojos—. Incluso ahora, mientras rota lentamente en el agua, parece cantar un sutra de profunda tristeza —murmuró—. Me recuerda a un viejo monje, el último de un templo abandonado, que canta hasta el día de su muerte.

—Hay inscripciones en la parte inferior de las paletas —reconocí.

—Poca gente se ha dado cuenta de eso. —Abrió los ojos—. Son oraciones que tallaron los monjes. En cada giro de la rueda las paletas golpean el agua e imprimen sobre su superficie las palabras sagradas —dijo—. Piénsalo: antes esas oraciones viajaban desde el templo en las montañas hasta el mar y lo bendecían todo a su paso.

Imaginé que el arroyo bajaba por esas montañas, se alejaba de Yugiri y desembocaba en un río. Vi que las oraciones se evaporaban con el agua bajo el sol de la mañana mientras el río fluía a través del

[3] Los shogunes tenían el poder militar y político, mientras que el emperador ostentaba el poder espiritual y religioso. *(N. de la T.).*

bosque tropical, por delante de un tigre y de un ciervo-ratón que bebían de él, por delante de los *kampongs* malayos, de las casas de los aborígenes y de los asentamientos de los ocupantes. Vi que un granjero se enderezaba en el arrozal junto a la orilla del río y miraba hacia el cielo sintiendo la brisa fresca en la cara en un momento de inexplicable satisfacción.

—Esas oraciones —pregunté—, ¿tú crees que son efectivas?

—Mi jardín no sufrió ningún daño durante la ocupación.

—Es probable que no te lo dañaran por ser quien eres y porque la rueda era un regalo del emperador —dije—. En tu caso no hubo saqueo ni comportamiento incivilizado por parte de las tropas del emperador, no, en esta ocasión no. No te vino del todo bien que nuestros soldados volvieran, ¿verdad?

Se levantó con un movimiento brusco y caminó hacia el saliente desde donde se divisaba el jardín. Me hizo un gesto con la mano para que lo acompañara.

—Ahí está el césped que te enseñé antes… —dijo—. No supiste decirme qué tenía de excepcional.

Desde donde estábamos se veía, en un claro entre los árboles, que el símbolo taoísta de la armonía formaba un círculo perfecto con las dos lágrimas de sus elementos, positivo y negativo.

—Has cortado el césped a distintas alturas —reconocí. Era fácil, debería haberlo visto de inmediato—. Has jugado con las luces y las sombras.

—Apariencias —repuso.

Las nubes se engarzaron unas con otras. Los símbolos del yin y el yang esculpidos sobre el césped desaparecieron y la hierba volvió a ser simple hierba una vez más.

Los fines de semana, en mi tiempo libre, exploraba la plantación de té. Amplias extensiones de Majuba seguían cubiertas por la jungla. Árboles de cientos, miles de años se mezclaban con la selva tropical que cubría Malaya. La finca tenía su propia tienda de alimentación, un bar de *toddy*[4], una mezquita y un templo indio. Los trabajadores se

[4] Bebida alcohólica hecha con licor, agua hirviendo, azúcar y limón. *(N. de la T.).*

alojaban en un recinto vallado, vigilado por centinelas que Magnus había entrenado. Los domingos el autobús de la finca llevaba a sus empleados a Tanah Rata de excursión. A veces me paraba para contemplar a los hombres que jugaban al *sepak takraw* con todas las partes del cuerpo, excepto las manos, para mantener en el aire el mayor tiempo posible la pelota de ratán.

Para fortalecer mi resistencia física emprendía con frecuencia largas caminatas. Un domingo por la mañana, no mucho después de haberme mudado a Magersfontein, subí por las laderas más bajas que había detrás de la casa. El camino estaba bien señalizado y bordeaba la colina en dirección a Yugiri. Alcancé la cima cuarenta o cincuenta minutos después. Las montañas estaban suspendidas en el aire, una zona de niebla las separaba de la tierra. Desde allí se divisaba la isla Pangkor, soñando en el estrecho de Malaca. Hacia el este las montañas continuaban más lejos de lo que mi vista alcanzaba y fue fácil convencerme a mí misma de que la franja delgada y brillante que laminaba el horizonte era el reflejo del mar de China Meridional.

Bajo la cubierta de árboles algunas partes de Yugiri quedaban visibles, como destellos de un paisaje cubierto por un campo de nubes. Busqué puntos de referencia del jardín, animada por el hallazgo cuando los reconocía. Desde la rueda hidráulica, que giraba infatigablemente sobre la parte más alta, seguí el arroyo que bordeaba el camino, colina abajo, entre el dosel de árboles. Se me fueron los ojos hacia la casa de Aritomo. Había una figura de pie, frente a la puerta trasera. Incluso desde aquella distancia sabía que no se trataba de él. El viento cobró fuerza y entumeció mi cara. Unos minutos más tarde apareció otro hombre, y entonces sí creí reconocer a Aritomo.

Se detuvo y levantó la cabeza hacia las montañas. Después de un par de minutos, se volvió hacia el otro hombre y echaron a andar por el camino que se alejaba de Yugiri para adentrarse en la jungla. A través de los huecos de los árboles distinguía retazos de la figura de Aritomo. Al otro era más difícil divisarlo, pues su ropa caqui se difuminaba con el entorno. El dosel pronto se cerró sobre el sendero, como el océano que oculta la estela de un barco que navega, y perdí de vista a ambos.

Capítulo nueve

Tres días después de mi cita con Tatsuji, me despierto sin tener ni idea de quién soy y sin memoria de lo que he sido. Eso me aterroriza y al mismo tiempo me proporciona cierta liberación. Mis médicos me aseguran que esas pérdidas de memoria no son un síntoma de mi enfermedad, pero últimamente me suceden con más frecuencia.

El episodio pasa, pero permanezco en la cama tumbada. Extiendo el brazo entre las sábanas, cojo el cuaderno que está a mi lado y leo una página al azar. «Lo dices como si tuvieran alma». Tardo unos instantes en recordar que lo he escrito yo. Recorro con la mirada unas cuantas páginas más y me crispo con cada palabra que no me termina de resultar correcta. Me detengo ante el nombre de Chan Liu Foong, la mujer cuyo caso investigué justo antes de que me echaran; me pregunto qué habrá sido de ella y dónde estará su hija ahora.

Poner por escrito cosas que ocurrieron hace tanto tiempo es más difícil de lo que imaginaba. Dudo de la precisión de mi memoria. Aquella tarde en el *braai* de Magnus, después de que Frederik me recogiera de Yugiri, destaca en mi mente con tanta claridad que me pregunto si de verdad ocurrió, si la gente que había allí dijo realmente lo que creo recordar. Pero ¿acaso importa? Casi todos están muertos.

Aunque Frederik tenía razón: me parece estar escribiendo una de mis sentencias. Experimento una evidente familiaridad cuando las palabras me atrapan entre las líneas y pierdo toda conciencia del tiempo y del mundo más allá del papel. Es una sensación que siempre me ha resultado placentera. Ahora me proporciona más que eso, me otorga control sobre lo que me está ocurriendo. Aunque no tengo ni la más remota idea de cuánto tiempo durará.

El Buda tumbado se encuentra en un charco de sol sobre el alféizar. Tatsuji husmea por el estudio mientras yo saco las xilografías. Están guardadas en un arcón hermético de madera de alcanforero. Las extiendo sobre la mesa. Tatsuji admira un recipiente de peltre para el té que ha encontrado en uno de los estantes y acaricia con los dedos las hojas de bambú labradas en su superficie. Lo deja con cuidado y se apresura a ponerse a mi lado.

Estiro las esquinas de la primera hoja; el polvo y el olor a alcanfor que ha absorbido a lo largo de los años ascienden como un remolino y me irritan la nariz. Tatsuji se da la vuelta y reprime con el pañuelo un ataque de estornudos. Una vez recobrada la compostura, saca un par de guantes blancos de algodón de una cartera de piel antigua pero bien conservada y se los pone. Una a una, va pasando las hojas de un montón a otro para contarlas. El papel sobre el que está impreso cada *ukiyo-e* es más o menos del tamaño de una bandeja. Cada grabado se enmarca dentro de un borde rectangular o circular y cada pieza parece tener un diseño diferente.

—Treinta y seis ejemplares —dice.

Pasa una gran lupa por encima del primero que distorsiona las formas y colores como las luces del contorno de una ciudad vistas a través de una ventana salpicada por la lluvia.

—Extraordinario —murmura—. Tan bueno como *La fragancia de las brumas y el té.*

Se refiere a un conocido *ukiyo-e* de Aritomo: una panorámica de los campos de té de Majuba. Aritomo donó ese grabado al Museo Nacional de Tokio antes de que nos conociéramos, una obra emblemática cuya relevancia no ha hecho más que aumentar a través de las décadas, solo superada por *La gran ola de Kanagawa,* de Hokusai. Sospecho que, para Tatsuji, la referencia a *La fragancia de las brumas y el té* es una manera poco sutil de recordarme que he permitido que lo reproduzcan en varios libros de arte. Lo he visto incluso impreso sobre las camisetas que venden en las tiendas de recuerdos de Tanah Rata.

—Todos los hizo antes de que yo lo conociera —digo.

—Crear un *ukiyo-e* es un proceso difícil que requiere mucho tiempo —señala Tatsuji—. El artista tiene que dibujar un boceto en papel antes de pegarlo sobre un bloque de madera. A continuación, talla una copia inversa del dibujo. Un grabado como este, con tanta variedad de colores y precisión de detalles, habrá necesitado siete, puede que diez bloques diferentes. —El desconcierto irrumpe en su cara—. Aquí no veo ninguna copia. ¿Por qué tomarse todas esas molestias para luego hacer solo una copia de cada trabajo? ¿Estás segura de que no hay otros ejemplares por la casa?

—Estos son los únicos que dejó. Vendía sus grabados a compradores de Japón —digo—. Siempre he sospechado que así era como se mantenía; nunca cobró ninguna comisión por diseñar jardines mientras vivió aquí.

—He seguido la pista de todos los grabados que vendió. Ninguno de los que he visto es copia de este. —La voz de Tatsuji tiembla casi imperceptiblemente y advierto el brillo de sus ojos. Su ya reconocido prestigio dentro del mundo académico se elevará todavía más cuando haya publicado su libro sobre Aritomo con la inclusión de estos ejemplares.

—Hay otro grabado colgado en la Residencia Majuba —recordé.

—Me gustaría verlo también.

—No creo que Frederik tenga inconveniente. Le preguntaré.

Tatsuji suelta la lupa.

—También son poco corrientes los temas que aparecen en estos *ukiyo-e*.

—¿Poco corrientes? ¿En qué sentido?

Saca un grabado del montón y lo sostiene en sus manos como un mercader que ofreciera un trozo de tela.

—¿Nunca te has dado cuenta?

—Son escenas de montañas y naturaleza. Asuntos muy comunes en los *ukiyo-e,* diría yo.

—Todos son vistas de Malaya —dice—. Todos y cada uno de ellos. No hay nada aquí que esté relacionado con su tierra natal, ninguno de los motivos habituales desarrollados por los artistas del *ukiyo-e;* ni paisajes invernales ni escenas del Fujiyama o del mundo flotante[1].

Hojeo de nuevo la colección. Cada pieza contiene elementos reconocibles de Malaya. Exuberantes selvas tropicales, hileras de árboles en plantaciones de caucho, cocoteros inclinados hacia el mar, flores, pájaros y animales que se encuentran solamente en el bosque tropical ecuatorial: una raflesia, una planta-jarra, un ciervo-ratón, un tapir.

—Nunca lo había pensado —murmuro.

—Supongo que no es algo que llame la atención cuando lo ves por todas partes a tu alrededor. —Acaricia el *ukiyo-e*—. Me gustaría examinarlos en profundidad antes de decidir cuáles quiero incluir en mi libro.

—No se pueden fotografiar ni pueden salir de Yugiri sin mi permiso —le advierto.

—Eso por descontado.

Con voz suave continúo:

—He oído que coleccionas piel humana, que compras y vendes tatuajes.

Con el índice y el pulgar se agarra el nudo de la corbata y le da forma.

—Intento llevar con discreción esa faceta de mi trabajo.

—Sí, deberías.

—El público japonés nunca ha aceptado el *horimono,* pero hay coleccionistas adinerados muy interesados en poseer tatuajes creados por famosos maestros de este arte —justifica Tatsuji—. Algunas personas quieren vender su piel; en alguna ocasión he hecho de intermediario para esas transacciones.

—¿Cuánto se puede sacar por la piel de un hombre?

—El precio varía —dice Tatsuji—. Depende de la identidad del artista, de la escasez de sus trabajos y de la calidad y tamaño de la pieza en cuestión.

Me viene a la cabeza el recuerdo de un museo en Tokio que visité hace diez años famoso por su colección de tatuajes. De tamaños y

[1] *Ukiyo-e* significa «imágenes del mundo flotante». Algunas de las imágenes más recurrentes de ese submundo siempre voluble son, entre otras, las representaciones del teatro kabuki, las geishas y las escenas de los barrios de placer de las ciudades japonesas. *(N. de la T.).*

épocas diferentes, estaban sellados y conservados en marcos de cristal. Caminé entre aquellos diseños colgados en las paredes y miré la tinta descolorida sobre la piel humana con sensación de repugnancia y, a la vez, de fascinación.

—¿Qué fue lo que despertó tu interés por los tatuajes?

—El mundo del *ukiyo-e* y el del *horimono* comparten muchas cosas —continúa Tatsuji—. Un gran número de *horoshi* también hicieron grabados.

—Sí, sí, eso ya me lo has dicho: «Ambos beben de la misma fuente». Ahora cuéntame la verdadera razón.

Toma aire profundamente y luego lo expulsa.

—La primera vez que vi el *horimono* que Aritomo-*sensei* hizo en la espalda de mi amigo… Por aquella época yo no sabía nada de tatuajes, pero incluso entonces me di cuenta de que era magnífico, una obra de arte. Pensé que era maravilloso que un artista del *ukiyo-e* pudiera hacer dibujos similares sobre el cuerpo humano. Al contemplar ese *horimono* comenzó mi obsesión por ellos.

—Y el tatuaje de tu amigo… ¿no se conservó después de su muerte?

Tatsuji sacude la cabeza.

—He estado buscando durante años otro *horimono* hecho por Aritomo-*sensei,* pero nunca lo he encontrado. —Se queda en silencio un momento—. Los tatuajes creados por los *horoshi,* los maestros, son muy apreciados —continúa—, pero para un intruso como yo resultaba complicado acceder a ese mundo. —Su mirada desciende hasta el *ukiyo-e* que hay en la mesa—. Para ganarme el respeto de los maestros y su confianza, me hice tatuar.

Es una revelación extraordinariamente íntima, dado que solo nos hemos visto dos veces. Me siento en el borde de la mesa y cruzo una pierna sobre la otra. Mis piernas todavía son bonitas, firmes y sin manchas de edad ni arañas de venas varicosas.

—¿Te tatuaste el cuerpo entero?

—¿Un *horimono?* Oh, no. No, pedí que me hicieran un tatuaje aquí.

Se pasa la mano derecha por el brazo izquierdo, desde el hombro hasta unos cinco centímetros por encima del codo. Lo miro, pero no veo nada a través de la manga de la camisa.

—Fue difícil conseguir que un *horoshi* trabajara conmigo —prosigue—; tuve que aportar cartas de recomendación y referencias. Aun así, me rechazaron varias veces. Pero al final uno de ellos aceptó. Cuando me tatuó se corrió la voz y los demás *horoshi* comenzaron a recomendarme entre sus clientes, clientes que querían vender su *horimono.*

—Me gustaría verlo —digo sabiendo que estoy siendo maleducada.

Tatsuji se tantea con el pulgar el nudo de la corbata. Por fin, se decide y se quita el gemelo de la muñeca derecha. Comienza a remangarse con movimientos tan precisos que cada pliegue de su camisa, de unos cuatro centímetros, parece ser de la misma anchura que el anterior. Cuando llega al codo, se levanta la manga enrollada hasta el hombro y revela el tatuaje que le envuelve el brazo. Me aparto de la mesa y me inclino para poder verlo de cerca. En el interior de un campo de nubes grises, dos grullas blancas se persiguen mutuamente formando un bucle en el que casi se alcanzan.

—El artista reprodujo bien a los pájaros —comento.

—No es tan bueno como el tatuaje que Aritomo-*sensei* le hizo a mi amigo.

—Y cuando llegaste a casa con eso, ¿qué te dijo tu mujer? —pregunto.

—Nunca he estado casado. —Acaricia una de las grullas—. Como tú.

Ignoro la última frase y me pongo a estudiar los colores en su brazo.

—Lo que me dijiste sobre Aritomo... eso de que era un artista del tatuaje —continúo—... Si el mundo se enterara, acabaría con su reputación.

—Su nombre se volvería inmortal.

—Los jardines que creó ya lo hicieron inmortal —le corrijo.

Tatsuji se estira la manga con los mismos movimientos cuidadosos de antes.

—Los jardines cambian con el tiempo, jueza Teoh. Los diseños originales se pierden, el viento y la lluvia los borra. Los jardines que Aritomo-*sensei* hizo ya no existen en su forma original —añade mientras se abrocha el gemelo—. Pero ¿un tatuaje? Un tatuaje puede durar para siempre.

—«La tinta más tenue durará más que la memoria de los hombres». —El proverbio chino me llega de la nada y me pregunto dónde lo habré oído antes.

—Solo si se conserva como es debido —puntualiza Tatsuji.

—Hace años fui a ver los jardines que Aritomo diseñó. Ha sido la única vez que he visitado Japón.

—¿Los encontraste? —Su cara me indica que ya conoce la respuesta.

—Era difícil localizarlos —admití—. Las antiguas familias para las que trabajó habían muerto después de la guerra, sus descendientes se habían dispersado y sus hogares ancestrales se habían vendido o parcelado. Donde una vez estuvieron los jardines habían construido bloques de apartamentos o carreteras. Solo encontré uno de ellos, que habían convertido en un parque público.

—Ah, eso sería en Kioto, en el antiguo barrio de Chushojima. Yo he estado allí.

—Mientras lo visitaba, supe que no había preservado el diseño original que él creó. Carecía de su espíritu.

—Yugiri es el único jardín que todavía guarda su esencia —dice Tatsuji.

Saco del montón el último grabado. Es un tríptico, tres marcos romboidales verticales que casi se unen, como pirámides a las que hubieran cortado el extremo superior. Los objetos del interior de los marcos están deformados. De repente, me siento mareada y me apoyo con la palma de la mano en la mesa, temiendo que mi enfermedad me la haya vuelto a jugar y esté despojándome de la capacidad de reconocer formas y contornos. Los médicos no me han dicho nada sobre esto. Parpadeo unas cuantas veces, pero los objetos siguen distorsionados.

Tatsuji toma el *ukiyo-e* de mi mano y lo sostiene en alto mientras inclina la cabeza hacia atrás para observarlo. A través del papel de arroz, la luz modela su cara con colores y lo transforma en el actor de una ópera que una vez presencié en Pekín. Quiero preguntarle si está viendo un grabado normal, pero temo su respuesta.

En medio de mi confusión, me asalta una idea.

—Dámelo —le digo.

Parece desconcertado ante la urgencia de mi voz. Se lo arrebato casi con violencia y lo coloco sobre la mesa extendiéndolo bien con la palma de la mano. Doy un paso hacia atrás, luego otro. Él retrocede para situarse a mi lado. Ambos contemplamos el *ukiyo-e.*

Las distorsiones del grabado han desaparecido. Nos encontramos en la orilla de tres estanques de loto que se adelgazan con la distancia. Los árboles, el cielo y las nubes están todos dentro del agua, dentro del dibujo. Siento un gran alivio. Mis carcajadas resuenan en el estudio de modo poco natural, pero no me importa. Me río de nuevo. Tatsuji me mira divertido, aunque no entiende muy bien qué sucede.

—Es ingenioso —reconoce— cómo juega con la perspectiva. Debería haberme dado cuenta de inmediato.

—*Shakkei* —digo.

—¿Eso te lo enseño él?

—Estaba en todo lo que me enseñaba.

—Todos los antiguos jardineros de palacio con los que he hablado mencionaron el talento de Aritomo-*sensei* para el «paisaje prestado». Era su mayor habilidad, pero nunca recibió el reconocimiento que merecía.

—Quizás porque lo hacía tan bien que la gente no era consciente —replico—. ¿Cuántas veces se percata uno de las nubes que hay sobre nosotros, de las montañas que están por encima de la valla?

Tatsuji considera mis palabras durante un momento. Recoge el escritorio y guarda los guantes y la lupa en la cartera.

—Te prepararé una habitación para que puedas trabajar, probablemente esté lista dentro de un par de días —digo—. ¿Vas bien de tiempo?

—Bueno… me gustaría terminar el libro lo antes posible. —Cierra la cartera y levanta la vista hacia mí—. Este será el último que escriba. Después me jubilaré.

—No te imagino pasando la vida en un campo de golf.

—Tengo que cumplir una promesa, una promesa que hice hace muchos años.

Impactada por la tristeza de su voz, estoy a punto de preguntarle sobre lo que me acaba de decir pero agarra la cartera, me hace una reverencia y se marcha. Desde la puerta se gira hacia mí y vuelve a inclinarse.

Me quedo mirando las montañas apoyada en el alféizar. *Shakkei.* Aritomo nunca pudo resistirse a emplear los principios del «paisaje prestado» en todo lo que hacía, y me asalta el pensamiento de que tal vez trasladara ese elemento también a su vida. Y si lo hizo, ¿habría llegado un momento en el que le resultara imposible distinguir lo real de los simples reflejos? ¿Me ocurriría eso también a mí al final?

Esa misma noche, antes dar un paseo hasta Majuba, decido barrer las hojas caídas del jardín *kore-sansui* que está bajo la veranda. Las cinco rocas que ayudé a poner en la tierra están ahora más lisas por el desgaste, y los surcos de la capa de grava se han borrado. Me quedo al borde intentando recordar la última vez que vi las líneas que Aritomo dibujaba en la grava con el rastrillo. Él tenía sus formas favoritas: los contornos de un mapa, los anillos del tronco de un árbol, las ondas de un lago. Al cabo de un rato, trazo una serie de líneas mientras las piedrecillas crujen suavemente al rastrillarlas. Para cuando he terminado, las sombras ya inundan los surcos como el agua cuando sube la marea.

Las ramas y las hierbas silvestres han estrechado el sendero que tantas veces recorrí cuando era aprendiz de Aritomo e incluso obstruyen el paso en algunos tramos. Tardo un rato en despejarlo, mientras sudo y crece mi enfado. Las primeras estrellas ya aparecen cuando cruzo a la plantación de té. He olvidado que la noche llega pronto a las montañas.

Durante el último año he oído alguna que otra historia rara sobre Frederik en boca de gente que pasa las vacaciones en Cameron Highlands. Frederik estableció su hogar en la plantación de té Majuba antes incluso de la muerte de Magnus y, excepto algunas visitas ocasionales a Inglaterra y Sudáfrica, ha vivido en estas tierras desde que llegó en los años cincuenta. Ocupaba uno de los *bungalows* de Majuba mientras dirigía la propiedad. En su setenta cumpleaños, Emily lo persuadió para que se mudara a la Residencia Majuba. A lo largo de los años oí que lo relacionaban con varias mujeres, pero nunca se casó. Dada su manía por la jardinería autóctona, me pregunto si habrá extendido el afán de recuperación de lo endémico también a la casa de estilo Cape Dutch que su tío construyó y de la que se sentía tan orgulloso. Espero que no.

No han cortado los viejos eucaliptos que bordean el camino de entrada y las cortezas desprendidas cubren el suelo. Me agacho para recoger una: tiene el tacto de un viejo pergamino, resquebrajado y reseco. Al llegar al final del sendero, me detengo para contemplar la Residencia Majuba. Las luces del interior emiten una aureola dorada que se refleja en el estanque. Me alegro al comprobar que Frederik la ha mantenido tal y como era cuando Magnus todavía vivía, aunque la bandera de Transvaal ya no ondea. En su lugar, un banderín verde con el logotipo de la plantación de té Majuba (un bosquejo de una casa de estilo Cape Dutch) se agita con suavidad desde el mástil.

Han sustituido las strelitzias que bordeaban los muros por hibiscos rojos. «Demasiado vulgares», pienso mientras me dirijo hacia la puerta principal. Una criada me conduce por los pasillos hasta el salón. Han mantenido la casa como estaba, me pregunto si por respeto a Emily. La escultura de bronce del leopardo sigue sobre el aparador: el depredador que caza eternamente a su presa.

Los muebles del salón son las mismas piezas de madera amarilla que Magnus trajo del Cabo, aunque han sustituido la tapicería por una de franjas azules y blancas. El piano Bechstein se encuentra en una esquina. Los cuadros de Thomas Baines y las litografías de Pierneef se han conservado; casi esperaba que las raíces de las acacias hubieran resquebrajado los marcos y hubieran penetrado en las paredes. Recuerdo haber leído en alguna revista que los trabajos de ambos artistas ahora valen una fortuna.

Paso por delante de la medalla de la guerra de los Bóeres de Magnus y me paro frente al grabado de Aritomo de la Residencia Majuba, para cuyo uso me pidió permiso Frederik. Pienso en las otras xilografías que Tatsuji y yo hemos examinado, y también en su tatuaje.

Ahora hay más libros que antes y las estanterías ocupan un lateral entero de la estancia. Inclino la cabeza para examinar algunos de sus títulos: *Adrft on the Open Veldt*, *The Voortrekkers*, *On Commando*, *De la Rey: The Lion of the Transvaal.* Hay libros sobre el Gran Trek y sobre la guerra de los Bóeres, y novelas y colecciones de poesía escritas en afrikáans por autores de los que no sé nada: C. Louis Leipoldt, C. J. Langenhoven, Eugene Marais y N. P. Van Wyk Louw.

—Magnus nunca hablaba mucho sobre la guerra de los Bóeres ni sobre su vida en Sudáfrica —dice Frederik.

No lo he oído entrar. Está vestido con una americana gris, una camisa blanca y una corbata azul claro de seda de Jim Thompson. Siempre me agrada encontrarme ante alguien que ha hecho el esfuerzo de vestirse adecuadamente.

—Esos libros me ayudaron a entender el mundo que él dejó atrás —continúa.

—Era también tu mundo.

—Pero ya no existe. Ha desaparecido. —Durante un momento parece perdido—. En una ocasión dijiste algo sobre la muerte de los países antiguos que son reemplazados por los nuevos. ¿Te acuerdas? —Hace con la mano un gesto de embarazo, como si de repente se diera cuenta de que me ha pedido que haga algo imposible.

—Fue el día que nos conocimos —digo aliviada por recordarlo al instante—. En el *braai*… —Rozo con la barbilla la ventana al acercarme a ella para contemplar el jardín trasero. El cálido resplandor de los recuerdos compartidos. De la poca gente que queda, Frederik es el único con el que puedo sentirlo—. Y tenía razón, ¿verdad? Malaya se convirtió en Malasia. Singapur se separó de nosotros. Y están Indonesia, India, Birmania… —Sigo avanzando por las estanterías, saco *La jungla roja* y se lo enseño—. Todavía tengo la copia que me dedicaste.

—Continúa vendiéndose bastante bien, y también mi libro sobre los orígenes del té. No como mis novelas: esas ya están descatalogadas.

—¿Y ahora mismo estás trabajando en algo?

Durante un instante me siento tentada de contarle lo que yo he estado escribiendo.

—No hay tiempo para dirigir una plantación de té y escribir. Quizás cuando me jubile empiece a escribir en serio otra vez. Y hablando de *La jungla roja*… —me tiende un vaso de whisky con soda—, he oído que Chin Peng quiere volver a casa. ¿Es eso cierto?

Los rumores sobre el secretario general del Partido Comunista Malayo habían circulado durante los últimos meses, pero yo no les había prestado demasiada atención.

—Puede intentar lo que quiera, pero el Gobierno no le dejará regresar jamás.

—¿Por qué? Ahora es un anciano. Lleva en el exilio casi cuarenta años. Supongo que lo único que quiere es volver al pueblo donde nació.

—Tu mundo, una vez que lo abandonas, ya no te espera. El mundo que él conocía ha desaparecido para siempre. —Me siento en un sillón y el frío del cuero me traspasa los pantalones—. Pareces irritado. Y dudo que sea por la difícil situación del pobre y viejo Chin Peng.

—He tenido problemas con los trabajadores.

—Ah, sí. Los televisores…

—Ya veo que los criados han estado chismorreando con Ah Cheong otra vez.

—¿Y qué esperas que hagan los empleados después de una jornada de trabajo si te opones a que tengan televisión en su casa?

—La transmisión de señales electrónicas tiene un efecto adverso en la vida de los insectos. Lo demuestran estudios llevados a cabo en distintas universidades —dice—. Te los puedo enseñar.

—¿Tú crees que por prohibir los televisores en la finca las señales no van a llegar a tu jardín? —Mi risa es burlona—. Piensa en la lluvia cuando cae sobre Majuba. No importa si pones un cubo fuera para recogerla o no. —Hago repiquetear los cubitos de hielo en mi vaso—. La lluvia sigue cayendo e inunda la tierra.

—Ríete todo lo que quieras, pero las mariposas han vuelto en mayor número desde que prohibí los aparatos de televisión en la finca. Y los insectos igual. Y ahora hay más pájaros en Majuba. Tal cual. —Se entusiasma cada vez más—. De hecho, justo ayer vi un bulbul. Y esta mañana, un par de urracas. Ya nos visitan un montón de ornitólogos.

—¿Y Emily no viene?

—Se está vistiendo —dice Frederik—. Se trasladó a la habitación de invitados hace varios años. Dijo que ya no necesitaba un dormitorio tan grande. —Sonríe y su rostro se llena de arrugas—. Seguro que te acuerdas de esa habitación, es donde te quedaste la primera vez que viniste.

Durante un momento nos quedamos en silencio, tomando nuestras bebidas. Cuando mi vaso se vacía, me pasa un fajo de papeles.

—Quería darte esto, pero los últimos días han sido de locos.

—¿Qué es?

—Tu consentimiento para que pueda usar el dibujo de Aritomo. —Su mirada se agudiza—. Estuvimos hablando de ello, ¿te acuerdas?

—Claro que me acuerdo. Todavía no estoy senil. ¿Me prestas tu bolígrafo? —Firmo los papeles y los deslizo a lo largo de la mesa; con el impulso, se esparcen como el camino de piedras de un estanque.

—Al menos deberías leerlos —me reprende mientras recoge los documentos y los golpea para reunirlos de nuevo. La piel de sus manos, observo, exhibe las manchas propias de la edad. Tiene dos de las articulaciones de los dedos rígidas e inflamadas como los nudos de las ramas de un bonsái.

—No creo que vayas a engañar a una anciana.

—No estés tan segura. —Su sonrisa se mantiene sobre el borde del vaso durante un momento—. ¿Cuánto tiempo te quedas en Yugiri?

—No lo he decidido aún... Hasta que Tatsuji termine su trabajo como mínimo.

Ambos miramos hacia la puerta cuando entra Emily. Frederik deja el vaso y se apresura a recibirla para acompañarla del brazo. Me levanto. El cabello de Emily, peinado hacia atrás tal y como lo recordaba, se ha vuelto completamente blanco. Viste un *qipao* gris y una chaqueta sobre los hombros, y tiene el cuerpo delgado y arqueado. Las arrugas fruncen su cara y sus ojos dan muestra de debilidad.

—*Wah*... Ojalá Magnus estuviera hoy aquí —dice con una sonrisa en los labios y la voz árida por la edad.

—Hola, Emily. —Me asalta la idea de que yo soy ahora mucho mayor de lo que era ella la primera vez que la vi. Es como si el tiempo se superpusiera, sombras de hojas que caen sobre otras hojas, capa sobre capa—. Tienes un aspecto muy juvenil.

—*¡Choi!* Esa palabra me hace pensar en uno de esos viejos flacuchos que sacan a pasear a sus escandalosos perrillos.

Desde la cocina se escapa el olor a comida; el aroma a cilantro me resulta familiar, incluso después de casi cuarenta años, pero no recuerdo su nombre y tengo que hacer memoria. Me pregunto si el deterioro se extiende más rápido de lo que me habían advertido, pero desecho la idea. De pronto, emito un gemido de alivio al recordarlo: *boerewors*. Es un sentimiento terrible no ser capaz de saber si este olvido es normal para mi edad o si es un indicio de la decadencia. *Boerewors*. Tomo nota mental para incluir esta noche esa palabra en lo que estoy escribiendo.

—Me lo traen en avión desde el Cabo cada seis meses —dice Frederik—. Junto con una caja de Constantia tinto.

«Un vino para exiliados». Eso es lo que Aritomo dijo en una ocasión.

Cuando se acerca el final de la cena, Emily comienza a divagar y a confundir el presente con el pasado. Cada vez que ocurre, Frederik llama mi atención con la mirada y yo le correspondo con un gesto de compasión. De vez en cuando él la corrige con amabilidad, pero casi todo el tiempo le sigue la corriente y la deja recrearse en sus recuerdos.

—¿Una copa antes de dormir? —Frederik le pregunta cuando nos levantamos de la mesa para trasladarnos al salón.

Emily se da unas palmaditas en la boca.

—Ya ha pasado la hora de acostarme. —Me mira—. Tendrás que perdonar a esta anciana por todas las tonterías que ha dicho-*lah*.

—Lo he pasado muy bien —aseguro.

—¿Tomamos el té una mañana de estas? Las dos solas.

Le prometo que sí y Frederik se la lleva a la habitación.

—No ha sido una de sus mejores noches —dice cuando vuelve al salón al cabo de unos minutos—. Suele estar más lúcida por las mañanas. Pero sé que se alegra mucho de verte. —Me tiende un vaso de jerez y se sienta enfrente de mí—. ¿Ha visto ya los grabados ese historiador tuyo?

—Va a venir a Yugiri para catalogarlos.

—¿Qué dijo el otro día sobre las incursiones de Aritomo en el arte del tatuaje? Magnus tenía un tatuaje. Aquí. —Se lleva la palma de la mano al pecho, cerca del corazón, como si estuviera a punto de prestar juramento—. Lo había olvidado por completo hasta que él lo mencionó.

En algún lugar de la casa un reloj empieza a repiquetear. Espero hasta que se detiene y todo vuelve a sumirse en el silencio. Mi silla chirría suavemente cuando me inclino hacia delante.

—¿Te lo enseñó?

—Un día hicimos una excursión por las montañas. Yo era pequeño, estaba aquí de visita. De regreso, nos paramos a refrescarnos bajo una cascada. Ahí se lo vi. —Como no respondo, asiente con la cabeza como si se diera cuenta de algo—. ¿Tú también se lo viste?

—Nunca le gustó hablar de él. —Me vuelvo para contemplar el grabado que está en la pared a mi espalda—. Quisiera que me lo prestaras para enseñárselo a Tatsuji.

—Enviaré a uno de mis chicos para que lo lleve a Yugiri. —Vacila—: He hablado con algunos amigos de Singapur y Londres. Y de Ciudad del Cabo —dice—. Pronto te daré algunos nombres.

Lo miro sin saber de qué me está hablando.

—Especialistas —explica—, neurocirujanos.

—¿Piensas que no puedo ocuparme yo? —mi voz resuena en el silencio—. No necesito más expertos que me digan lo que ya sé, así que deja lo que estés haciendo por mí. Basta.

Sus ojos se vuelven fríos como el hielo.

—¿Nadie te ha dicho que eres una puñetera cabezota?

—Muchos lo han pensado, estoy convencida, pero eres el primer hombre que tiene las pelotas de decírmelo a la cara —replico—. He visitado a todos los expertos que me ha dado la gana. He soportado todas sus pruebas y sus monsergas. Ya está bien, Frederik. No puedo más.

—Pero no deberías pasar por alto… —Levanta la mano al aire y la baja al instante.

—Afasia progresiva primaria. Causada por una enfermedad desmielinizante del sistema nervioso —digo.

Nunca he pronunciado estas palabras en voz alta ante nadie, tan solo ante los médicos que me la diagnosticaron. Un miedo supersticioso me paraliza: miedo a que la enfermedad acelere su desarrollo, a alcanzar una fase en la que no sea capaz de nombrarla. Ese será su objetivo, su victoria, cuando ya no pueda ni siquiera maldecirla por su nombre.

—En una ocasión leí algo sobre Borges —continúo—. Estaba ciego y muy viejo, y pasaba sus últimos días en Ginebra. Dijo: «No quiero morir en una lengua que no comprenda». —Me río con amargura—. Eso es lo que me ocurrirá a mí.

—Visita más médicos. Que te hagan más pruebas.

—La última vez que estuve en un hospital fue cuando la guerra terminó —digo, manteniendo el tono de voz—; nunca volveré a poner un pie en otro. Jamás.

—¿Y tienes a alguien que se ocupe de ti en Kuala Lumpur? ¿Algún cuidador interno? ¿Alguna enfermera?

—No.

—No puedes vivir sola.

—Magnus me dijo eso mismo una vez, ya lo sabes. —El recuerdo me hace sonreír y a la vez me entristece—. He vivido sola la mayor parte de mi vida. Es demasiado tarde para cambiar mis costumbres. —Cierro los ojos un momento—. Mientras esté aquí, creo que restauraré el jardín; le devolverle la forma que tenía antes, cuando Aritomo vivía. —La idea me vino durante la noche, cuando contemplaba el grabado.

—No puedes hacerlo sola. Y menos ahora.

—Esa mujer que se ocupa de tu jardín… ¿Cómo se llama? Ella me podría ayudar.

—¿Vimalya? —emite un sonido que es mitad bufido mitad carcajada—. Restaurar un jardín como Yugiri iría en contra de todos sus principios.

—Habla con ella, Frederik.

—El jardín es la última cosa de la que deberías preocuparte, si te interesa mi opinión.

—Tengo que hacerlo ahora. Dentro de poco Yugiri será la única cosa que todavía sea capaz de hablarme.

—Ay, Yun Ling… —dice con suavidad.

Una música flota por la casa, como el susurro de un tiempo pasado. La melodía me resulta familiar pero no logro identificarla. Miro a Frederik por el rabillo del ojo mientras me pregunto si seré la única que la oye.

—La escucha todas las noches, antes de dormir —me explica, como si me leyera el pensamiento—. Recopiló una extensa colección de discos de la misma pieza interpretada por diferentes pianistas: Gulda, Argerich, Zimerman, Ashkenazy, Pollini. Cada vez que voy al extranjero le busco alguna versión. Pero solo escucha el *larghetto*. En todos estos años, no ha cambiado. Solo el *larghetto*.

La piel flácida del cuello se le tensa cuando alza el rostro hacia las luces del techo.

—Esta noche es de nuevo el cuarteto Yggdrasil quien nos acompaña —concluye al cabo de un momento—. Lo encontré en Singapur hace algunos meses. Lo pone muy a menudo.

—¿Yggdrasil? ¿Qué es eso?

—Viene del mito nórdico.

—Nunca he oído hablar de él.

—Yggdrasil es el árbol de la vida —dice—. Sus ramas cubren el mundo y se extienden hasta el cielo. Pero solo tiene tres raíces. Una está sumergida en el pozo del conocimiento, otra en el fuego y la última en las fauces de una terrible criatura. Cuando el fuego y la bestia acaben con dos de las raíces, el árbol caerá y la oscuridad eterna se extenderá por el mundo.

—Así que el árbol de la vida está condenado desde el mismo momento en que lo plantan.

Mientras me clava la mirada, dice en voz baja:

—Pero todavía no se ha caído.

Me reclino en la silla, cierro los ojos y escucho el *larghetto*. El piano está acompañado solo por el cuarteto y la música conserva la cruda pureza de un grupo de piedras que reposan en el fondo de un arroyo, un arroyo que se secó mucho tiempo atrás.

Capítulo diez

El arte de colocar piedras era diferente de lo que yo había pensado. Cuando con quince años paseé por los jardines de Kioto con Yun Hong no sospeché la cantidad de trabajo que hacía falta para construirlos y mantenerlos. Tampoco lo sospechó Yun Hong, pensé, y me sentí desleal en el instante en que me vino a la cabeza esa idea.

Aritomo me tenía corriendo de un lado para otro y al principio pensé que deseaba que fracasara, que me diera por vencida, que me marchara de Yugiri llena de frustración. Sin embargo reconozco que, desde que me tomó como aprendiz, nunca vi ningún signo de resentimiento en él. El trabajo era agotador, pero empecé a disfrutarlo. Las herramientas que él usaba eran antiguas y precisas. Tuve que memorizar cómo se llamaban y aprender a limpiarlas y a cuidarlas. Repasaba sus nombres como si fueran las cuentas de un bucle infinito mientras me ponía a trabajar: *kakezuchi, nata, kibasami, sachi, tebasami;* mazo, hacha, tijeras cortasetos, torno, tijeras de podar; *kakezuchi,* nata, *kibasami, sachi, tebasami*… El hilo se alargaba cada vez más con nuevas cuentas.

Algunos días, si llegaba temprano, observaba cómo Aritomo practicaba el tiro con arco, siempre fuera de su ángulo de visión. Contemplar sus movimientos lentos y premeditados me infundía sensación de calma.

Además de llevar a cabo las tareas que Aritomo me encargaba, tenía que interpretar sus instrucciones para los trabajadores. A excepción de Kannadasan, ninguno tenía interés. Desde el primer día intuí que Romesh causaría problemas. El hombre tenía treinta y tantos años, y unos bultos pequeños y duros en el cuerpo. Cuando empezó a llegar al trabajo cada vez más tarde apestando a *toddy,* Aritomo me pidió que le informara de que no hacía falta que volviera.

Romesh se presentó en Yugiri al día siguiente del mensaje de Aritomo. Se quedó fuera de la casa y empezó a gritar. Por una vez, no estaba borracho. El resto de los jardineros, que estábamos trabajando cerca, nos aproximamos lentamente para ver mejor.

—¡Sal de ahí, *japo* hijo de puta! —Romesh gritaba en malayo mientras se balanceaba hacia delante y hacia atrás—. ¡Quiero mi dinero! ¡Sal de ahí! ¡Sal!

Aritomo apareció por la puerta principal un momento después, con la revista que estaba leyendo todavía en la mano.

—¿Por qué está tan alterado? —me preguntó.

—Quiere que le pagues.

—¿Eso es todo? Ya le he pagado.

—No la totalidad —traduje la respuesta de Romesh a Aritomo.

—No sería justo para los demás si le pagara el sueldo completo, ¿verdad? No ha trabajado tanto —dijo Aritomo mientras enrollaba la revista formando un cilindro hueco con ella.

Romesh le arrebató a Kannadasan el *parang* de la mano antes de que yo hubiera terminado de traducir. Demasiado horrorizada para moverme —y para pensar—, observé cómo blandía el machete hacia la parte lateral del cuello de Aritomo. En lugar de retroceder, Aritomo fue al encuentro del ataque con un suave movimiento y atizó al trabajador en la tráquea con el extremo de la revista enrollada. Romesh se atragantó y comenzó a emitir sonidos guturales mientras se llevaba la mano a la garganta. Aritomo apretó la revista con un giro rápido, la agarró como si fuera un cincel y se la clavó a Romesh en un punto concreto de la muñeca. Los dedos se le quedaron inmóviles y el *parang* cayó al suelo. Mientras seguía sofocado intentando coger aire, Romesh lanzó un puñetazo a Aritomo con la otra mano. Aritomo lo esquivó, bloqueó la muñeca de su oponente con un giro y lo hizo caer de rodillas. Romesh gritó de dolor.

—Te la voy a romper como si fuera el brote de una rama —advirtió Aritomo acercando la cara a la de Romesh.

No hubo necesidad de que lo tradujera. El cuerpo de Romesh se derrumbó. Aritomo desbloqueó su muñeca y retrocedió lentamente.

El tiempo volvió a correr. El viento sopló de nuevo. La pelea había durado diez segundos, puede que quince, pero pareció mucho más larga. Los trabajadores corrieron a levantar a Romesh. Él los apartó, se arrastró y se puso en pie tambaleándose. Salió del jardín con paso vacilante, frotándose la muñeca. No volvió la vista atrás.

Me di la vuelta para decir algo a Aritomo, aunque no sabía qué, y descubrí que ya había regresado dentro. Recogí el *parang* del césped y se lo devolví a Kannadasan.

Esa noche al irme de Yugiri saludé con la mano a Ah Cheong, que esperaba a Aritomo fuera de la casa para darle su bastón. Era siempre su última tarea antes de dirigirse en bicicleta a su hogar en Tanah Rata.

Escogí el camino que bordeaba la jungla antes de girar hacia mi *bungalow.* No tenía prisa por llegar. A pesar del cansancio seguía costándome conciliar el sueño; a veces permanecía despierta, tumbada en la cama, hasta las primeras horas del amanecer. Había muchas voces en la oscuridad: los gemidos de los prisioneros, los gritos de los guardias, el llanto de mi hermana.

Presenciar la pelea de Aritomo con Romesh —aunque solo hubiera sido para defenderse— me había conmocionado más de lo que creía. Mientras desarmaba al trabajador había en él cierta expresión de frialdad e indiferencia, e imaginé que, si Romesh no se hubiera dado por vencido, habría hecho algo más que romperle el brazo. Había muchas cosas del jardinero japonés que yo no sabía y que ni siquiera alcanzaba a imaginar.

Las luces de las granjas y los *bungalows* salpicaban los valles. Me saludaron los recolectores de té que se apresuraban para volver a casa. El olor acre del humo de las cocinas de leña se expandía por el ocaso y venía acompañado del ladrido débil de los perros. En el campamento esperábamos ansiosos ese momento del día, cuando por fin nos dejaban volver a nuestras cabañas; mirábamos a nuestro alrededor para ver quién no había sobrevivido, pero estábamos demasiado insensibilizados para sentir algo cuando notábamos la ausencia de algún amigo o familiar.

El camino se bifurcaba. En vez de seguir recto hasta mi *bungalow,* tomé el ramal que llevaba a la Residencia Majuba y pedí al *gurkha* que me dejara atravesar la verja. Al dirigirme hacia la parte trasera de la casa, pasé por delante de Mnemósine y de su hermana gemela y bajé los escalones hacia el jardín de la terraza inferior. Cuando despejaron la jungla, Magnus dejó sin talar la mayoría de los chengales. Las líneas ordenadas de los jardines se interrumpían con los arriates de plantas que él había traído de Sudáfrica: cícadas de hojas afiladas que brotaban de la tierra como los extremos de zanahorias descomunales y prehistóricas; strelitzias y agapantos azules; y aloes que, con sus menorás de flores rojas, crecían con esfuerzo en un terreno ignoto.

En el centro del césped se elevaba un arco de piedra recubierto de blanco del que colgaba una campana. Magnus me contó que en una época se había utilizado en un viñedo del Cabo para anunciar el final de la jornada de trabajo a los esclavos javaneses. Tiempo después de haberlo visto por primera vez, aquel monolito blanco mantenía su poder de atracción; cada vez que lo contemplaba sentía que me había tropezado con el último vestigio de una civilización olvidada. Al pasar por debajo del arco, me puse de puntillas para golpear el faldón de la campana y hacer sonar el débil eco de su mutismo oxidado.

Emily estaba de pie junto a un estanque ornamental, con los ojos cerrados. Permanecí en silencio mientras ella inspiraba y levantaba el pie derecho. Se movía con tanta lentitud que noté como si el tiempo se estirara y su energía absorbiera el mundo a nuestro alrededor, mientras ejecutaba una serie de desplazamientos que fluían de manera continuada: agua vertida dentro del agua, aire mezclado con aire. Se movía con tal gracia e intensidad contenida que parecía flotar dentro de una esfera sin apenas gravedad.

Pasados unos instantes volvió a su posición inicial, con los brazos relajados contra las caderas. La llamé en voz baja y se dio la vuelta levantando las manos en un gesto defensivo.

—Soy yo —dije—. Qué bonito. Es *taijichuan,* ¿verdad? Antes veía a la gente mayor practicarlo en el paseo marítimo.

La desconfianza desapareció de forma paulatina.

La luz de las estrellas helaba el aire. Entre los juncos del borde del estanque una escultura de bronce representaba a una niña pequeña arrodillada sobre un bloque de granito. Una expresión de asombro fría e inocente se dibujaba en sus ojos eternamente posados sobre el agua. Emily se dio cuenta de que la estaba contemplando.

—Hicimos que la esculpieran después de enterrar aquí a nuestra hija.

—No sabía que Magnus y tú hubierais tenido una hija.

—Petronella vivió solo unos pocos días después de nacer. —Una tristeza lejana ensombreció los ojos de Emily mientras contemplaba la escultura—. Nunca conocí a tu madre. ¿Me parezco mucho a ella?

En ese instante comprendí por qué a mi padre nunca le gustó Magnus y por qué Emily había sido tan cautelosa conmigo. Estaba segura de que no se refería al parecido físico entre ambas.

—Las dos sois personas muy decididas —dije, escogiendo las palabras con el mismo cuidado con el que elegí las piedras para el jardín de Aritomo.

Emily se mostró satisfecha con mi respuesta, incluso feliz.

—Magnus quiso casarse con ella, ¿sabes?, pero al ser la única hija de la gran familia Khaw, no podía estar con un modesto hacendado *ang moh*[1].

—Pero tú si pudiste. —Recordé que Emily provenía de una familia acomodada también, aunque no tan destacada como la de mi madre.

—Vivir aquí hizo que las cosas fueran más fáciles, supongo —dijo Emily—. Cameron es un mundo aparte. Estoy segura de que ya te habrás dado cuenta. Aquí ya había muchas parejas interraciales antes de la guerra. Yo pensaba que todos habíamos llegado aquí para alejarnos de la desaprobación del mundo.

—¿Cómo conociste a Magnus?

—Beng Geok, mi prima, me llevó a una cacería del tigre en Penang Hill. Magnus era uno de los invitados —respondió—. Cuando Beng Geok nos presentó, no podía dejar de mirarlo. ¡Ese parche en su rostro! Sentía que escondía algo en su interior y quería averiguar qué era. Tenía que hacerlo. —Sonrió—. ¿Sabes cómo perdió el ojo?

—En la guerra de los Bóeres.

Ella me miró.

—Siento lo de tu madre.

Me aparté unos cuantos pasos fingiendo interés por un pájaro que se había posado en el arco.

[1] Modo despectivo de denominar a los blancos en Malasia y Singapur. *(N. de la T.)*.

—Seguro que no has cocinado nada —dijo Emily—. Ven a cenar conmigo.

—¿Dónde está Magnus?

—En Kuala Lumpur. Se marchó esta mañana temprano. Va una vez al mes a sacar dinero para pagar a los trabajadores.

—Podría habérmelo dicho. Quería comprar algunos libros.

—Oh, no le decimos a nadie cuándo se va ni cuándo vuelve. Es más seguro-*lah.* Hay menos posibilidades de una emboscada, ya ves. Entonces... —dijo—, ¿cenamos?

Asentí y la seguí hacia la escalera. Cuando llegó arriba se detuvo y se volvió hacia mí.

—Esa noche, cuando conocí a Magnus, nos quedamos en la terraza mirando las luces de George Town a nuestros pies —continuó—. Empezó a lloviznar, pero él no dejó que me fuera. Y entonces me recitó los versos de aquel poema: «Yace la tierra en la noche tras lavarse en la gracia silente y oscura de la lluvia». —El recuerdo suavizó su expresión—. Le pedí que me lo anotara, pero se negó. ¿Y sabes lo que me dijo? «No necesito escribírtelo, porque lo vas a recordar siempre».

Nos quedamos allí durante un rato mientras penetraban en mí el crepúsculo y las palabras de un poeta cuyo nombre desconocía.

Justo antes de entrar pregunté:

—¿Cazaron al tigre?

—¿Y crees que eso me importaba, después de haber visto a Magnus? —Su risa brilló en el anochecer y durante un brevísimo momento pareció que volvía a ser joven—. Los rastreadores encontraron algunas huellas, pero nunca vimos al tigre. Probablemente fuera el último que vivió en estas colinas. —E, inclinándose hacia mí, susurró—: Te diré un secreto. Me alegro de que no apareciera y de que no lo matáramos.

Al cabo de un momento, añadí:

—Yo también me alegro.

—Me gusta pensar que todavía hoy sigue vivo —dijo mirando hacia las montañas, donde la noche ya había caído— y vaga por las colinas.

Al final de cada jornada en Yugiri, volvía a mi *bungalow,* ponía agua a calentar y encendía la radio mientras esperaba que hirviera. Las noticias, cuando lograba sintonizarlas, solían incluir el asesinato de algún hacendado y su familia a manos de los CT. Me dejaba caer en la silla, junto a la mesa, y hundía las manos en una palangana de agua caliente y humeante para liberar el dolor. Algunos días me dolían tanto que me sorprendía no ver sangre en el agua. La agonía era siempre peor en la mano izquierda, con sus cicatrices más enrojecidas que la piel de alrededor. Al mirar los muñones, recordaba el truco de hacer desaparecer el pulgar que tanto le gustaba a mi padre cuando era pequeña y que me hacía gritar de alegre terror.

Una noche, al poner en remojo las manos, oí que un coche se acercaba por la cuesta de entrada y se detenía frente a mi *bungalow.* El motor se apagó, las puertas se cerraron de un portazo y Magnus me llamó. Me enrollé una toalla del lavabo alrededor de la mano izquierda y salí. Iba acompañado de un hombre chino que vestía una chaqueta safari de color caqui y unos pantalones cortos de algodón almidonado que casi le rozaban los calcetines blancos por debajo de las rodillas.

—Ah, estás en casa. Estupendo —comentó Magnus—. El inspector Woo quiere hablar contigo.

Señalé las sillas de ratán de la veranda y entré un momento para secarme y ponerme los guantes. La radio todavía estaba encendida y bajé el volumen. Cuando me reuní con ellos, el inspector Woo tenía una pierna cruzada sobre la otra y sacaba un cigarrillo de una pitillera de plata. Ofreció uno a Magnus, que lo rechazó. Estuve a punto de estirar el brazo para coger uno, pero me detuve; ya no estaba en el campo de prisioneros y no necesitaba acumular cigarrillos para luego cambiarlos por algo que me hiciera falta.

—Está usted bastante aislada aquí —dijo Woo mientras frotaba una cerilla para encender el cigarrillo.

—¿En qué puedo ayudar al Cuerpo Especial de Policía?

No pareció sorprendido de que hubiera adivinado su identidad.

—Queremos que deje Cameron Highlands y vuelva a Kuala Lumpur.

Miré a Magnus y luego de nuevo al inspector.

—Hace nueve días, una CT se entregó a la policía en Tapah —continuó Woo—. Formaba parte del Tercer Regimiento de Perak.

Tienen su sede en esta zona y su comandante sabe que usted vive aquí.

Más abajo del camino de entrada, el anochecer caía sobre los campos de té. Una mariposa nocturna con las alas tan grandes como la palma de mi mano revoloteaba alrededor de la bombilla de la veranda en busca del camino hacia el corazón del sol.

—¿Cree que están planeando hacerme algo?

—Usted ha llevado los casos de varios CT. Y con bastante éxito, por cierto. El de Chan Liu Foong le dio muy mala fama. —Una bocanada de humo salió entre los labios fruncidos de Woo—. Usted es un blanco fácil. Y su padre está relacionado con los acuerdos de independencia.

—No sabía eso —dije.

—Se ha convertido en consejero del comité de negociaciones de la Merdeka.

—¿Asesora al Gobierno?

—No, al partido chino.

—¿Teoh Boon Hau quiere liberar a Malaya del reglamento colonial? —Magnus sacudió la cabeza sonriendo—. Cuesta creerlo.

—Necesitan gente que hable inglés para representar los intereses de los chinos, nuestros intereses, en los debates —dijo Woo—. Es solo cuestión de tiempo que los británicos abandonen Malaya. Nosotros, los chinos, debemos permanecer juntos, independientemente de nuestras diferencias: los *hokkien* y los *teochew*, los *hakka* y los cantoneses, incluso vosotros, los chinos de los estrechos. No podemos dejar que los malayos tomen todas las decisiones. Nos jugamos tanto como ellos.

Durante los últimos dos años, las llamadas a la autodeterminación habían tomado más fuerza entre los nacionalistas malayos. Preocupados por su futuro, los chinos malayos habían formado su propio partido político para que su voz se oyera en las negociaciones de la Merdeka.

—Mi padre ni siquiera sabe mandarín —repuse—. ¿Cómo puede hablar en nombre de los chinos?

—Ha contratado a un profesor particular para que le enseñe —dijo Woo—. El otro día dio incluso un breve discurso en la Cámara de Comercio China. Fue excepcional, la verdad. Comenzó diciendo, en un mandarín perfecto: «Ya no soy un banana». Me dijeron que puso a todo el público en pie.

—¿Banana? —repitió Magnus.

—Amarillo por fuera y blanco por dentro —explicó Woo—. Mire, señorita Teoh, usted está fichada. Tiene que irse.

—Inspector, aunque se presentara usted aquí con todos y cada uno de los reglamentos de la Emergencia —repuse—, no me iría a ningún lado.

—Sé razonable, Yun Ling —intervino Magnus—. Esto no es seguro para ti.

—No disponemos de personal para protegerla. —El inspector levantó un dedo como señal de advertencia—. Tal y como está la cosa, andamos escasos de gente.

—No he pedido protección ni la voy a pedir. —Las patas de la silla rayaron los tablones de madera cuando me levanté—. Pero gracias por preocuparse.

El inspector Woo lanzó el cigarrillo por la barandilla. Garabateó algo en un papel y me lo dio.

—Mi número de teléfono. Por si acaso.

—Al menos vuelve a la Residencia Majuba —dijo Magnus.

—Me gusta estar sola.

Magnus sacudió la cabeza y se dio por vencido. Una vez dentro del coche, sacó la cabeza por la ventanilla y gritó:

—Mañana es el Festival de Mitad de Otoño. Daremos una pequeña fiesta. ¿Vas a venir? Bien. Trae a Aritomo. Empieza a las seis.

Antes de irme a la cama, di una vuelta por la casa para asegurarme de que las puertas y las ventanas estaban bien cerradas y con los pestillos echados. Dejé las luces de la veranda encendidas. Aquella noche las cigarras en los árboles sonaron más de lo habitual y la jungla pareció más densa y cercana.

Al día siguiente, por la tarde, Aritomo se detuvo junto a mi *bungalow*. Llevaba una chaqueta gris de esmoquin y pantalones a juego. Su suave colonia olía a musgo después de la lluvia. Con un brazo sujetaba una gran caja de cartón, pero no quiso decirme qué había dentro.

No mencioné la visita del inspector Woo porque me preocupaba que diera por concluido mi aprendizaje con él.

Le serví un whisky con soda y sus ojos se fijaron en mi delgada pulsera de jade. Me agarró la muñeca.

—Jade imperial chino —murmuró—. No deberías llevarlo en un sitio como este.

—Era de mi madre —dije—. Una de las pocas joyas que consiguió esconder antes de que llegaran los japoneses. —La había enterrado en una caja bajo los papayos de la parte trasera de nuestra casa; después de la guerra regresé y la desenterré. Cuando se la enseñé, ella no la reconoció.

—Combina bien con tu vestido —reconoció Aritomo—. Como dos hojas del mismo árbol.

Miré mi *qipao;* la seda verde pálido emitía un débil destello al más leve movimiento.

—Será mejor que nos pongamos en camino —dije—. No quiero llegar tarde.

Al llegar a la Residencia Majuba señaló el alambre de espino que rodeaba la valla.

—Una mala hierba que está estrangulando al país. Parece que ha brotado por todas partes.

—Es necesario —comenté—. Deberías plantearte algunas medidas de seguridad en Yugiri.

Con la última luz del atardecer, las gotas de rocío adheridas a las púas de la alambrada brillaban como el veneno en la punta de los colmillos de una serpiente.

—¿Y estropear el jardín? —Parecía tan horrorizado que solté una carcajada. Se giró para mirarme—. Es la primera vez que te oigo reír.

—Los últimos años no han sido muy divertidos.

La luna maduraba en el cielo. En el jardín de la terraza, en la parte trasera de la casa, los invitados y los trabajadores de la finca se congregaban alrededor de la mesa del *buffet:* los indios y chinos en un lado, los europeos en el otro. La noticia de mi aprendizaje con Aritomo se había extendido y muchos de los asistentes me miraron con evidente curiosidad. Dos o tres tomaron el pelo a Aritomo preguntándole si iba a abrir una escuela de jardinería, pero él se limitó a sacudir la cabeza sonriendo. Era la primera vez que lo veía fuera de su jardín. Me llamó la atención lo cómodo que estaba entre los demás invitados. Se había convertido en parte del paisaje.

Toombs, el protector de los aborígenes, había llevado un jabalí que él mismo había cazado y que un *orang asli* había despellejado para él. El olor de la carne en el asador endulzaba el aire y me revolvió el estómago al mismo tiempo que me abrió el apetito. Magnus salió de detrás del *braai* para presentarnos a un norteamericano de mediana edad. Era guapo a pesar de su corpulencia y de su escaso cabello, que llevaba aplastado contra la cabeza.

—Jim está aquí de vacaciones. Tiene negocios en Bangkok.

—¿Qué haces allí? —preguntó Aritomo.

—Perder el dinero, por no hablar del pelo, intentando impulsar la industria local de la seda —contestó el norteamericano—. Magnus me ha dicho que te has construido una casa japonesa. Yo estoy montando una casa tradicional siamesa en la ribera de los *khlongs*.

—Los canales —explicó Aritomo cuando le dirigí una mirada de incomprensión.

—¿Conoces Bangkok? —inquirió de nuevo el norteamericano.

—Sí, estuve hace años —contestó Aritomo—, cuando empecé a viajar por esta zona.

Emily, que estaba repartiendo farolillos de papel entre los niños, me llamó.

—Dale esto —me pidió Aritomo mientras me pasaba la caja que había traído. Los tres hombres se dirigieron hacia los asientos de ratán que estaban en el césped. Yo fui con Emily y le entregué la caja. La meneó con suavidad y la colocó sobre la mesa.

—Me alegro de que haya venido contigo —dijo—. Últimamente no lo hemos visto mucho.

—¿Se conocen desde hace mucho tiempo? —le pregunté mirando a Aritomo, que terminaba su vaso de vino y le cogía otro a una criada.

—¿Magnus y Aritomo? —se quedó pensando un momento—: Desde hace unos diez, quince años, creo. Antes eran muy buenos amigos, ¿sabes?

Magnus susurró algo a Aritomo, que echó hacia atrás la cabeza y comenzó a reír.

—Ahora se les ve bien —dije.

—Él venía todos los fines de semana y siempre traía algo. Solía beber mucho y ponerse bastante *mabuk* con Magnus y sus amigos. Pero desde la ocupación nos visita con menos frecuencia. Siempre tiene alguna excusa: está ocupado-*lah,* está cansado-*lah*...

—¿Y pasó algo entre ellos?

—¿A qué te refieres? ¿Una pelea? No, nada dramático-*lah.* Creo que fue la guerra, que de alguna manera alteró su amistad. —Abrió otra caja de cartón y sacó un montón de farolillos de papel plegados. Me dio uno. Cuando tiré de sus dos extremos se desplegó como un acordeón—. Siempre que los veo me hacen sentir de nuevo como una niña pequeña —dijo—. ¿Jugabas con farolillos en tu infancia?

—Mis padres celebraban el Año Nuevo chino, pero las demás fiestas no.

—Me hubiera extrañado que lo hicieran. Ya me dijo Magnus que eran muy *ang moh.*

Aritomo, que seguía sumido en la conversación con el norteamericano de Bangkok, se dio cuenta de que lo miraba, pero no aparté la vista.

—El viejo señor Ong, que era nuestro vecino, organizaba fiestas para observar la luna. Veíamos a sus hijos jugar con los farolillos. Su primera esposa siempre nos daba pasteles de luna. A menudo me he preguntado si será verdad la historia de los rebeldes que planeaban derrocar al emperador de China y escondieron mensajes secretos en los pasteles de luna.

—*¡Aiyo!* Tu información no es correcta... Los rebeldes eran chinos —explicó Emily— y querían acabar con el Gobierno mongol. Planearon que el levantamiento tuviera lugar durante la celebración del Chong Qiu. Y no siempre metían los mensajes dentro de los pasteles.

—¿Y dónde más los escondían?

—A veces estaban «sobre» los propios pasteles. El molde del pastel llevaba el mensaje grabado. Cuando el pastel estaba listo lo dividían en cuatro.

—Y el mensaje solo podía leerse cuando se unían todos los trozos —completé su explicación.

—Astuto, *¿hor?* Imagínate, ¡oculto a plena vista!

—Así que el Chong Qiu es para conmemorar esa revuelta.

—Ay, estas chicas modernas... Tanta educación universitaria y no conocéis vuestras propias tradiciones —comentó Emily—. Pregunta a cualquiera de los niños que hay por aquí, todos se saben la historia, incluso los indios y los malayos.

—Porque se la cuentas todos los años —dijo Magnus, que en ese momento se acercaba con bebidas para nosotras.

—Les gusta oírla —apuntó Emily mientras daba el último farolillo a una niña.

Magnus me guiñó un ojo y se volvió hacia los niños.

—Venid, *mari, mari,* niños y niñas, la tía Emily os va a contar una historia. ¡Venid! ¡Venid! —En su mayoría comprendían y hablaban un poco de inglés básico, pero repitió sus palabras en malayo, finalizó con otro *mari, mari* exhortatorio y les hizo un gesto con el dedo para que se acercaran.

Los pequeños se reunieron a nuestro alrededor. Emily recriminó a Magnus con la mirada, aunque era obvio que se estaba divirtiendo. Una vez que los niños estuvieron sentados sobre la hierba, ella les preguntó:

—¿Sabéis todos por qué al día de hoy lo llamamos Festival de la Luna?

—¿Porque esta noche la luna está muy grande? —dijo un niño.

—¡Esa es buena! —señaló Toombs riéndose entre dientes.

—Tú estate callado-*lah* —le replicó Emily. Se estiró la falda y se arrodilló en la hierba—. Hace mucho tiempo el mundo tenía diez soles —comenzó—. Todos los días se turnaban para brillar en el cielo. Pero entonces, una mañana, algo raro pasó, algo que nunca antes había ocurrido: los diez soles decidieron aparecer a la vez. El mundo se caldeó demasiado. *¡Wah!* Los árboles se incendiaron y...¡zas!, toda la jungla quedó envuelta en llamas. Rápidamente los ríos y los mares comenzaron a hervir y el agua se convirtió en vapor. Los animales morían y millones de personas estaban sufriendo.

Algunos de los niños estaban boquiabiertos y miraban a Emily con los ojos como platos. Uno incluso se levantó y se dio la vuelta para buscar el consuelo de sus padres.

—El emperador de China estaba preocupado —continuó Emily—, sin embargo, sus consejeros más inteligentes le explicaron que no podían hacer nada. «Es la voluntad del cielo», dijeron. Pero un joven secretario le pidió permiso para hablar. Había oído algo sobre un arquero llamado Hou Yi, capaz de derribar cualquier cosa que surcara el firmamento, fuera lo que fuese, por muy alto que volara: golondrinas, cigüeñas, águilas. Sus flechas, se decía, lograban incluso perforar las nubes. «Su majestad —sugirió el joven secretario—, quizás podría pedir a Hou Yi que disparara a los soles».

La voz de Emily llegaba hasta los demás invitados que, uno a uno, fueron abandonando sus respectivas conversaciones para escucharla. Me di cuenta de que Aritomo se había levantado de la silla de ratán y ya no hablaba con el comerciante de seda norteamericano que estaba a su lado.

—El emperador pensó que la idea del joven secretario era buena. «Envíen mensajeros para que me traigan a ese tal Hou Yi —ordenó—. ¡Rápido!». Cuando llegó el arquero, el emperador le explicó lo que tenía que hacer. Hou Yi lo escuchó y luego pidió que lo llevaran a la torre más alta del palacio. El emperador, transportado en un palanquín por sus esclavos, siguió a Hou Yi por la torre. Subían y subían, hasta que llegaron a la parte más elevada, un espacio abierto donde el emperador llevaba a cabo ceremonias de agradecimiento al sol el primer día de cada año nuevo.

»Los diez soles brillaban de tal forma y desprendían tanto calor que cuando Hou Yi bajó la vista hacia la tierra abrasada se dio cuenta de que no había sombra alguna. Había tanta luz que incluso el cielo azul se había vuelto completamente blanco. —Emily miró a los niños—. Hou Yi, que era un hombre muy grande, cogió el arco.

—¿Cómo de grande era? —preguntó un niño flacucho.

—¿Cómo de grande, Muthu? Oh, más que el señor Magnus, pero sin la barriga gorda, claro. Casi tan grande como aquel árbol de ahí, pero un poco más bajo. —Emily miró a los demás—. Ah, pero si Hou Yi era grande, su arco era todavía mayor: era dos veces más grande que él. —Se humedeció los labios antes de continuar—. Hou Yi sacó la primera flecha. Era larga y fina, como una lanza. Tensó la cuerda. —Apoyando las manos en las rodillas, Emily se puso de pie con dificultad y adoptó una posición de tiro desplegando los brazos.

Los más pequeños se rieron. Miré a Aritomo, que estaba reclinado en su silla con los brazos cruzados sobre el pecho y la cara oculta entre las sombras.

—Hou Yi tiró de la cuerda. Tiró, tiró y tiró hasta que el emperador tuvo miedo de que se rompiera. Cerró un ojo y apuntó con la flecha hacia el sol más cercano, el más implacable. —Emily se detuvo en ese punto del relato, con los brazos todavía en la posición del arquero a punto de arrojar la flecha. Dejó que se hiciera silencio—. Disparó la flecha. —Emily silbó—. Voló por el cielo hacia el sol y le dio justo en el centro. El sol ardió todavía con mayor fuerza durante un segundo, pasó un minuto, luego otro… El aire se llenó de quejidos y gemidos. Hou Yi no lo había logrado. Pero entonces el sol se empezó a debilitar, las llamas se apagaron y desapareció del cielo. La gente vitoreaba, gritaba y aplaudía, incluso el emperador. Hou Yi se secó el sudor de la frente y disparó el resto de sus flechas, una tras otra. No falló ninguna vez. El emperador, los cortesanos, los esclavos, todo el mundo notaba cómo el terrible calor desaparecía a medida que iban muriendo los soles.

»Al final, solo quedó un sol en el cielo vacío. Cuando Hou Yi estaba a punto de disparar sobre él también, el emperador se levantó de su silla de un salto y gritó: «¡Alto! Tienes que dejar que ese brille o el mundo se cubrirá de tinieblas».

—¿Y la luna *leh?* ¿Qué pasa con la luna? —preguntó una pequeña con trenzas.

—*Aiyah,* Parames, espera-*lah;* todavía no he terminado. —Emily se detuvo un instante e hizo como si intentara ordenar sus pensamientos. Los niños se quejaron gritando—. ¿Por dónde iba yo *hah?* Ah, sí… El último sol se salvó. Pasados unos años, cuando el emperador se iba a morir, convirtió a Hou Yi en el nuevo gobernante de China —continuó—. A Hou Yi le gustaba tanto ser emperador que pidió a los dioses que le hicieran inmortal.

—¿Y eso qué es? —preguntó Parames.

—Significa que nunca jamás moriría —contestó Emily—. Los dioses decidieron darle una pastilla mágica de modo que viviera para siempre. Pero Hou Yi tenía una esposa muy guapa que se llamaba Chang Er. Él la quería tanto que quiso compartir la pastilla con ella, así que la guardó en una caja para darle una sorpresa. Chang Er vio que estaba escondiendo algo y le picó la curiosidad. Un día, cuando su marido estaba cazando, ella abrió la caja. Vio la pastilla y la cogió. Y entonces… —Emily agarró la pastilla invisible con el índice y el pulgar, miró a su alrededor de manera furtiva, se la metió en la boca y fingió hacer un esfuerzo para tragarla. Los niños chillaron—. De inmediato sintió que el cuerpo se le volvía cada vez más ligero —continuó—. Sus pies se levantaron del suelo llevándola cada vez más alto. Salió por la ventana flotando, hacia el cielo. Subió y subió y subió. Pero ella no quería dejar a Hou Yi, así que, mientras volaba por delante de la luna, decidió quedarse allí. Era lo más cerca que podía estar de su marido. Cuando Hou Yi regresó a casa y vio lo que su mujer había hecho, se le rompió el corazón. Al menos, pensó, una noche al año, cuando la luna alcanzara su máximo tamaño, podría ver a su esposa, que todavía vivía allí. —Emily detuvo su relato y señaló hacia la luna llena que se elevaba sobre nosotros—. Allí está Chang Er, con su vestido de mangas largas y vaporosas, esperando a que Hou Yi se reúna con ella.

Al igual que los niños, los adultos también levantaron la cabeza hacia el cielo. Durante un momento en el jardín solo hubo silencio. Yo también miré y tuve la impresión de que las sombras de la superficie de la luna componían la figura de una mujer ataviada con una túnica.

Emily dio varias palmadas.

—Niños, hora de encender los farolillos.

Los invitados la ovacionaron mientras alzaban las copas hacia ella. Los niños salieron corriendo, riendo y gritando, con los farolillos que se balanceaban como luciérnagas en la oscuridad. Emily abrió la caja que Aritomo le había traído. Dentro había tres farolillos de papel de arroz, de alrededor de medio metro de altura cada uno, con la estructura cilíndrica hecha con palos de bambú. Emily los encendió y los colocó en la mesa del *buffet,* entre los platos de comida. Difundían un mosaico de color sobre el mantel blanco.

—Son grabados de Aritomo —dije al reconocer el estilo de las ilustraciones del ejemplar del *Sakuteiki* que me había dado. Había transformado sus grabados en pantallas para los farolillos.

—Antes de la guerra solía traérmelos siempre en Chong Qiu —me explicó Emily—. Son ejemplares defectuosos, según me dijo, piezas que de todos modos él iba a tirar.

—No veo nada defectuoso en este. —Agarré el farolillo y lo hice girar lentamente sobre mi mano. Un poco de cera fundida del portavelas se me derramó en el guante. El paisaje montañoso de la imagen parpadeaba—. Defectuosos o no, tienen que valer algo.

—Se me ocurrió una idea—. ¿Los conservas todos? Me gustaría verlos.

—No puedo —respondió Emily—. No te ofendas-*lah*. Espera hasta que todo el mundo se haya ido a casa, entonces sabrás por qué.

Coloqué el farolillo nuevamente en la mesa y, cuando cerré el puño, crujió la capa de cera que se había solidificado en mi mano.

Después de la cena se sirvieron pasteles de luna y té. Los pasteles tenían forma cuadrada, octogonal y redonda, cada uno de unos cinco centímetros de grosor, y estaban cubiertos con una capa blanda y marrón. Emily los cortó en cuartos y los fue pasando. Los que habían acudido con niños se marcharon poco después; los demás tampoco se quedaron mucho más. Magnus había utilizado sus influencias para conseguir una exención del toque de queda para sus invitados, y había acordado que miembros de la Policía Auxiliar los escoltarían en grupos hasta sus casas. Los criados estaban limpiando cuando Emily atrajo mi atención y me hizo un gesto hacia Aritomo. Lo vi apartarse de la mesa del *buffet*. Llevaba dos de sus farolillos hacia el bidón de combustible en el que Magnus había cocinado *boerewors* y chuletas de cordero. En la oscuridad, con el par de farolillos en las manos, tenía el aspecto de un monje encabezando una procesión religiosa.

—Tráeme el otro —me pidió en voz alta por encima de su hombro.

Hice lo que me había dicho. La velas medio derretidas parecían hacerlos tiritar. Dejó caer el primero sobre las brasas del bidón. Prendió al instante y, en pocos segundos, las llamas desgarraron el grabado y consumieron la pantalla.

Le toqué el codo.

—Dámelos —dijo.

Me miró y dejó caer los otros farolillos en el bidón. El resplandor del fuego se propagó por su cara. Observamos cómo ardían hasta extinguirse. Las cenizas, bordeadas de rojo, se elevaban en la oscuridad, silenciosas como mariposas nocturnas.

Se sacudió las manos sobre las ascuas.

—Deja que te acompañe a casa.

—Cogeré una linterna de Magnus.

Sacudió la cabeza y señaló hacia el cielo despejado.

—«Tomo prestada la luz de la luna para esta travesía de un millón de millas» —recitó.

Capítulo once

Una mañana me encontraba fuera de la galería de tiro, aguardando hasta que Aritomo terminara el entrenamiento. Cuando dejó el arco en el soporte, le dije:

—Me gustaría intentarlo.

Quizás capté un destello de incredulidad en sus ojos; muchas veces era difícil evaluar las reacciones de Aritomo.

—No puedes si no tienes la ropa adecuada —consiguió decir al fin.

—¿Ropa adecuada? Bueno, ¿y no tienes un conjunto de sobra? Emily seguro que conoce a alguien que lo pueda arreglar para adaptarlo a mi medida.

—¿Por qué quieres aprender *kyudo?*

—¿No dice el *Sakuteiki* que para llegar a ser un jardinero cualificado hay que comenzar a practicar también alguna de las otras artes?

Se quedó un momento reflexionando sobre mi respuesta.

—Puede que tenga un equipo viejo en algún lugar.

Regresé unos cuantos días después con el equipo de *kyudo* en una bolsa. Antes de entrar en la galería de entrenamiento, me quité los zapatos y los coloqué en el escalón más bajo. En el espacio situado al fondo, protegida por una cortina, me puse una chaqueta fina de algodón blanco y un *hakama* de color negro. Emily me los había arreglado y ambas prendas me quedaban bien.

Cuando salí del cubículo, con las correas largas y enredadas del *hakama* entre las manos, miré perpleja a Aritomo. Él me enseñó cómo atármelas alrededor de la cintura con una serie de giros y nudos. Luego me dio un guante de piel de aspecto extraño, parecido al que llevaba él mismo durante sus entrenamientos.

—El *yugake* tiene que llevarse en la mano dominante.

Forcejeé con sus distintos componentes: las tres piezas de cuero y las diversas correas y almohadillas. Al final tuve que dejar que él me lo pusiera.

Nos arrodillamos sobre el tatami y nos saludamos con una reverencia. Yo repetí cada uno de sus movimientos. Esos rituales me molestaban, pues estaban contaminados por el recuerdo de los actos de obediencia que antaño tuve que efectuar para mis captores.

Aritomo escogió un arco del soporte y me lo tendió con las manos abiertas. Fabricado con bambú comprimido y madera de ciprés, me sobrepasaba la cabeza cuando apoyé uno de los extremos en el suelo. Al tensar la cuerda hacia la posición de tiro, traté de vencer la resistencia para que se doblara como yo quería.

—No hay necesidad de utilizar la fuerza bruta. La energía no sale de tus brazos, sino de la tierra; te sube por las piernas, pasa por las caderas y llega a tu pecho, a tu corazón —dijo Aritomo—. Respira bien. Utiliza el *hara,* el abdomen. Inspira hasta el final. Siente que tu cuerpo se expande al respirar: ahí es donde vivimos, en los momentos entre la inhalación y la exhalación.

Seguí sus instrucciones, pero me atraganté varias veces antes de hacer algo parecido a lo que me pedía. Noté que me ahogaba.

Colocó una flecha en la cuerda de su arco; como había dos flechas para cada ronda, la segunda la sostenía con los dedos de la mano dominante mientras tiraba del arco. Tensó la cuerda con una facilidad que envidié; yo acababa de comprobar lo difícil que era.

El extremo emplumado de la flecha le llegó hasta debajo de la oreja, como si quisiera oír las vibraciones de las plumas. El mundo a nuestro alrededor se apaciguó con una quietud expectante, como una gota de rocío suspendida del ápice de una hoja. Soltó la flecha y dio en el centro de la diana. Mantuvo la posición durante un segundo o dos antes de bajar los brazos y hacer descender el arco con la ingravidez de la luna creciente al hundirse tras las montañas. Repitió el proceso, disparó la segunda flecha y volvió a hacer diana. Tiré de la cuerda de mi arco, pero no conseguí repetir el sonido que acababa de oír.

—*Tsurune*—dijo mirándome las manos—: la canción de la cuerda.

—¿También hay un nombre para eso?

—Todas las cosas hermosas deberían tener nombre, ¿no te parece? —contestó—. Dicen que se puede medir el talento de un *kyudo-ka* con solo oír el sonido de la cuerda cuando dispara. Cuanto más puro es el *tsurune,* mayor es la habilidad del arquero.

Al final de la hora de entrenamiento tenía los músculos de los brazos, los hombros y el abdomen temblorosos y doloridos. Cuando Aritomo se apretó los dedos, soltó un quejido.

—¿Artritis? —pregunté. Me había fijado en la leve hinchazón de las articulaciones en sus dedos.

—Mi acupuntor echa la culpa a la humedad del aire.

—Entonces no deberías vivir aquí.

—Eso mismo dice mi acupuntor.

Lo seguí hasta la casa para ponerme la ropa de trabajo. Nos dirigimos hacia la parte oeste del jardín, donde la tierra comenzaba a elevarse hacia las faldas de las montañas. Justo antes de llegar al muro de separación, Aritomo abandonó el sendero y continuó cuesta arriba. Un poco más adelante, el camino terminaba frente a una roca de unos tres metros de alto y otros tantos de ancho, con helechos ensortijados en la base.

—La encontré mientras despejaba el terreno —dijo.

Me pregunté si no nos habríamos topado con una piedra sagrada abandonada por una tribu de aborígenes de la selva tropical, una tribu que, siglos antes, tal vez se habría visto condenada a la extinción. El hierro incrustado en ella había emergido hacia la superficie. Con la luz de la mañana, los bordes de óxido se superponían resplandecientes. Alargué la mano y seguí el rastro de los continentes desconocidos y las islas sin nombre que los líquenes trazaban sobre la superficie rugosa.

—«El Atlas de Piedra» —murmuró Aritomo.

Me quedé mirando a aquel coleccionista de mapas antiguos.

Justo después de mediodía, dejé de trabajar para volver a mi *bungalow.* Pasé por delante del estanque vacío. Aritomo revisaba el fondo de arcilla.

—Debería endurecerse lo suficiente para llenarlo pronto —dijo mirándome. Seguí mi camino, pero él me llamó—. Pierdes mucho tiempo volviendo a casa. Quédate a comer conmigo. —Al darse cuenta de que yo dudaba, añadió—: Ah Cheong es buen cocinero, te lo aseguro.

—Está bien.

El tejado del templete iba tomando forma. Mahmood, el carpintero, y su hijo Rizal desenrollaban sus alfombras sobre la hierba cerca de una pila de tablones. Padre e hijo se arrodillaron, uno al lado del otro, para rezar postrados hacia el oeste.

—A veces me planteo si saldrán volando sobre sus alfombras mágicas cuando hayan terminado el templete —comentó Aritomo. Me miró—. Piensa en un nombre para él. Para el templete.

Me había pillado por sorpresa y no se me ocurrió nada. Miré la estructura a medio terminar mientras me devanaba los sesos.

—El Pabellón del Cielo —propuse finalmente.

Aritomo hizo una mueca, como si un objeto putrefacto le hubiera pasado por debajo de la nariz.

—Es el típico nombre que los europeos ignorantes se inventan cuando piensan en… Oriente.

—De hecho es de un poema de Shelley, *La nube.*

—¿De verdad? Nunca había oído hablar de ese poema.

—Era uno de los favoritos de Yun Hong. —Cerré los ojos y los volví a abrir al cabo de un momento—. «Soy la hija de la tierra, soy la hija de las aguas, soy el retoño de los cielos; atravieso los poros del mar y sus riberas; puedo cambiar, morir no puedo».

Me detuve al recordar la cantidad de veces que Yun Hong había recitado esos versos; sentía que le robaba algo, algo muy preciado para ella.

—Pero no he oído nada sobre un pabellón —dijo Aritomo.

—«… Pues después de las lluvias, en cuanto inmaculado, el pabellón del cielo brilla y los vientos y el sol con sus convexos rayos la aérea cúpula edifican, ríome silenciosa del cenotafio mío, y de la lluvia desde el seno, como niño del vientre o espectro de la tumba, surjo y deshágolo de nuevo».[1]

[1] Percy Bysshe Shelley, «La nube», en *Las cien mejores poesías de la lengua inglesa,* traducción de Fernando Maristany (1918), Ed. Cervantes. *(N. de la T.).*

Mi voz se alejó entre los árboles. Junto al templete a medio construir, el carpintero y su hijo tocaron el suelo con la cabeza por última vez y comenzaron a enrollar las alfombras.

—«El Pabellón del Cielo»... —Aritomo mostró todavía más reservas que antes—. Ven —dijo—, el almuerzo estará ya listo.

Hicimos un recorrido completo por la casa antes de comer. Estaba construida al estilo de las viviendas tradicionales japonesas, con una veranda exterior —él la llamaba *engawa*— que recorría la fachada principal y las laterales. La habitación donde recibía a sus invitados estaba en la parte delantera. Los dormitorios ocupaban el ala este, mientras que su estudio se situaba en el oeste. En el centro de la casa había un patio con un jardín de rocas. Los pasillos, cubiertos pero abiertos en los laterales, unían las diferentes zonas. Los giros y recovecos de la vivienda la hacían parecer más grande de lo que en realidad era. Se trataba de la misma técnica que había utilizado al diseñar su jardín. Todas las estancias daban a la veranda y, como única concesión al clima montañoso, había instalado puertas correderas de cristal; uno podía sentarse dentro de la casa cálidamente y disfrutar de las vistas del jardín incluso en los días más fríos. La sobria decoración realzaba el vacío reluciente del suelo de madera de cedro. En la sala de estar había un biombo decorado con un campo de tulipanes cuyas flores, cubiertas de pan de oro, destellaban en las sombras. Un pálido torso de Buda del siglo VII, realizado en piedra caliza sin brazos ni cabeza, brillaba en una esquina.

Terminamos el almuerzo con un cuenco de té verde en la veranda. Era el final de la semana y lo noté perezoso y sin prisa por volver al jardín. A lo lejos restalló un trueno. Kerneels llegó y empezó a restregarse contra Aritomo. Mientras lo acariciaba, comenzó a hablarme de los jardines de los templos donde trabajaron sus antepasados y de cómo, al ayudar a su mantenimiento, conservó la tradición instaurada por su familia.

—Tienes que ir a visitarlos —dijo.

—¿Los jardines de los templos? Me gustaría.

Su mirada se volvió distante y, por un momento, casi creí que estaba perdiendo la visión.

—Todaiji. Tofukuji. Y el jardín del estanque de Joju-inji —enumeró—. Y, por supuesto, Tenryuji, Templo del Dragón del Cielo, donde por primera vez se emplearon las técnicas del *shakkei.*

—¿*Shakkei*?

—Paisaje prestado.

—¿Prestado? No lo entiendo.

Según me explicó, había cuatro modalidades: *enshaku* o préstamo lejano, que toma prestadas las montañas y colinas; *rinshaku,* que hace uso de los detalles de una propiedad vecina; *fushaku,* que aprovecha los del terreno, y *gyoshaku,* que llega con las nubes, el viento y la lluvia.

Di vueltas a sus palabras.

—No es más que una forma de engaño.

—Cada aspecto de la jardinería es una forma de engaño —replicó con una voz vacía que pareció resonar en sus ojos.

Permanecimos en silencio durante un par de minutos. Entonces levantó el recipiente de peltre para el té y añadió unas cuantas hojas más con la cuchara.

—Qué bonita —dije señalando la tetera. Era del tamaño de una jarra, con un cuello largo y elegante. Tenía grabadas unas hojas de bambú en los laterales.

—Fue un regalo de Magnus. —Puso de nuevo la tapa que, sin emitir sonido alguno, expulsó todo el aire del interior.

—¿Qué te parece el té?

—Está amargo —contesté—. Pero me gusta cómo se aferra a la lengua.

—La fragancia del árbol solitario. Crece en una pequeña plantación en las afueras de Tokio, en las montañas. Cameron Highlands me recuerda a ella. —Tenía una mirada introspectiva—. Cuando era joven íbamos allí en verano, luego se volvió demasiado caluroso y húmedo para mi madre. Mi padre era amigo del propietario.

Corté un trozo del pastel de luna de Emily y se lo di.

—Aquella noche en Majuba, cuando nos íbamos a casa —dije— mencionaste algo sobre «tomar prestada la luz de la luna».

Por un momento pareció quedarse en blanco.

—¡Ah! *Hai,* es algo que escribió un poeta antes de fallecer. Fue su poema de despedida.

Empezó a llover. Ah Cheong apareció y colocó sobre la mesa dos cuencos de sopa de nido de pájaro. Aritomo sentía debilidad por los nidos de vencejo y los comía una vez por semana. Se preparaban con caldo o, aun mejor para mi gusto, se servían fríos en cuencos con sirope de azúcar y hierbas. Él creía, al igual que muchos chinos, que los nidos eran buenos para la salud porque enfriaban la temperatura corporal interna y aliviaban la artritis. Estaban formados por filamentos de saliva de los vencejos solidificados al contacto con el aire, y solo se encontraban en las zonas altas de las cuevas de piedra caliza. Eran una exquisitez cuyo consumo frecuente poca gente podía permitirse.

Sacó una píldora de un bote y se la tragó con una cucharada de sopa.

—¿Para qué es eso?

—Para la tensión. El nido de pájaro se supone que también ayuda.

No creí que tuviera muchas cosas por las que estresarse viviendo allí, pero no dije nada y me terminé la sopa.

—¿Cuánto tiempo se tarda en Japón en ser un diseñador de jardines cualificado?

—Quince años. Como mínimo. —Sonrió—. Pareces impresionada. Eso era en los viejos tiempos. Hoy en día el aprendizaje dura solo cuatro o cinco años. —Sacudió la cabeza—. El nivel ha bajado, como en todo.

—Cinco años… Sigue siendo mucho tiempo.

Un recuerdo surcó su cara como la lluvia que discurre por la montaña.

—Mi padre me empezó a enseñar cuando yo tenía cinco años —señaló—. Cuando cumplí dieciocho me regaló una cartera llena de blocs de dibujo y dinero suficiente para vagar seis meses por Honshu. «La mejor manera de aprender es mirar la naturaleza. Dibuja lo que veas, lo que te conmueva. Regresa cuando las nieves del invierno comiencen a caer», me dijo.

—Qué severo.

—Sí, eso mismo pensé yo al principio —afirmó Aritomo—. Pero aquellos seis meses se convirtieron en los más felices de mi vida. No tenía compromisos con nadie ni obligaciones. Era libre.

»Pasaba la noche con los arroceros y los leñadores. Me refugiaba en chozas de paja cuando llovía y mendigaba en los templos para conseguir una cama donde dormir, un cuenco de arroz, una taza de té. Día tras día, veía el campo con ojos nuevos.

—Los pequeños detalles hacían que me parara a observar, a dibujar, a sentir: la luz penetrando entre las mullidas flores silvestres de un prado, un grillo saltando en una piedra, la flor con forma de corazón de un banano acurrucada entre las hojas —me contaba—. Incluso el silencio de la carretera me detenía. ¿Pero cómo se plasma la quietud sobre el papel?

En algunas etapas del viaje atravesó el mismo sendero que el poeta Basho había recorrido doscientos años antes, cuando caminó solo por una estrecha carretera hacia el interior.

—Sentía que estaba viendo los mismos paisajes que él recogía en sus diarios. Había días en que no me encontraba con nadie en la carretera. Daba grandes rodeos solo para ver un valle famoso o visitar un monasterio en la cima de una montaña. Vivía al ritmo de las estaciones y, al igual que la hierba y los árboles, cambié con ellas: de verano a otoño. Cuando el año llegó a su fin, emprendí el camino de regreso a casa siguiendo las nubes que traían las primeras nieves del invierno. Matsu, nuestro guarda, al principio no me reconoció. Me había quedado sin dinero semanas antes. Con aquel aspecto de mendigo, acudí inmediatamente al estudio de mi padre. Saqué los blocs de dibujo de mi desgastada cartera de viaje y los coloqué sobre su mesa. Miró las primeras páginas, cerró el bloc y me contempló durante un rato. Pensé que le había decepcionado. «No necesito ver el resto —dijo mirándome directamente a los ojos—. Cuando llegue la primavera, empezarás a trabajar como jardinero subalterno en los jardines de palacio». —Aritomo me miró un instante—. Fue el invierno más largo de mi vida. No veía el momento de que acabara. Con diecinueve años me convertí en jardinero del emperador —dijo—. A menudo veía a su hijo, el príncipe heredero Hirohito, en los jardines de palacio. Solo le llevaba un año.

—¿Hablaste alguna vez con él?

—Era un gran aficionado a la biología marina. En una ocasión me preguntó si sabía algo sobre el tema. Le dije que solo era jardinero.

Me miré las manos, consciente de que Aritomo había hablado con el hombre que me había causado tanto dolor, el que me había hecho perder tantas cosas.

—Hirohito tenía veinticinco años cuando se convirtió en emperador —continuó Aritomo—. Por entonces, mis ideas sobre jardinería ya estaban claras. Sabía lo que quería, lo que era adecuado para un jardín. Algunos de los jardineros mayores no estaban de acuerdo, pero no podían hacer nada. Yo tenía talento. No estoy siendo presuntuoso, tenía talento de verdad. Y al emperador le gustaba lo que hacía, le gustaban mis diseños. Pronto ascendí entre los jardineros de palacio. Me casé con Asuka. —Señaló mi taza—. Ese té viene de la plantación de su padre.

—Me dijiste que murió. ¿Fue de una enfermedad?

—En el Año del Tigre, en 1938, cuando yo tenía treinta y ocho años mi vida cambió. Asuka se quedó embarazada. —Se detuvo con los ojos borrosos por el recuerdo—. Habría sido nuestro primer hijo.

Vi nuestras caras reflejadas en la superficie de la mesa.

—¿Qué pasó?

—Ella estaba demasiado débil. Murió en el parto. Ella y el bebé. Mi hijo. —Frotó con el pulgar una marca de agua en la mesa. Lo lógico habría sido decirle que lo sentía, pero a mí nunca me gustó que me lo dijeran.

—¿Por qué viniste a Malaya? —pregunté—. ¿Por qué elegiste este sitio?

Kerneels trepó a la rodilla de Aritomo y se acomodó en su regazo.

—Podíamos aceptar encargos de clientes externos, propuestas sujetas siempre a la aprobación del Departamento Imperial de Jardines. Nuestros clientes eran aristócratas. La emperatriz Nagako tenía un primo que quería que le diseñara un jardín. Así que, poco después de que Asuka muriera, volví al trabajo. Era la única manera de seguir adelante —dijo Aritomo—. ¡Fue un desastre! Discutimos desde el primer día. Se creía un experto jardinero. Imponía sus propias ideas. Cuando llevábamos un mes con el proyecto, me pidió que hiciera cambios en el diseño. Cambios importantes.

—¿Y los hiciste?

—El emperador habló conmigo. Me ordenó que pidiera disculpas y que aceptara introducir sus propuestas. Me negué. Nadie iba a alterar mi diseño solo para poner una pista de tenis. —Aritomo se estremeció—. ¡Una pista de tenis! Así que dimití. Me pasé un año sin saber qué hacer. No acepté más encargos. Visitaba el mundo flotante, bebía demasiado y hacía el ridículo con las mujeres. Un día me acordé de un hacendado de Malaya que había conocido años antes. Nunca había llegado a aceptar la invitación que en su día me hizo. «Sí —me dije a mí mismo—, le voy a escribir. Iré a Malaya. Viajaré un poco».

—¿Y has vuelto a casa alguna vez desde entonces?

—Ya no es mi casa. Mis padres están muertos. Lo que conozco, mi memoria, todos los amigos que tuve una vez… todo se lo ha llevado la tormenta. —Bajó la vista hacia sus manos, que reposaban encima de la mesa—. Lo único que tengo ahora son recuerdos.

Lo miré: un hombre que había construido su hogar en aquellas tierras altas, que cuidaba de su jardín mientras asistía a una sucesión imprecisa de las estaciones, mientras los años pasaban y él envejecía.

—Un jardín toma prestadas cosas de la tierra, del cielo y de todo lo que hay a su alrededor, pero tú tomas cosas prestadas del tiempo —dije despacio—. Tus recuerdos también son una forma de *shakkei.* Los llevas contigo para que tu vida parezca menos vacía. Como ocurre con las montañas y las nubes en tu jardín: puedes verlas, pero siempre estarán fuera de tu alcance.

Sus ojos se volvieron melancólicos. Yo acababa de sobrepasar la frontera que existía entre nosotros.

—Lo mismo ocurre contigo —señaló pasado un momento—; tu antigua vida también se ha ido. Estás aquí, tomando prestadas cosas de los sueños de tu hermana, buscando lo que has perdido.

Permanecimos allí sentados, en la veranda, cada uno inmerso en sus recuerdos, con el té que iba cediendo su calor al aire de las montañas.

Dejó de llover y me levanté para irme. En el pasillo principal que conducía a la puerta, me detuve para contemplar un pergamino dispuesto en sentido horizontal, de unos sesenta centímetros de largo.

Estaba pintado con tinta negra y agua sobre un fondo blanco, y mostraba a un anciano endeble que tiraba de un búfalo asiático de lomo escarpado. El animal llevaba una cuerda atada a los agujeros nasales. El hombre estaba a punto de atravesar la entrada con forma de media luna que se abría en un muro elevado, y un guardia le daba el alto con la mano levantada. Al otro lado de la puerta una extensión de aguada gris se hundía en el vacío granuloso del papel de arroz.

—*Pasaje hacia Occidente* —dijo Aritomo—. Lo pintó mi padre. Me lo dio antes de morir.

—¿Quién es el hombre del búfalo?

—Lao Tzu. Fue un filósofo de la corte china de hace dos mil quinientos años. Desencantado de los excesos, quiso desligarse por completo de aquella vida placentera. Se encuentra en el Paso de Hanku, a punto de traspasar la frontera del reino para adentrarse en las tierras de Occidente.

Dejé la mano suspendida en el aire, delante de las dos figuras.

—El guardia lo ha detenido.

—El guardián del paso. Ha reconocido al sabio y le ruega que se quede a pasar la noche para reconsiderar la decisión de marcharse. —El rostro de Aritomo estaba en la sombra y yo solo percibía el brillo de uno de sus ojos, la superficie de una mejilla y una línea curva alrededor de la comisura de sus labios—. Lao Tzu acepta. Esa noche pone por escrito los principios y creencias que lo guiarían durante toda su vida, el *Tao Te Ching*. —Aritomo se detuvo un segundo—. «La Ley del Cielo es como un arco que se tensa. La parte de arriba se hunde y la de abajo se eleva. Disminuye lo excesivo y completa lo insuficiente. La ley del hombre es lo opuesto».

—Cuando terminó de escribirlo —quise saber—, ¿se dio la vuelta y regresó a casa?

—Al amanecer, el viejo sabio dio al joven todo lo que había escrito. Tirando de la cuerda de su búfalo, traspasó la puerta y se sumergió en la naturaleza. Nunca nadie lo volvió a ver. —Calló de nuevo—. Algunas personas creen que nunca existió, que se trata solo de un mito.

—Pero aquí está, representado en tinta y papel para toda la eternidad.

—«La tinta más tenue durará más que la memoria de los hombres», me dijo una vez mi padre.

Al examinar de nuevo el dibujo, me pareció que el guardián ya no estaba impidiendo al anciano pasar por la puerta; más bien le brindaba una triste despedida.

Capítulo doce

Al terminar el año, seguíamos sin poder quitarnos de la cabeza el asesinato del alto comisionado. El estado de ánimo de los hacendados y los propietarios de minas había caído en picado en todo el país, y un número creciente de familias europeas estaba haciendo las maletas y dejaba Malaya para siempre. La Navidad en Majuba era un acontecimiento poco animado. Me invitaron a varias fiestas, pero decliné la mayoría de aquellas propuestas. Los fines de semana la gente se dejaba caer por los *braais* de Magnus en la Residencia Majuba. Los visitantes eran variados: abogados jubilados de Kuala Lumpur que intentaban hablar de leyes conmigo, ingenieros del Departamento de Obras Públicas, médicos, sacerdotes anglicanos indios, oficiales de policía, funcionarios malayos... Durante las primeras semanas en Majuba me vi obligada a asistir a estas reuniones, pero pronto dejé de ir. Desde que salí del campo de prisioneros no aguantaba las aglomeraciones durante mucho tiempo.

Magnus permitió que las fuerzas de seguridad pernoctaran en su propiedad. A veces, mientras caminaba por un prado, veía a los hombres del Primer Batallón de los Gordon Highlanders o de la Infantería Ligera Real de Yorkshire que patrullaban por la jungla y las colinas montando sus tiendas. La mayoría eran de mi edad; algunos, más jóvenes.

Cinco meses después de la muerte de Gurney, el general Gerald Templer voló hasta Kuala Lumpur para asumir el puesto de alto comisionado. Magnus me ponía al día cada vez que iba a cenar a la Residencia Majuba, pero aquellas noticias me resultaban irrelevantes, como un caravasar en el horizonte del desierto, como un espejismo. Todas mis energías estaban puestas en mi aprendizaje en Yugiri.

Disfrutaba de las prácticas de tiro con Aritomo. En «el camino del arco» había algo además del tiro al blanco. El propósito principal del *kyudo* era entrenar la mente, decía Aritomo, para fortalecer nuestra concentración a través de cada uno de los movimientos rituales que llevábamos a cabo en el *shajo*.

—Desde que te colocas en la línea de tiro, tu respiración tiene que ser acompasada —decía—. La respiración debe marcar cada uno de tus movimientos hasta que la flecha se haya alejado no solo de tus manos, sino también de tu mente.

Comenzábamos cada sesión sentándonos en silencio durante unos minutos y purgando nuestros pensamientos de cualquier distracción. Descubrí la cantidad de morralla que me rondaba por la cabeza. Me resultaba difícil sentarme allí y no pensar en nada. Incluso con los ojos cerrados era consciente de cuanto me rodeaba: el susurro del viento, un pájaro avanzando con cuidado sobre la cubierta del tejado, el picor de una pierna.

—Tu mente es como un matamoscas adhesivo colgado del techo —se quejaba Aritomo—; cualquier pensamiento, por muy fugaz e intrascendente que sea, se queda allí pegado.

Cada detalle de las ocho etapas formales del proceso de tiro estaba minuciosamente descrito, incluyendo los pasos para respirar. Adaptarme a esos movimientos tan precisos y a sus rituales me provocaba satisfacción. Practicaba por mi cuenta la secuencia de respiración controlada y sentía cómo mi mente y mi cuerpo se deslizaban poco a poco hacia la armonía. Con el tiempo llegué a comprender que, al dictarme cómo debía respirar, el *kyudo* también me enseñaba cómo debía vivir. En el intervalo entre el momento de soltar la cuerda y el del acierto de la flecha en la diana, descubrí un espacio tranquilo dónde poder escapar, una fisura en el tiempo donde esconderme.

Cuando estábamos los dos de pie en la línea de tiro me imaginaba que éramos como la pareja de arqueros de bronce de su escritorio. Disfrutaba viendo las flechas que volaban desde mi arco. Al principio, con demasiada frecuencia se desviaban o se quedaban cortas y no alcanzaban el *matto*.

—Sueltas demasiado pronto tu conexión con la flecha —dijo Aritomo—. Mantenla con la mente, dile hacia dónde quieres que vaya y guíala todo el trayecto hasta el *matto.* Y cuando llegue, sostenla un poco más.

—No está viva —repuse—; no obedece a nadie.

Me hizo una señal para que retrocediera, levantó su *kyu* y ajustó una flecha en la cuerda. Tensó el arco al máximo y, al doblarlo, las rígidas fijaciones despidieron pequeñas nubes de polvo fino al aire. Apuntó hacia el *matto* y cerró los ojos. Oí que su respiración fluía en intervalos más largos y silenciosos, cada vez más suaves, hasta que pareció como si hubiera dejado de respirar por completo.

«Suelta —le pedía desde mi mente—, suelta».

Se dibujó una sonrisa en su rostro. «Todavía no».

Estaba segura de que no le había visto mover los labios y, sin embargo, su voz en mi cabeza fue inconfundible.

Mientras seguía con los ojos cerrados, Aritomo soltó la cuerda. Casi de inmediato oí que la flecha golpeaba el *matto.* Entonces los abrió y ambos miramos la diana situada a casi veinte metros de distancia. El extremo emplumado de la flecha sobresalía dibujando una línea de sombra sobre la superficie, que quedó transformada en un reloj de sol. Incluso desde mi posición se veía que había acertado justo en el centro de la diana.

Los días que llovía demasiado para trabajar en el jardín, Aritomo impartía sus clases en el estudio. Nada más entrar se inclinaba ante el retrato del emperador y me ignoraba mientras yo apartaba la vista con gesto resentido. En sus lecciones relacionaba detalladamente la historia de la jardinería con la tarea que habíamos estado realizando antes de que el mal tiempo nos obligara a entrar. Me enseñaba los aspectos más precisos y me explicaba los conceptos y técnicas que le había transmitido su padre. Fijaba una gran hoja de papel en un tablero de corcho y la llenaba de croquis a lápiz para ilustrar sus enseñanzas. Nunca permitía que me quedara con aquellos dibujos, que siempre rompía al terminar.

Al final de una de aquellas clases reparé en un papel atrapado bajo una piedra en su escritorio. Lo saqué y lo levanté hacia la luz.

Era una lámina de unos lirios salpicada de manchas de moho como las esporas oxidadas de un helecho.

—¿Es tuya? —pregunté recordando los farolillos que habíamos quemado la noche del Festival de Mitad de Otoño varios meses atrás.

—La hice hace tiempo. Un coleccionista de Tokio quiere comprarla.

—¿Tienes más? Me gustaría verlas.

Sacó varios grabados de una caja. No eran de flores, como me esperaba; representaban demonios, guerreros y dioses enfurecidos blandiendo espadas y alabardas sobre la cabeza. Se los devolví después de un rápido vistazo sin disimular mi desagrado.

—Son personajes de nuestros mitos y leyendas —me aclaró—. Los guerreros y ladrones son del *Suikoden:* la traducción al japonés de la novela china *Sui Hu Chuan.*

Escuchar ese nombre fue para mí como el impacto de una flecha disparada desde mi juventud.

—*A la orilla del agua* —dije. El libro, un clásico de la literatura china, era conocido para la mayoría de los chinos, incluso para aquellos que, como yo, éramos mudos en nuestra propia lengua—. Lo leí cuando tenía quince años en traducción de Waley. No lo terminé, pero no recuerdo que tuviera dibujos como esos.

—Los viejos *ukiyo-e* a menudo representaban personajes de la novela —explicó Aritomo. Se quedó pensando un momento; luego, sacó de un armario una cajita de madera de sándalo y la colocó sobre la mesa. Yo llevaba puestos mis guantes de cuero, como siempre que no trabajaba en el jardín. Entonces observé cómo él mismo se enfundaba un par de guantes de algodón. Busqué en su expresión cualquier indicio de burla, pero no hallé ninguno.

Abrió la caja y extrajo un libro.

—Esta es una copia del *Suikoden.* Tiene dos siglos de antigüedad —dijo—. Las ilustraciones están hechas a mano por el mismísimo Hokusai. —Al comprobar que no tenía ni idea de lo que estaba diciendo, suspiró—. Has tenido que ver la imagen de una gran ola, totalmente inmóvil, como si estuviera a punto de romper en el mar —añadió—; hay una pequeña embarcación en la base de la ola y, a lo lejos, el monte Fuji.

—Claro que la he visto. Es muy famosa.

—Bueno, pues es de Hokusai. —Sacudió hacia mí un dedo cubierto de algodón blanco—. La mayoría de la gente lo conoce por *La gran ola de Kanagawa.* Pero hizo muchísimas más cosas.

Deslizó el libro hacia mí. Por uno de los lados de la cubierta gris ceniza descendía una línea vertical de escritura japonesa en tinta roja. El libro se abría de derecha a izquierda, y el primer *ukiyo-e* era una panorámica de una estrecha montaña con un templo minúsculo en la ladera. La habitación se llenó de una calma absoluta mientras pasaba las páginas del libro.

—Son muy minuciosos —dije.

—Dependiendo de los colores que quisiera emplear y de los efectos que deseara causar, tenía que grabar más de una plancha de madera.

—Parecen tatuajes japoneses —apunté—. *Irezumi,* ¿no se llaman así?

—Esa —me miró fijamente— es una palabra muy ordinaria. No la uses. Jamás. Los artistas del tatuaje utilizan el término *horimono* para referirse a ellos: «cosas grabadas».

—*Horimono* —repetí. Me parecía una palabra extraña, tanto que mi lengua no se habituaba a su forma, lo mismo que una vez me ocurriera con su nombre—. Durante los juicios sobre los crímenes de guerra en Kuala Lumpur —continué— tuve que asistir al interrogatorio de un prisionero de guerra japonés. Los guardias le habían quitado la camisa y tenía el pecho, los brazos y la espalda tatuados con pájaros y flores, incluso con un demonio que enseñaba los dientes. Uno de los guardias me contó más tarde que los tatuajes le cubrían todo el cuerpo: los muslos, las nalgas y las piernas.

—Eso no es habitual en alguien del ejército —señaló Aritomo—. Los tatuajes de cuerpo completo se ven solo en delincuentes y en marginados sociales.

—Los tatuajes parecían estar… vivos.

—Tuvo que tener un buen *horoshi,* un maestro tatuador.

—Magnus tiene un tatuaje —comenté—. ¿Lo sabías?

—¿Se lo has visto? —Aritomo me miró.

—En una ocasión vino a Penang a pasar un fin de semana. Entonces yo tenía dieciséis o diecisiete años —dije—. Nos invitó a tomar el té en el Eastern & Oriental.

El jardinero cruzó los brazos sobre el pecho y se dispuso a escuchar la historia.

En el vestíbulo del hotel, los ventiladores del techo luchaban en su permanente batalla perdida contra la humedad del aire; las puntas doradas de las palas de madera lanzaban al vuelo destellos de luz hacia las paredes y el suelo de mármol. Magnus, vestido con una chaqueta de lino y una camisa blanca de algodón, corbata marrón y pantalones de pinzas grises, distaba bastante de la imagen de hacendado que yo tenía en la cabeza. El parche de seda negro sobre el ojo derecho le daba cierto encanto de pícaro, y enseguida me di cuenta de cómo atraía las miradas de los demás huéspedes del hotel, especialmente de las mujeres.

—¿Solo vosotros cuatro? —dijo a mi madre—. ¿Dónde está Kian Hock?

—Se ha ido a Batu Ferringhi —contestó ella—. Está de acampada en la playa con los *scouts*.

Un camarero nos condujo hasta una mesa en la terraza frente al mar, entre europeos, chinos adinerados y familias malayas. Magnus colgó la chaqueta en el respaldo de su silla. Mis padres saludaron con la cabeza a varios conocidos. Dos niños chinos, de unos cinco o seis años, se perseguían alrededor de las mesas ante la obvia desaprobación de los europeos. Por el angosto tramo de mar que separa Penang y la parte peninsular de Malaya navegaban buques, barcos de vapor y cargueros. Algunos venían del océano Índico, otros del mar de Andamán; seguro que todos los pasajeros celebraban la entrada en el estrecho de Malaca después de semanas o meses en altamar.

—¿Cómo va tu finca? —preguntó mi padre. Mis padres parecían incómodos con Magnus, y eso me hacía percibir aún más la tensión del ambiente.

—Bastante bien, Boon Hau —contestó Magnus—. Deberíais venir a verla.

—Sí, deberíamos ir —repitió mi madre. Reconocí el tono de voz que utilizaba con mi padre cuando hacía promesas que no tenía intención de cumplir.

—¿Qué te ha pasado en el ojo? —La pregunta me había rondado desde el momento en que lo vi.

—No seas maleducada, Yun Ling —me regañó mi madre.

Magnus le hizo un gesto para que no me reprendiera.

—Lo perdí luchando en la guerra de los Bóeres.

—Eso fue en África —dijo mi hermana.

—*Ja* —confirmó Magnus—. Los británicos intentaron tomar nuestra tierra. Les plantamos cara, pero quemaron nuestras granjas y metieron a nuestras mujeres y niños en campos de concentración.

—Oye —interrumpió mi padre antes de que me diera tiempo a preguntarle qué era un campo de concentración—, no quiero que le cuentes esas sandeces a mis hijas. Vosotros, los bóeres, fuisteis un hatajo de matones. Perdisteis la guerra. Llamar a tu plantación de té «Majuba» no va a cambiar la historia.

—Es mi pequeño homenaje a la batalla en la que los británicos fueron derrotados —explicó Magnus con voz suave—. Y me provoca un gran placer saber que en Malaya y en todo Oriente reciben un poco de Majuba cada vez que toman el té.

—Alguien del Club Penang comentó que en tu casa ondea la bandera de Transvaal —continuó mi padre.

—Es la bandera de mi hogar, del país por el que luché —dijo Magnus—. No me lo reprocharás.

—¿Y qué hay del jardín, señor Pretorius? —preguntó Yun Hong rompiendo el silencio que se había hecho en la mesa—. ¿Lo ha empezado a realizar ya el japonés?

—¿Cómo diablos sabes eso? —inquirió Magnus.

—Las chicas leyeron el artículo sobre tu finca que apareció en el *Straits Times* —aclaró mi madre—. Mencionabas al jardinero japonés y el jardín en el que estaba trabajando. Hong siente verdadera fascinación por los jardines japoneses desde que visitamos Kioto.

—Va bastante avanzado, Yun Hong —dijo Magnus. Estaba sentado a mi lado y se giró para incluirme en la conversación—. Aunque Aritomo dice que aún no está terminado. Ahora está despejando el terreno de árboles. Puede que le falte un año o así. Estáis invitadas a visitarlo. A él no le importará, estoy seguro.

—¿Tendrá un estanque con un puente? —preguntó Yun Hong a Magnus—. ¿Y un jardín de rocas?

Antes de que Magnus respondiera, un camarero que pasaba por delante se chocó con uno de los niños chinos que corrían entre las mesas. El hombre tropezó y su bandeja se volcó. Se organizó un lío tremendo de cucharas, tazas de porcelana y platos sobre nuestra mesa y varias cosas acabaron en el suelo de azulejos. Yun Hong trató de advertirme, pero ya un líquido caliente me chorreaba por los hombros y los brazos empapándome la blusa. Mi madre empujó hacia atrás su silla y corrió a mi lado, agarró una servilleta y me secó con ella.

—¿Estás bien? ¿Yun Ling? ¡Yun Ling!

No la oía ni tampoco prestaba atención a la quemadura en mi piel. Miraba fijamente a Magnus: a él también lo habían salpicado con agua hirviendo; tenía empapadas la camisa y la corbata. Entonces me fijé en una especie de mancha azul que brotaba despacio sobre el lado izquierdo de su pecho, justo encima del corazón. Pronto comenzaron a aparecer otros colores a medida que la camisa se le pegaba a la piel: naranja, rojo y verde.

Él se dio cuenta.

—Es solo un tatuaje, Yun Ling —explicó.

—Fue la primera vez que vi un tatuaje de cerca —dije mientras bajaba la vista hacia los grabados de Hokusai, a los que en realidad no estaba prestando atención—. Mis padres se quedaron horrorizados al ver que se había marcado el cuerpo de aquella manera, como… como si formara parte de una banda criminal.

Aritomo cerró el libro y lo colocó de nuevo en la caja; puso la tapa y echó el cierre. Fuera había dejado de llover, pero el agua aún caía por los aleros de los tejados.

Una mañana temprano, al salir a mi veranda, me sobresaltó la presencia de un hombre en el camino de entrada. Pese a la luz lóbrega sabía que no era Siva; él llevaba enfermo varios días y, con lo escaso de personal que estaba Magnus, no creí necesario molestarle para pedir otro escolta.

—¿Señorita Teoh? —dijo el hombre. Me llevó un instante reconocer la voz de Ah Cheong. Casi no habíamos hablado durante el tiempo que llevaba en Yugiri. Se aproximó a los escalones de la veranda.

—¿Qué sucede? ¿Le ha pasado algo al señor Nakamura? —pregunté.

—Mi hermano mayor… —comenzó a expresarse en un inglés titubeante—, mi hermano mayor está con el «Pueblo Interior»… pero ahora quiere salir de la jungla.

Bajé los escalones y eché a andar con paso ligero. Aritomo se enfadaría si le hacía esperar.

—¿Has estado en contacto con él?

—Nunca desde que se fue a la jungla, cuando comenzó la Emergencia —contestó Ah Cheong mientras me seguía—. Pero he recibido noticias suyas una vez al mes, a veces cada dos meses.

—¿Le has dado comida? ¿Dinero? —Reduje el paso y lo miré.

El mayordomo sacudió la cabeza. Sabía que no estaba siendo sincero, pero no lo presioné. Recordé aquella mañana en que fui a dar un paseo y vi una figura ataviada con ropas de color caqui junto al estanque. Probablemente fuera un CT. No estaba segura de si la persona con la que se había encontrado era Aritomo o su mayordomo.

—¿Qué quieres que haga?

—Mi hermano quiere saber si puede fiarse de esto… —Ah Cheong me dio un papel marrón. Al desdoblarlo, vi que era uno de los miles de panfletos que el Gobierno había arrojado a la jungla desde el aire.

—Hasta donde yo sé, el Gobierno siempre ha cumplido sus promesas con los… comunistas que se han entregado voluntariamente —dije—. ¿Cómo se llama tu hermano?

—Kwai Hoon. ¿Cuánto le pagará el Gobierno si se entrega? —Habíamos llegado al quid de la cuestión: el pragmatismo de los chinos. Incluso inmersos en el peligro, hay que cuantificar el posible beneficio.

—Bueno… depende del rango de tu hermano, de su importancia y de la utilidad de la información que aporte. La recompensa por Chin Peng está establecida en doscientos cincuenta mil dólares —Chin Peng era el secretario general del Partido Comunista Malayo. Estaba convencida de que los comunistas ya conocían la jerarquía de las recompensas—. Pero esa no es la razón por la que has venido, ¿verdad?

—Kwai Hoon la conoce a usted —confesó el mayordomo—. Sabe que usted está aquí. Quiere entregarse.

—Puede dirigirse a una comisaría de policía. En Tanah Rata hay una. Estoy segura de que sabe dónde está… Es probable incluso que la haya atacado unas cuantas veces.

—Dice que el Gobierno no lo engañará si usted lo acompaña.

—¿Y qué dice Aritomo?

Los ojos del mayordomo esquivaron los míos.

—El señor Nakamura se enfadará mucho si traigo problemas a su casa.

—Si tu hermano quiere rendirse, existen canales adecuados para ello —le expliqué mientras le devolvía el papel—. De verdad que no hay nada que yo pueda hacer. El Cuerpo Especial tendrá su expediente. Sabrán que es tu hermano. Te interrogarán. Lo pretendieras o no, ya has traído problemas a la casa del señor Nakamura.

—La madre de Kwai Hoon fue la primera esposa de mi padre. Mi madre fue la tercera. Él nunca registró sus matrimonios. No vivimos en la misma ciudad desde que éramos niños. Nadie sabe que somos medio hermanos. —El mayordomo seguía mirándome mientras entrelazaba una y otra vez los dedos. Yo no quería involucrarme en sus problemas y deseaba que se fuera.

Al notar mi resistencia, dijo:

—Está esperando en la jungla, detrás de la casa. Va acompañado de varios amigos. Ayúdele. *Tolong-lah*, señorita Teoh.

Los CT corrieron las cortinas tan pronto como entraron por la puerta trasera. Los cuatro eran chinos, entre ellos había una mujer de unos veintitantos años. Me recorrió un escalofrío al pensar que habían estado escondiéndose detrás de mi *bungalow* y observando cada uno de mis movimientos desde no se sabía cuándo. Estaba a punto de encender las luces cuando una voz me lo impidió. Nos sentamos alrededor de la mesa de la cocina. Sus rostros pálidos emitían un débil brillo entre las sombras. El hermano de Ah Cheong comenzó a hablarme en mandarín pero, al darse cuenta de que me costaba seguirlo, cambió al malayo.

—Estamos en el Tercer Regimiento, División Sur —dijo—. Queremos entregarnos.

—¿Por qué? —Me sentía vulnerable hablando con un bandido fuera de la celda de una cárcel y sin guardias que me protegieran. Me parecía increíble estar allí sentada, tomando una taza de té con unos terroristas cuando, apenas unos meses antes, habría hecho todo lo posible para que los colgaran.

—Nuestros superiores toman tres comidas completas al día, pero el resto pasamos hambre. Ellos tienen dinero para gastar. Medicinas cuando se ponen enfermos. Se permite que sus mujeres vivan con ellos. —Kwai Hoon se golpeó el pecho con el puño—. Me quejé de todas esas cosas en la reunión del Comité Central. Critiqué a los dirigentes. —Su silla se sacudía a medida que iba poniéndose cada vez más nervioso—. Hace tres días, el comandante me ordenó que me reuniera con otro regimiento en Tanjong Malim. Era solo una excusa para sacarnos del campamento y llevarnos a algún punto de la jungla para matarnos.

—No tardarán mucho tiempo en darse cuenta de que nos hemos ido —habló otro de los CT—. Tenemos que ponernos en marcha.

Kwai Hoon se giró de nuevo hacia mí. Fuera había más luz y pude ver su cara con mayor claridad.

—Quiero llevar a los *mata* al campamento antes de que lo abandonen. Cuantos más oficiales cojamos, más dinero obtendremos. Y sé dónde se encuentra Chin Peng. Quiero que usted hable con alguien que tenga autoridad, alguien que nos pueda ofrecer el mejor trato. Usted sabrá con quién tiene que hablar.

Casi todas las tiendas de Tanah Rata estaban ya cerradas por el Año Nuevo chino. Salí de la carretera principal y conduje por un camino frondoso hacia el hotel Smokehouse; frente a su fachada de imitación estilo Tudor crecían buganvillas moradas. El hotel me recordaba a los hostales rurales de los alrededores de Cambridge, con sus vigas bajas de madera en el techo, sus gruesas alfombras marrones, la abundancia de mobiliario y las paredes decoradas con óleos de la caza del zorro y marcos de oro viejo. El recepcionista me señaló el teléfono que estaba en un hueco detrás del vestíbulo. El inspector

Woo contestó justo cuando estaba a punto de colgar; le hablé de la intención de rendirse de Kwai Hoon. Su débil silbido desencadenó una tormenta de interferencias a través de la línea.

—Es miembro del Comité Regional de South Perak —dijo—. Un rango muy elevado. Él sabrá los nombres de todos los dirigentes de la unidad y de los miembros del Comité.

—Bien. Pues ahora está en mi *bungalow* con tres de sus camaradas. Le conducirá a su campamento, pero tiene que venir usted inmediatamente.

—Y a usted, ¿quién le ha dado vela en este entierro? —preguntó Woo.

Uno de los porteros pasó delante de mí empujando una maleta, seguido de una pareja de europeos. Bajé la voz.

—Tal y como usted me advirtió, inspector, los CT me conocen bien.

Pocos minutos antes de las once, el inspector Woo y sus hombres llegaron a mi *bungalow* en varios vehículos particulares. Los campos de té que rodeaban mi casa estaban desiertos, pero la policía cubrió con mantas las cabezas de los CT antes de conducirlos a la parte trasera de una furgoneta sin ventanas.

—¿Así que esos hijos de puta simplemente aparecieron aquí, sin que nadie lo esperara, pidiendo su ayuda? —preguntó el inspector Woo cuando sus hombres cerraron de un portazo la furgoneta y echaron el pestillo.

—Qué terrible ignorancia de los protocolos sociales, ¿verdad? —repliqué—. Al menos podrían haber dejado un mensaje preguntándome cuándo era un buen momento para visitarme. ¿Cuánto dinero cree que recibirán?

Dio una honda calada a su cigarrillo.

—Veinte mil dólares, quizás. Puede que incluso más si en la redada cazamos a algún comunista de alto rango. Usted también tendrá su parte. Una pequeña parte. —Me miró y me di cuenta de que estaba esperando que la rechazara.

—¿No le enfada pensar que ellos van a obtener una recompensa mientras que ustedes, los policías, están arriesgando la vida?

—El plan nos ha proporcionado bastante información útil. —Woo tiró el cigarrillo y se montó en el coche—. En su lugar *miss* Teoh —añadió—, me andaría con mucho cuidado los próximos meses. Si los CT se enteran de cuál ha sido su papel en todo esto querrán darle un castigo ejemplar. Y tienen muy buena memoria. —Cerró de un portazo y bajó la ventanilla—. ¿Va a visitar a su familia por el Año Nuevo chino? Por si necesitáramos ponernos en contacto con usted.

Mi padre me había preguntado lo mismo una semana antes.

—Estaré por aquí, inspector.

—Bueno, pues feliz Año Nuevo, en cualquier caso, señorita Teoh. —Woo dio la orden de arrancar al conductor—. *¡Kung Hey Fatt Choy!*

Volvió a desearme feliz año al tiempo que se alejaba.

Mientras recogía la cocina, pensé en lo que Kwai Hoon me había contado mientras esperábamos al inspector Woo.

—Me entrenaron los británicos, ¿sabe? —dijo—. En la Fuerza 136. Éramos centenares. Nos enviaron a Singapur para instruirnos cuando aterrizaron los japoneses. Y ahora somos enemigos. —Se dirigió a la ventana de encima del fregadero y apartó las cortinas—. No anda lejos de aquí.

—¿Quién?

—Chin Peng. Ahí está su base. —Señaló hacia el pico de una montaña a través del cristal—. Gunung Plata.

Miré el rifle que había dejado en la mesa. La culata de madera estaba corroída por las termitas. «Te convertirás en un hombre muy rico si los conduces hasta él».

Echó un vistazo a la cocina. Sus camaradas estaban en la sala de estar. Bajó la voz y dijo:

—Usted fue prisionera de los *japos,* ¿verdad? —Como no contesté, continuó—: Había varios *japos* con nosotros.

—¿Qué hacían ahí?

—Esos bastardos se negaron a entregarse cuando perdieron la guerra. Querían seguir luchando. Vinieron a vernos, nos rogaron que los acogiéramos. A cambio nos mostrarían dónde había escondido su arsenal el ejército.

—¿Y siguen esos *japos* con vosotros?

—La mayoría ha desertado durante los últimos meses. Dejaron la jungla y se entregaron voluntariamente —dijo—. Hace tres meses el Comité Central decidió que los *japos* que seguían con nosotros ya no eran de fiar. Me ordenaron que los matara. —Se humedeció el labio inferior—. Una mañana salimos del campamento mis hombres, cuatro *japos* y yo. Les dije que íbamos a reunirnos con un oficial de alto rango para traerlo de vuelta escoltado. Aquellos *japos* llevaban con nosotros desde 1945, se habían convertido en amigos míos. —Sorbió de nuevo y sus labios emitieron un sonido húmedo y obsceno—. Al llegar a un pantano les disparamos.

—Si se lo pides con educación —ironicé—, seguro que Templer te concederá una medalla por eso.

—No hace falta que se burle-*lah.* —Me lanzó una mirada fulminante—. El *japo* al que estaba más unido... Decidí dispararle en último lugar, ¿sabe?, en honor a nuestra amistad. Justo antes de matarlo, ¿sabe lo que me dijo? Pues me dijo que había oído rumores de que los *japos* habían escondido en la jungla un buen botín de guerra: lingotes de oro y piedras preciosas que nos habían robado a los chinos. Si lo dejaba vivir me ayudaría a encontrarlo.

—Un hombre al que están a punto de disparar es capaz de decir cualquier cosa.

—Sí, los dos sabemos que eso es así, ¿verdad? —apuntó—. De todas formas, los rumores sobre el botín llevan años circulando. El Comité Central organizó incluso un equipo para buscarlo.

—¿Qué hiciste con tu amigo japonés?

—Lo que siempre he hecho —concluyó—. Obedecí mis ordenes.

Aritomo no me preguntó por qué me había retrasado y yo no busqué ninguna excusa. Aquella tarde, cuando colocaba un arriate de cubierta vegetal, me levanté de golpe y me di la vuelta para mirarlo. Él estaba completamente quieto, observando las montañas alrededor de Gunung Plata. Con el viento nos llegó el leve crujido de unos disparos, seguido unos segundos más tarde del ruido sordo del bombardeo de un mortero. Nos miramos el uno al otro y, al cabo de un momento, volvimos a nuestro trabajo.

Se supone que todo el mundo viaja desde los lugares más recónditos del mundo para cenar con sus padres la víspera del Año Nuevo chino. Quien no lo hace es considerado un mal hijo, el peor delito del que puede acusarse a una persona. Puedes ser un defraudador o un asesino, pero si tus padres te consideran un buen hijo, la sociedad —al menos la sociedad en la que yo crecí— encontrará más sencillo perdonarte. Emily emitió sonidos de desaprobación cuando le conté que me quedaría en las tierras altas durante los catorce días que dura el Año Nuevo lunar.

—Entonces tendrás que cenar con nosotros esa noche. Y tráete a Aritomo —añadió—. Frederik también va a venir.

La Residencia Majuba estaba engalanada de rojo: banderines rojos, farolillos rojos y estandartes de papel rojos con el carácter chino *Fook* escrito en negro para atraer abundancia al hogar. Unas ramas cuajadas de brotes de flores de cerezo dispuestas en jarrones de porcelana, decoraban el recibidor. Los padres de Emily habían fallecido hacía años y, como era hija única, solo estaríamos nosotros cinco en la cena. Los criados habían regresado a sus pueblos y la casa permanecía tranquila. Emily se había pasado el último mes preparando la comida: una mezcla típica de platos chinos, malayos e indios: cerdo asado glaseado con salsa espesa de soja, ternera *rendang,* cabeza de pescado al *curry,* cangrejos capturados en la isla de Pangkor hervidos en salsa de *curry* de coco, y pollo al aroma de *curry* con tallos machacados de hierba limón recogida de su huerto. Magnus sirvió vinos de su bodega.

—De los viñedos de Groot Constantia —dijo levantando una botella—. Cuando Napoleón estuvo desterrado en Santa Elena, lo abastecían con este vino.

Aritomo le dio un sorbo, lo mantuvo en el paladar y se lo tragó.

—Un vino para exiliados.

—¿Te gusta? Te daré una botella para que te la lleves a casa —anunció Magnus.

—Lao Tzu debería haberse llevado algunas —susurré a Aritomo. Él sonrió y me di cuenta de que Frederik nos estudiaba desde el otro lado de la mesa.

Había demasiada comida pero, no sé muy bien cómo, nos lo terminamos todo. Aritomo repitió cabeza de pescado al *curry* una y otra vez. Yo prefería la ternera *rendang* con su salsa de *curry* de coco hervida hasta casi consumirse. Al final de la cena, Emily apartó su plato y anunció:

—Hemos encargado unas *yen-hua*.

—¿Qué son? —preguntó Frederik.

—Flores de humo —respondió ella mirando el reloj—. Venga, vamos fuera.

Los trabajadores de la finca y sus respectivas familias se habían congregado en el césped delantero de la casa. Los fuegos artificiales comenzaron unos minutos más tarde. Unos dientes de león amarillos, rojos y blancos iluminaban el cielo, se quedaban allí clavados durante unos segundos y luego se deshacían en forma de gotas. A continuación, un agapanto azul en flor por aquí o una estrella de mar roja por allá. Pensé en la gente del «Pueblo Interior»... Desde sus campamentos, a través de la tupida red del follaje, estarían contemplando las flores de humo que iluminaban el cielo nocturno. Me pregunté si mi padre estaría cenando en ese momento con mi madre y mi hermano. ¿Se encontraría ella lo bastante bien como para salir de la habitación donde pasaba los días desde que la guerra terminó? Habían transcurrido diez años desde la última vez que mi familia se había reunido para cenar. Mi hermana, por aquel entonces, seguía viva.

—¿Puedo ir a verte después? —me susurró Frederik.

Asentí con la cabeza.

—Esto asustará y alejará a los malos espíritus durante otro año —afirmó Emily mientras la última gota de fuego se desvanecía en el cielo nocturno.

Capítulo trece

Tras la muerte de su mujer, Ah Cheong cerró tres de las seis habitaciones de la casa e hizo llevar los muebles al almacén. Solo se limpian y ventilan semanalmente el estudio, la sala de estar y el dormitorio. El mayordomo me sigue mientras yo abro las distintas estancias en busca de un espacio adecuado donde Tatsuji pueda trabajar. Las polillas han dañado las puertas correderas y los biombos de papel de arroz, y están plagados de moho. Las telarañas envuelven las vigas del techo y de ellas cuelgan caparazones de insectos a medio devorar como si fueran rudimentarias campanillas. Mis pies descalzos levantan el polvo de los tatamis deshechos. En la más grande de las tres habitaciones vacías, una gotera ha estropeado el techo y ha manchado las paredes y el suelo. En su testamento Aritomo dejó dinero para mantener la casa y el jardín, pero durante los últimos once o doce años yo había tenido que compensar el creciente déficit pagando los sueldos de Ah Cheong y de los trabajadores del jardín y haciendo frente a las reparaciones que hubo que hacer. Ni un sola vez consideré la posibilidad de vender la propiedad.

Al final decido que solo hay una habitación que todavía se encuentra en un estado aceptable para Tatsuji. Está situada junto al estudio, al final de un corto pasillo, y sus puertas se abren hacia el jardín del patio.

—Di a alguien que la limpie. No quiero que lo hagas tú solo —ordeno a Ah Cheong—. Y ya que estamos, deberíamos darle un repaso a las otras habitaciones también.

Se marcha para hacer los preparativos. Miro el jardín de rocas del patio. Las piedras están completamente cubiertas de moho. Los pájaros que anidan en los aleros han veteado con excrementos las paredes encaladas.

Ese mismo día, más tarde, llegan dos primas de Ah Cheong desde Tanah Rata para quitar el polvo y limpiar. En el almacén, en medio de un rompecabezas de muebles, encuentro una mesa de palisandro y un par de sillas a juego. Hago que los empleados de Frederik las lleven a la sala de estudio. Me llega de una tienda de Tanah Rata una lámpara de escritorio que encargué. Al final de la tarde la habitación está limpia y preparada para Tatsuji, así que envío a uno de los trabajadores para que le deje un mensaje en el hotel Smokehouse.

Camino alrededor de la casa mientras anoto todo lo que hace falta reparar o reemplazar. El largo tramo de grava que separa la galería de tiro del soporte que sujeta la diana está cubierto de hierbajos y carrizo. Estoy a punto de subir los tres escalones de la galería cuando, en el último momento, me acuerdo de quitarme los zapatos. Levanto las persianas hasta arriba. El suelo de madera de cedro, al igual que el de las habitaciones clausuradas, está también cubierto de una espesa capa de polvo. Permanezco de pie, con mis pensamientos confusos como las flechas desperdigadas de una aljaba que se ha caído. Entonces veo el arco de Aritomo todavía apoyado en el soporte, con la cuerda rota. Le quito la suciedad con la palma de la mano. Al lado está el mío. Lo levanto. La cuerda está floja y la desato. El arco está rígido y, cuando lo fuerzo para volverlo a encordar, suelta motas de polvo. Me lleva unos cuantos intentos recordar el método para atar la cuerda en los extremos. Al final lo consigo, aunque si lo viera Aritomo se reiría. La cuerda no está tan tensa como debiera. Hurgo en el armario del fondo de la galería en busca de una diana de papel, pero no encuentro ninguna. Vuelvo a la parte delantera, me coloco en posición de tiro y hago un esfuerzo por eliminar todo pensamiento de mi mente. Lo esencial de las enseñanzas de Aritomo reaparece. Empiezo a regular la respiración, inspirando profundamente para centrarme. Me supone un gran esfuerzo, parece que los pulmones se me hubieran marchitado como odres viejos y que ya no fueran capaces de llenarse como antes.

Cuando siento que estoy preparada, apunto con la flecha y tiro de la cuerda. Mis hombros se resisten en protesta por la tensión. Lanzo la flecha antes de que mi mente esté en calma. Cae sobre la grava cubierta de hierbas a medio camino entre el *shajo* y el armazón que sustenta la diana.

El canto de un ave destella en el aire. Las brumas se vuelcan sobre las montañas y resbalan por las laderas, lenta y silenciosamente como una avalancha perceptible a kilómetros de distancia. Me giro por instinto, esperando encontrar detrás de mí a Aritomo reprendiéndome con una mirada o una palabra mordaz. Pero lo único que veo son mis huellas sobre los tablones polvorientos mientras las persianas de bambú crujen suavemente con el viento.

La jardinera que trabaja para Frederik ha accedido a verme en Yugiri. Al día siguiente la espero fuera de la casa a las siete y media.

—Llegas tarde —digo cuando Ah Cheong aparece con ella.

—Solo quince minutos-*lah*.

Vimalya Chin es una indochina de treinta y pocos años, con una camisa de cuadros de manga corta y unos pantalones cortos de color caqui que dejan al descubierto sus pantorrillas morenas y fuertes.

Me digo a mí misma que ya no estoy en mi juzgado, pero lo cierto es que me encuentro cómoda con las viejas costumbres.

—No quiero perros en mi jardín. —Señalo al chucho que olisquea los lirios.

Tras lanzarme una mirada de enfado, Vimalya llama al perro con sonidos de besos y lo amarra a un árbol. Aparto la vista cuando deja que el animal le lama en la boca. ¡Qué desagradable!

—Bueno, ¿qué es lo que quiere que haga? —Mira a su alrededor mientras comenzamos a pasear por el jardín—. Con todas estas plantas exóticas me costará mucho trabajo convertir este lugar en un jardín autóctono.

—¡No tengo ninguna intención de hacer eso! ¿Frederik no te dijo por qué quería verte?

La mujer sacude la cabeza.

—¿Has estado aquí antes? —pregunto.

—Una vez, cuando don Frederik quiso que trabajara en sus jardines. Me trajo para que echara un vistazo.

—Probablemente quería que vieras el aspecto que no debían tener sus jardines.

—¿Y qué quiere que haga aquí? —pregunta de nuevo mientras sacude las llaves de su bolsillo con la mano.

—¿Puedes parar de hacer eso? —Se detiene y saca la mano—. Quiero que le devuelvas el aspecto que tenía antes —digo.

Me mira.

—No soy experta en jardines japoneses.

—Yo sí.

—Entonces no me necesita.

—Necesito que alguien siga mis instrucciones y supervise a los trabajadores.

—¿Tiene los planos originales de este lugar?

—Están aquí. —Me toco la sien—. Todo está aquí. —Al verla vacilante añado—: Ven conmigo; así te harás una idea de lo que hay que hacer. Entonces podrás decidir si quieres el trabajo o no.

Tendré que extraer mis recuerdos de la tierra donde los he enterrado. Pero ¿no es eso lo que he hecho durante la última semana?

—Aquellos setos de la otra orilla… ¿los ves? —pregunto cuando llegamos al estanque—. Hay que recortarlos, definir con claridad cada capa; tienen que parecer olas que se levantan sobre una playa. Y aclarar las hojas de loto. Hay que dejar que el agua respire.

El aire se vuelve más frío a medida que nos adentramos en el jardín y voy indicando a Vimalya lo que quiero que haga. Nos detenemos un momento ante la fuente de piedra, cuyos laterales están completamente cubiertos de moho. Recuerdo la mañana que me incliné sobre ella y atisbé la montaña por el hueco que había entre los arbustos. Unas ramas que crecen en el agujero obstruyen la vista. Ya no se ve la montaña y, por un momento, me pregunto si seguirá ahí.

—Hay que cortar esas ramas. —Le muestro lo grande que tiene que ser el hueco—. Y fregar la fuente.

—Se supone que los jardines japoneses tienen un tema, ¿verdad? —pregunta Vimalya.

Asiento con la cabeza.

—El jardinero evoca recuerdos de un paisaje famoso para crear ciertos sentimientos: soledad, tranquilidad o un estado reflexivo.

—Bueno, yo no veo aquí un tema que unifique. Me resulta raro, aunque en cierto modo también familiar —comenta—. Es como si conociera los diferentes escenarios que se han recreado pero no pudiera identificarlos.

Solo unos cuantos visitantes se han referido alguna vez a este aspecto del jardín de Aritomo.

—Entonces —digo—, ¿te interesa ayudar a una anciana a arreglar su jardín?

—Mi abuelo trabajaba aquí, Kannadasan.

—Trabajamos juntos.

—Él hablaba de usted cuando yo era pequeña. Lo había olvidado todo hasta que don Frederik la mencionó. —Sonríe—. Sentía curiosidad por verla.

—Tráelo contigo la próxima vez que vengas.

—Murió hace unos cuantos años —dice—. A menudo hablaba del jardinero japonés que evitó que se lo llevaran a trabajar al ferrocarril de Birmania. —Levanta los hombros y los deja caer mientras suspira—. Está bien. Mire, la ayudaré a arreglar el jardín. Será una experiencia que algún día les contaré a mis nietos. Pero no puedo estar aquí todo el tiempo.

—Solo tienes que asegurarte de que tus hombres sigan mis instrucciones —digo—. Te prepararé una lista de las cosas que hay que hacer. ¿Podrías empezar lo antes posible?

—¿Cuánto tiempo va a quedarse aquí?

—No lo sé. No mucho.

Media hora después, de nuevo en el estanque, se para y mira a su alrededor.

—Según lo que me ha estado contando, es solo una cuestión estética, ¿verdad? El jardín, me refiero.

—Claro que no. El jardín tiene que llegar a tu interior. Puede cambiar tu corazón, entristecerlo o animarlo. Tiene que hacerte apreciar la transitoriedad de la vida —digo—. Ese preciso instante en que la última hoja está a punto de caer, en que el pétalo que queda va a desprenderse: ese momento captura toda la belleza y la tristeza de la vida. Los japoneses lo llaman *mono no aware.*

—Es una manera morbosa de ver la vida.

—Todos nos estamos muriendo —afirmo—. Día a día, segundo a segundo. Cada vez que respiramos se agotan un poco más las reservas limitadas con las que nacemos. —Veo que no le interesa el tema de la muerte; seguramente pensará, como les ocurre a muchos jóvenes, que no le incumbe.

—Puedo empezar mañana —dice—. Pero ahora debo irme. Tengo que ver otro jardín.

—Estoy segura de que encontrarás la salida. Que no se te olvide el perro.

Después de que se haya ido, me quedo en el borde del estanque contemplándolo. Oigo en mi cabeza la voz de Aritomo otra vez: «Hazlo todo como es debido y el jardín lo recordará por ti». A lo largo de los años me he preguntado algunas veces por qué nunca quiso que sus instrucciones se pusieran por escrito, por qué tenía tanto miedo a que le robaran las ideas y las copiaran. Ahora, después de haber estado lejos de Yugiri todo este tiempo, empiezo a comprender, a entender de verdad lo que quería decir. Las lecciones están incrustadas en cada árbol, en cada mata, en cada paisaje que veo. Él tenía razón: todo lo que me enseñó está registrado en mi memoria. Pero el depósito ha empezado a resquebrajarse. A menos que lo anote todo, ¿quién podrá descifrar las instrucciones cuando ya no sea capaz de hacerme comprender por nadie, cuando yo misma no entienda lo que estoy diciendo?

Tatsuji viene a trabajar con los *ukiyo-e* por las mañanas, a las nueve, y se queda una o dos horas más después de comer. Ordeno a Ah Cheong que le ofrezca té y un tentempié a media mañana. De vez en cuando vislumbro la figura del historiador paseando por los sectores del jardín más próximos a la casa. A estas alturas ya sabe que no puede alejarse más sin mi permiso. Su rostro siempre exhibe una mirada atenta, incluso cuando está sentado en un banco sin más. Desde la ventana del estudio lo veo a menudo leyendo un libro delgado y viejo de tapas duras, con las piernas estiradas y los tobillos cruzados, tan quieto que parece haberse convertido en otra piedra del jardín.

Paso las mañanas anotando instrucciones para Vimalya con el máximo detalle posible. La noticia de mi regreso a Yugiri ha circulado con rapidez, y he recibido cartas de gente de la que nunca he oído hablar en las que me piden permiso para visitar el jardín. Me llegan invitaciones para hablar sobre Aritomo y su jardín desde la Oficina de Turismo de Cameron Highlands, del Club Rotary, de la Asociación de Senderismo de Highlands, del Club de Emigrantes y de la Sociedad de Jardinería de Tanah Rata. Me paso la mañana clasificándolas para tirarlas luego a la basura. Es entonces cuando sucede. Como antes, sin avisar.

Al sacar una de esas cartas del sobre, poco a poco me doy cuenta de que el papel que tengo en la mano está lleno de garabatos irreconocibles. El mundo se vuelve tan silencioso que me creo capaz de oír el flujo de mi corriente sanguínea. Después de un momento, puede que no más largo de un minuto o dos, cojo otra hoja de papel. Tengo las manos temblorosas. La escritura también es ilegible. Levanto la vista hacia el montón de libros que hay en la mesa: los títulos de sus lomos son indescifrables. Alargo el brazo para coger un cuaderno y apuntar algo en él, pero mis dedos tiemblan demasiado. Respiro unas cuantas veces hasta que siento que estoy preparada, entonces escribo mi nombre despacio. A pesar de que la memoria de las manos me dice que lo estoy haciendo bien, lo que aparece en el papel es una línea de jeroglíficos.

Un brote de pánico me hace salir del estudio. Los pasillos me desconciertan; siento que estoy atrapada en un laberinto. Tatsuji me llama cuando paso a toda prisa por delante de él. Oigo unos golpes débiles y siguiendo su rastro me encamino hacia la parte trasera de la casa. Ah Cheong está cortando verdura en la cocina y su cuchillo golpetea rítmicamente la gruesa tabla. Levanta la vista, sorprendido por mi aspecto. Suelta el cuchillo, se seca las manos con un paño y me ofrece un vaso de agua. Tatsuji me ha seguido hasta la cocina y me mira fijamente. Agarro el vaso de Ah Cheong, aliviada al ver que el temblor de mis manos es ahora menos obvio. Bebo despacio y, cuando acabo, me doy cuenta de que todavía tengo algo en la mano. Es un papel arrugado. Lo estiro y veo mi nombre, un poco tembloroso y vacilante, pero reconocible.

Doblo el papel y le doy instrucciones a Ah Cheong para que ponga un cartel en la entrada que disuada a cualquiera que llegue con la intención de entrar. Aunque sé que seguirán viniendo.

El hotel Smokehouse no parece haber cambiado mucho en los últimos cuarenta años. La buganvilla morada sigue allí, ahora más frondosa, floreando los muros de imitación Tudor hasta el tejado. Los cuadros inspirados en la caza del zorro siguen colgados en el interior. En el vestíbulo hay mucho ajetreo de turistas. Como de costumbre, llego temprano. Un camarero me conduce a una mesa en la terraza del jardín de rosas. Unos ancianos europeos, sentados al sol, disfrutan de un té con bollitos. El aire está impregnado del aroma de las rosas.

La tranquilidad a mi alrededor no consigue calmarme. Sigo alterada; para ser sincera, aterrorizada. Después de lo sucedido esta mañana no es para menos. Los neurocirujanos me advirtieron de que estos episodios empezarían a repetirse cada vez con más frecuencia y se prolongarían durante periodos de tiempo más largos. No encontraban la razón de la rápida degeneración de mi cerebro. No tengo un tumor, no padezco demencia ni he sufrido ningún ataque. «Usted tiene suerte —me dijo el último de los muchos médicos a los que había consultado—; hay casos en los que la afasia es inmediata y total».

Emily llega unos minutos más tarde. Su conductor, que parece casi tan viejo como ella, la ayuda a sentarse. Cuando me invitó a tomar el té, me ofrecí a recogerla en la Residencia Majuba pero ella prefiere que su chófer la traiga y, después de lo ocurrido esta mañana, me alegro de que rechazara mi ofrecimiento. Mientras conducía desde Yugiri hasta aquí, temí que los carteles de la carretera se me volvieran incomprensibles de repente.

—Sigues practicando *taiji* —digo—. Tengo que decirte que caminas como si tuvieras diez años menos.

Se despide del conductor y sonríe.

—Intento hacer una sesión corta todas las mañanas-*lah*. Antes impartía clases una vez a la semana, pero ya estoy demasiado vieja para eso.

El té llega unos minutos después. Emily muerde un bollito y aparto la mirada mientras se mancha el borde de los labios con la mermelada de fresa. Se limpia la boca, mastica despacio y traga.

—¿Cómo está tu familia?

Eso ya me lo preguntó durante la cena que tuvimos en la Residencia Majuba hace varios días.

—Mi padre murió un año después de la Merdeka. Hock, mi hermano mayor, se mudó a Australia con su familia y murió en un accidente de tráfico hace varios años. No tengo mucha relación con su esposa y sus hijos.

Una pareja de ancianos chinos, a quienes acaban de acompañar hasta una mesa, saluda a Emily.

—Estaban en mi clase de *taiji* —me aclara mientras se arrima a la mesa——. Deberías asistir. Hay una profesora nueva. Es muy buena: yo misma le enseñé.

—Es demasiado tarde para mí.

Me mira a los ojos.

—Estás enferma, ¿verdad?

Suelto el cuchillo en el plato maldiciendo en silencio al bocazas de Frederik.

—No estoy ciega-*lah* —continua Emily—. Volver aquí tan de repente, después de todos estos años sin visitarnos… —Se inclina hacia delante estirando el cuello—. ¿Y de qué se trata? ¿Cáncer? No te enfades-*lah;* a veces los mayores somos poco diplomáticos. De lo contrario, ¿qué gracia tiene hacerse viejo?

Me señalo la cabeza con un dedo. No estoy de humor como para darle los detalles de mi enfermedad, parece más fácil dejar que ella se imagine lo que quiera.

Me toca la muñeca con suavidad.

—Aunque padezcamos enfermedades distintas, al final significan lo mismo, ¿verdad? Nuestra memoria se muere. —Nos quedamos calladas durante un rato. Luego, dice—: A mi edad, ¿sabes qué deseo? Poder morir mientras todavía recuerde quién soy y quién he sido.

—La mayoría de la gente se conformaría con una muerte en paz y sin dolor. A ser posible yéndose a dormir y no volviéndose a levantar jamás.

—Nosotras no somos «la mayoría de la gente» —replica—. Al menos, espero que yo no. —Le da otro mordisquito al bollo—. ¿Lo sabe Frederik?

—Se lo he contado. —Me disculpo mentalmente ante Frederik por haber cuestionado su discreción.

—Si hay algo que podamos hacer, dínoslo. —Espera a que yo asienta y luego pregunta—: ¿Llegaste a averiguar dónde estaba enterrada tu hermana?

—Le puse una placa conmemorativa en el templo Kuan Yin de Penang.

—Eso ya es bastante.

—La placa no es más que un trozo de madera.

—¿No llegaste a construirle el jardín?

—Lo intenté, pero nunca me gustaba el resultado. No era lo bastante diestra como para hacerlo yo sola.

Emily coge otro bollito de la fuente.

—Podrías haber contratado a alguien de Japón.

—Construir un jardín a Yun Hong no iba a aliviar mi dolor; ni eso ni nada de lo que hiciera. Me di cuenta.

—¿Recuerdas cuando viniste hace muchos años? —Sonríe—. Había mucha ira en tu interior. Por supuesto que tenías buenas razones. Pero todavía veo esa ira en ti. Oh, la has escondido bien y puede que no sea la misma de antes, que no sea tan fuerte, pero está ahí.

Más tarde, mientras abandonamos el Smokehouse, me detiene.

—*Aiyah*, casi se me olvida: una de mis amigas es religiosa en un templo. Quiere verte.

—¿Quiere verme a mí o quiere ver el jardín? —pregunto.

—Quiere hablar contigo sobre Aritomo.

—¿En relación con…?

—Yo qué se. Pregúntaselo tú misma-*lah*.

Lo pienso un momento.

—De acuerdo. Dile que venga.

De regreso en Yugiri, una hora más tarde, me encuentro a Tatsuji en el *katsunigi-ishi,* la piedra donde los invitados deben quitarse los zapatos antes de entrar en la casa. Se está atando los cordones y, cuando nota mi presencia, alza la vista.

—Iba a volver al hotel. Necesito hablar contigo sobre los *ukiyo-e*.

—¿Qué es ese libro que siempre estás leyendo?

Se endereza, duda y entonces lo saca del bolsillo de su chaqueta de lino y me lo da. Contemplo con sorpresa una antología de poemas de Yeats.

—¿Esperabas otra cosa? —pregunta.

Me encojo de hombros y le devuelvo el libro.

—Un amigo me leyó un poema de Yeats cuando era joven —dice. La sensación de pérdida que hay en su voz es antigua, como si hubiera formado parte de él durante casi toda su vida, y por alguna razón me llama la atención la similitud con la mía.

—Ven conmigo —le pido.

Su rostro se ilumina cuando se da cuenta de que lo estoy llevando al interior del jardín. Las hojas del arce que hay junto a la casa están cambiando de color y, bajo el escaso follaje, se ven las ramas. Lo conduzco entre los árboles por el camino de la rueda hidráulica. Unas bromelias rojas a punto de florecer salpican la cuesta. Desde que he vuelto a Yugiri no me he acercado a contemplarla. Siento alivio al ver que sigue ahí. Pero ya no gira, no mece el agua con la paciencia de un monje. Los líquenes han embadurnado sus laterales y le faltan dos palas. La cascada es ahora un hilito de agua y la charca está taponada con algas, hojas empapadas y ramas rotas.

Si Tatsuji está consternado por el estado de abandono, no se le nota.

—El regalo del emperador —comenta. Por el modo en que se mantiene erguido sospecho que, si yo no estuviera, habría hecho una reverencia—. Me pregunto cuántas vueltas habrá dado esta rueda desde que la construyeron.

—Tantas como la tierra alrededor del sol —digo para seguirle la corriente.

—Emperadores y jardineros. —Tatsuji sacude la cabeza—. ¿Sabes qué pasó con el emperador chino después de que los comunistas tomaran el gobierno? Lo rehabilitaron. Pasó los últimos días de su vida como jardinero.

Las inscripciones que hay debajo de las palas están revestidas de musgo. La escritura queda interrumpida, las oraciones son confusas y los trazos se muestran débiles, y caigo en la cuenta de que llegará un día en que se quedarán en absoluto silencio.

—*Shobu* —dice Tatsuji señalando hacia las plantas que hay en las orillas. Arranca una hoja y la levanta—. Para nosotros son el símbolo del valor, porque tienen forma de espada.

La aplasta y el estallido de su aroma me hace retroceder hasta la primera vez que Aritomo me trajo aquí. Agarro la hoja rota que sostiene Tatsuji y aspiro a fondo su olor. En mi mente puedo reproducir con claridad aquella mañana. Tengo que recordarlo para añadirlo a lo que ya he escrito.

—Esta mañana he charlado con unos excursionistas en el vestíbulo del hotel —dice Tatsuji—. Estaban esperando al guía que les iba a mostrar el sendero que tomó Aritomo el último día.

—Y verás a muchos más a partir de ahora —apunto—. Dentro de un mes se cumplen treinta y cuatro años desde que Aritomo se perdió en la jungla. Y muchos turistas querrán ver el jardín.

La búsqueda de Aritomo fue tratada en los medios como un hecho menor, pero pronto generó suficiente interés como para que varios periodistas de Singapur, Australia y Japón se congregaran en las tierras altas. Tras los reporteros llegaron monjes budistas y taoístas, médiums chinos e indios y exploradores del mundo espiritual. Todos intentaban convencerme de que sabían dónde había ido, en qué barranco se había caído o quién lo había abducido. Venían de todas partes: Ipoh, Penang, Singapur, incluso de Bangkok y Sumatra. Afirmaban saber dónde estaba Aritomo o qué le había sucedido. Algunos tenían buenas intenciones, pero la mayoría eran charlatanes que esperaban obtener la recompensa de diez mil dólares que yo ofrecía. La policía siguió las pistas más plausibles sin éxito alguno.

Años después de su muerte seguí recibiendo solicitudes de entrevistas para hablar sobre Aritomo. Luego vinieron las peticiones de permiso para visitar Yugiri. Las decliné todas. El interés por Aritomo no había desparecido por completo, pero con el tiempo había disminuido, cosa que me aliviaba. A lo largo de las décadas, las oleadas periódicas de curiosidad repuntaban coincidiendo con las reediciones de su traducción del *Sakuteiki* o aprovechando que alguno de sus primeros *ukiyo-e* salía a la venta en las subastas de Tokio. Con el tiempo, la historia de su desaparición lo había vuelto más misterioso, como las brumas que, al difuminar los contornos de una cadena montañosa, la transforman en lo que cualquiera quiere ver.

—Desde que llegué he descubierto toda una industria de artesanía centrada en Aritomo-*sensei* —dice Tatsuji mientras sacude la cabeza, entre admirado e incrédulo—. Paseos guiados y charlas, jarras de cerveza, libros, postales y mapas.

—Yo de ti no desperdiciaría mi dinero en esos libros. Son auténtica basura, todos y cada uno de ellos. Están escritos por gente que nunca lo conoció.

—Algunas hipótesis son creíbles —sostiene Tatsuji.

—¿Cuál? —le propongo unas cuantas—: ¿La que dice que lo raptaron los comunistas? ¿O la del tigre que le atacó y se lo comió? Algunos creen incluso que era un espía y que lo llamaron para que regresara a Japón.

—Si volvió a Japón, nadie lo vio jamás.

—¿Sabes cuál es mi teoría favorita? —pregunto—. La que me contó un *bomoh,* un hechicero malayo: que una bruja aborigen se había enamorado de Aritomo y lo abdujo para que viviera con él en la jungla.

—Recuerdo la mañana que leí en el periódico la noticia de la desaparición de Aritomo-*sensei* —dice Tatsuji—. En ese momento se convirtió en una persona real para mí y dejó de ser solo un nombre. ¿No es extraño que alguien se vuelva real cuando desaparece?

Los helechos de oreja de elefante se agitan con suavidad y, por un momento, se me ocurre que están aguzando el oído para escuchar a escondidas nuestra conversación.

—¿Qué crees que le pasó realmente? —pregunta Tatsuji.

—Mira a tu alrededor. —Describo un círculo en el aire con la mano, como si arrojara un lazo hacia las montañas—. ¿Sabes lo fácil que es perderse en la jungla? Con un simple giro equivocado ya no sabrías dónde estás. —Señalo detrás de nosotros, hacia una colina con una grieta en un lateral—. ¿Ves esa torre vigía que sobresale entre los árboles? Su paseo favorito discurría por allí. ¿Crees que serías capaz de salir de la jungla si te alejaras de ese camino?

—Probablemente no.

—Aquí la gente se pierde en la jungla. Sucede bastante a menudo, a pesar de que los periódicos no lo cuentan. Y hace cuarenta años las tierras altas no estaban tan desarrolladas como hoy. Este lugar era más salvaje entonces.

Los ojos de Tatsuji recorren las colinas lentamente. Cuando llegamos a la cima de la pendiente, le hablo de los símbolos taoístas que Aritomo grabó aprovechando los efectos de luces y sombras sobre el césped de abajo. Se protege los ojos con la mano y observa con atención.

—No los veo.

—Las nubes provocan demasiada sombra —respondo.

Pero más tarde, cuando pasamos por esa zona, me doy cuenta de que no son las nubes las que han borrado los símbolos, sino la hierba silvestre que ha crecido en el terreno. La línea divisoria entre positivo y negativo, masculino y femenino, oscuridad y luz se ha disipado. Como otras muchas características de Yugiri, los elementos opuestos creados por Aritomo se basan en la ilusión y son visibles solo cuando se dan las condiciones adecuadas.

—¿Por qué viniste a verlo? —pregunta Tatsuji.

—Le pedí que diseñara un jardín para mi hermana —contesto—, pero él rechazó mi encargo.

—Sin embargo te aceptó como aprendiz.

—Prometió que me enseñaría para que lo hiciera yo misma. Necesitaba un par de manos más que trabajaran aquí y alguien que tradujera sus instrucciones a los operarios. Eso fue lo que me dijo.

—No pareces muy convencida.

—Siempre tuve la sensación de que... —titubeo por temor a decir algo que parezca una estupidez—... Siempre he sentido que tenía otras razones para querer enseñarme. Pero nunca me las dijo —añado—. Y yo nunca se las pregunté. —Hace años que dejé de planteármelo, pero desde que regresé a Yugiri la cuestión ha flotado bajo la superficie de mi mente refractada por las aguas del tiempo.

—Lo conociste durante la primera semana de octubre de 1951 —dice Tatsuji. Una vez más, la profundidad de su conocimiento me impresiona y me molesta a la vez—. Fue el día después de que los comunistas mataran al alto comisionado. Estoy leyendo el libro del señor Pretorius sobre la Emergencia, *La jungla roja*. Es fascinante; no sabía que algunos soldados japoneses hubieran luchado con los comunistas.

Retomamos el paseo. Tatsuji se detiene ante cada paisaje, examina cada farol de piedra, cada estatua; cuando llegamos de vuelta al templete ha transcurrido casi una hora. Los trabajadores de Vimalya han barrido las hojas y han limpiado la zona de alrededor. Las hojas de loto que sobresalían del estanque están amontonadas a un lado. Un banco de carpas avanza hacia nosotros a través del agua turbia, como una bandera blanca y naranja hecha jirones. Oigo en mi cabeza el eco de mi voz de antaño recitando los versos de un poema. «Soy la hija de la tierra, soy la hija de las aguas...».

Tatsuji me mira y me doy cuenta de que estoy murmurando para mí misma.

—¿Cómo va el trabajo con los *ukiyo-e?* —le pregunto.

—Ya casi he terminado de examinarlos y de tomar notas —responde Tatsuji—. ¿Hablas o lees japonés?

—*¿Nihon-go?* Antes sí. Aprendí cuando estuve en el campo de prisioneros.

Me viene el recuerdo de una aldea de ocupantes abandonada, a unos cuantos kilómetros de Kuala Lumpur, donde acudí en una ocasión a hacer fotografías para un caso de crímenes de guerra. Los japoneses se habían llevado a los vecinos a una colina cercana y les habían hecho cavar sus propias tumbas antes de dispararles. A través de las puertas y ventanas rotas de las casas vi mesas y sillas, un caballito de juguete volcado, una muñeca en el suelo. Pegado en un muro, frente a una tienda de alimentación saqueada, un cartel en inglés exhortaba a los vecinos a hablar japonés. Alguien había tachado en rojo la palabra *Nihon-go* y había garabateado debajo «Venid, británicos».

Tatsuji está hablando y me obligo a regresar al presente.

—El primer *ukiyo-e* data de principios de 1940, según las anotaciones de Aritomo en el reverso —me informa.

—Ese fue el año que vino a Malaya.

—¿Para huir del escándalo, quizás?

—¿Escándalo? —Lo miro con dureza.

—Ya no queda mucha gente viva que lo sepa —dice Tatsuji—. Aritomo-*sensei* recibió el encargo de construir un jardín para un miembro de la familia imperial…

—Pero lo rechazó. Es lo que me contó; no estaba dispuesto a sacrificar sus puntos de vista para adaptarlos a las necesidades del cliente.

—¿Eso fue lo que te dijo?

—¿Qué pasó exactamente, Tatsuji?

—Las discusiones con motivo del desacuerdo se volvieron atroces. Perdió el encargo cuando no se había ejecutado ni siquiera un tercio del trabajo. Para empeorar las cosas, el emperador lo echó. Todo el mundo se enteró de aquello. Para él fue una pérdida de prestigio tremenda. A partir de ese momento, ya no podía volver a denominarse a sí mismo jardinero del emperador.

—Nunca me lo contó —murmuro.

—Durante los últimos años he hablado con las pocas personas que lo conocieron y que seguían vivas… —Mira hacia el agua, hacia las flores de loto que cabecean con la brisa.

—¿Qué intentas decir? —Me recuerda a algunos abogados incapaces de ir al grano.

—Creo —arranca por fin mientras araña la madera cuarteada de la barandilla— que Aritomo-*sensei* desempeñó un papel pequeño pero importante durante la guerra.

Una leve corriente de aire agita el carrillón de viento que cuelga del alero. Suena crispado y desafinado. Me doy cuenta de que las barras están oxidadas.

—Protegió a mucha gente de la Kempeitai —afirmo—. Evitó que se llevaran a muchos hombres y niños a trabajar al ferrocarril de Birmania.

—Creo que estaba al servicio del emperador cuando el Ejército Imperial atacó Malaya.

—Me acabas de decir que el emperador lo había echado… —Caigo en la cuenta de que me expreso como si hubiera regresado al juzgado y acabara de percatarme de alguna incoherencia en la declaración de un testigo.

—Muchas veces me he preguntado si sería una oportunidad para redimirse, para reparar el daño causado a su reputación. Sin duda esa habría sido una razón de peso para abandonar Japón.

—¿A hacer qué? ¿Crees que era un espía? —Le dirijo una mirada de escepticismo—. Reconozco que esa posibilidad se me pasó por la cabeza poco después de que Aritomo desapareciera, pero la descarté.

—La gente piensa que desapareció solo una vez durante su vida, pero no estoy de acuerdo —dice Tatsuji—. Ocurrió dos veces. La primera fue cuando se marchó de Japón antes de que empezara la guerra del Pacífico. Nadie supo dónde fue o qué hizo hasta que apareció en estas montañas.

—Mira, todo el mundo sabe que en Malaya hubo espías japoneses por todas partes años antes de la guerra, trabajaban como sastres, fotógrafos o en pequeños negocios. Pero vivían en las ciudades, Tatsuji —digo—, en lugares que tenían alguna importancia estratégica para vuestro ejército. Aritomo estuvo aquí. Aquí. —Golpeo la baranda de madera con los nudillos—. Se refugió en su jardín. Y, de todas maneras —añado—, si todavía trabajaba para tu país, ¿por qué se quedó en Malaya tanto tiempo después de que la guerra acabara? ¿Por qué nunca volvió a casa?

Tatsuji está callado y su aire de concentración me dice que está analizando mis palabras desde diversos ángulos.

—¿Qué hiciste en la guerra, Tatsuji?

Hay un momento de duda.

—Estuve en el sudeste asiático.

—¿En qué parte del sudeste asiático?

Vuelve la mirada hacia la garza que camina atenta entre las hojas de loto.

—En Malaya.

—¿En el ejército? —mi voz se endurece—, ¿o en la Kempeitai?

—Estuve en la sección aérea de la Armada Imperial. Era piloto. —Se aleja ligeramente de mí y noto que se pone rígido—. Cuando comenzaron los ataques aéreos sobre Tokio, mi padre se trasladó a su casa de campo —continúa—. Yo todavía estaba en la academia de entrenamiento aéreo. Solo era un niño. Mi madre murió cuando era pequeño. Yo acudía a visitar a mi padre cuando tenía varios días de permiso.

Cierra los ojos y vuelve a abrirlos un momento después.

—Recuerdo un campo de trabajos forzados a unos cuantos kilómetros de nuestra casa. Habían mandado a prisioneros de guerra del sudeste asiático a trabajar en las minas de carbón en las afueras de la ciudad. Cada vez que alguno se escapaba, los vecinos del pueblo formaban equipos de búsqueda. Un fin de semana que fui a visitar a mi padre los vi con sus perros de caza, con palos y herramientas de labranza. Hacían apuestas sobre quién sería el primero en encontrar a los fugados. «La caza del conejo», lo llamaban. Cuando los capturaban de nuevo, los llevaban a la plaza del ayuntamiento y los golpeaban. —Se detiene y luego añade—: Una vez vi a un grupo de niños pegar a un prisionero hasta la muerte.

Nos quedamos callados durante un buen rato. Se gira hacia mí y me hace una reverencia tan exagerada que creo que va a perder el equilibrio y se va a caer. Cuando se endereza dice:

—Siento lo que os hicimos. Lo siento muchísimo.

—Tus disculpas no tienen sentido —digo mientras retrocedo un paso—. Para mí no tienen ningún valor.

Se le tensan los hombros. Doy por hecho que va a irse del templete, pero permanece de pie, inmóvil.

—No teníamos ni idea de lo que mi país estaba haciendo —dice—. No sabíamos nada de las masacres en los campos de exterminio, de los experimentos médicos con prisioneros vivos, de las mujeres obligadas a servir en los burdeles del ejército. Cuando volví a casa después de la guerra, averigüé todo lo que pude sobre aquello. Fue entonces cuando comencé a interesarme por nuestros delitos. Quería romper el silencio que ahogaba a las familias de mi generación.

La sensación de frío en los huesos se me filtra en el torrente sanguíneo y tengo que contenerme para no frotarme los brazos. Me angustia algo de lo que acaba de mencionar.

—Aquellos niños del pueblo —digo mientras sondeo la profundidad de sus ojos—... tú estabas con ellos cuando castigaron a los prisioneros, ¿verdad? Tú participaste en las palizas.

Tatsuji me da la espalda. Su voz apenas me llega por encima de su hombro.

—La caza del conejo.

Comienza a lloviznar y el estanque tiene la piel de gallina. En las ramas que sobrevuelan el templete, un pájaro sigue repitiendo su llanto de tres notas ascendentes. Quiero estar enfadada con Tatsuji. Quiero pedirle que se marche de Yugiri y no vuelva nunca más. Pero, para mi sorpresa, lo único que siento es lástima por él.

Capítulo catorce

La lluvia había impedido que la arcilla del fondo del estanque se secara del todo, pero una mañana Aritomo anunció que había que llenarlo ya.

Extendimos una última capa de guijarros y arena sobre la arcilla; el fondo se inclinaba hacía las seis piedras que habíamos colocado en el centro. Una semana antes habíamos desviado la corriente hacia un área de captación cercana. Rompí con una pala el muro de la pequeña acequia. El agua comenzó a fluir hacia el estanque y removió los guijarros que la aguardaban allí. Cuando cesaron los remolinos y las ondas, un fragmento del cielo se reprodujo despacio sobre la tierra y las nubes quedaron apresadas en el agua.

—El nivel del agua debe ser el justo —dijo Aritomo—. Ni muy alto ni muy bajo porque afectará al aspecto del templete. En caso contrario no estará en armonía con la altura de los arbustos plantados alrededor del estanque ni con los árboles que hay tras ellos ni tampoco con las montañas.

—No estoy segura de entenderlo.

Aritomo recorrió con la mirada el estanque.

—Cierra los ojos —pidió—. Quiero que escuches al jardín, que lo respires. Aísla la mente de su ruido constante.

Obedecí. Bajo mis párpados latía la luz recién capturada y poco a poco se fue apagando. El sonido del agua llenando el estanque se acalló. Escuché el viento y lo imaginé pasando de árbol en árbol, de hoja en hoja. Vi en mi mente las alas de un pájaro sacudiéndose en el aire. Observé las hojas que se arremolinaban desde las ramas más altas hasta el suelo cubierto de musgo. Percibí los aromas del jardín: una azucena recién florecida, los helechos cargados de rocío, la corteza de un árbol desmoronándose ante el ataque voraz de las termitas, con su dulce perfume y un cierto matiz de humedad y putrefacción. El tiempo no existía; no tenía ni idea de cuántos minutos habían pasado. Pero ¿qué era el tiempo sino un viento que nunca amainaba?

—Cuando abras de nuevo los ojos —la voz de Aritomo parecía venir desde muy lejos—, mira el mundo que hay a tu alrededor.

Mis ojos rozaron el agua y se dirigieron hacia los setos de camelias, hacia los árboles que se elevaban hasta las montañas, aquellas montañas que penetraban entre los pliegues de las nubes. Sin dejar que la vista descansara demasiado tiempo sobre un objeto en particular, permitía que lo viera todo. En ese preciso instante entendí lo que quería de mí, lo que necesitaba interiorizar para convertirme en una jardinera como él, que había tardado toda una vida en llegar a serlo. Por primera vez sentí que estaba dentro de un cuadro vivo y tridimensional. Mis pensamientos empezaron a tomar forma con dificultad y a expresar solo las capas más superficiales de lo que mis instintos habían captado y luego habían dejado pasar. De mi interior brotó un suspiro de satisfacción y a la vez de tristeza.

Comprobaba diariamente el nivel del agua. Cuando hubo suficiente profundidad, pusimos los lotos y plantamos los juncos alrededor del borde. Aritomo trajo unas carpas de un criadero de Ipoh. Alrededor de una semana después de empezar a llenar el estanque, me ordenó que sacara el rollo de cable de cobre de la caseta de herramientas. Lo transporté en una carretilla y lo deposité junto a él. Con un par de alicates cortó el cobre en trozos cortos y me enseñó cómo doblarlos en forma de bola del tamaño de un puño antes de permitir que yo lo hiciera.

—¿Para qué son? —le pregunté cuando volvió y yo ya había amontonado unas cuarenta bolas. Se parecían a las pelotas de ratán de *sepak takraw* con las que jugaban los niños en todos los *kampongs* y patios de colegio.

Agarró una y la lanzó al agua. Se hundió de inmediato asustando a los peces.

—El cobre detiene el crecimiento de las algas.

Dimos la vuelta al estanque arrojando bolas de cobre al agua. Casi habíamos terminado cuando Aritomo se detuvo y levantó la cabeza hacia el cielo despejado. Justo cuando me disponía a hablar, me mandó callar con el dedo. Seguí su mirada, aunque al principio no vi nada. Entonces en el cielo, a lo lejos, un pájaro se desprendió del manto brillante de la luz solar y comenzó a descender rápidamente en espiral, cada vez más cerca de la tierra, hasta que distinguí una garza de plumaje gris azulado. Trazó un halo sobre el estanque y pasó casi rozando el agua mientras competía con su propio reflejo, en un vuelo tan bajo que pensé que su imagen iba a desprenderse de la superficie.

Al posarse en la orilla, plegó las alas y provocó una ondas que se propagaron por todo el estanque.

—*Aosagi* —anunció Aritomo con un toque de sorpresa en la voz—. Nunca la había visto aquí.

—¿De dónde crees que ha venido?

Se encogió de hombros.

—Tal vez de algún sitio tan lejano como las estepas de Mongolia.

—¿De Japón, quizás?

Asintió con la cabeza despacio, casi para sí mismo.

—Sí, quizás.

Aquella tarde, antes de volver a mi *bungalow,* entré en su casa por la puerta de atrás. Ah Cheong salía con la bicicleta en ese momento y me sonrió. Desde que ayudé a su hermano a entregarse, era más simpático conmigo e incluso, de vez en cuando, me traía una botella de agua mientras yo trabajaba sola en el jardín.

—Kwai Hoon me ha enviado esto —me dijo mientras me tendía un recorte del *Straits Times.* Estaba fechado quince días atrás, más o menos—. ¿Qué dice?

El artículo venía acompañado de una fotografía en la que se mostraban los cadáveres de unos CT a quienes la policía había disparado, dispuestos en hilera en un claro de la jungla, delante de un helicóptero. Cuando el periodista lo entrevistó, Kwai Hoon se negó a revelar la suma de dinero que había recibido, pero el antiguo comisario político del Partido Comunista Malayo aseguró que utilizaría la recompensa para abrir un restaurante.

—Di a tu hermano que espero comer gratis en su local durante el resto de mi vida —añadí cuando se lo terminé de leer—. Y también que solo como abulones y langostas y aletas de tiburón.

El mayordomo sonrió.

—El señor Nakamura la está esperando.

El jardín *kore-sansui* situado delante de la casa estaba terminado desde hacía un mes. Cada vez que lo veía, me invadía una sensación de orgullo. Sabía que Aritomo estaría allí, rastrillando ondulaciones paralelas sobre la gravilla blanca. Lo hacía cada pocos días, siempre cambiaba el dibujo y me pedía que adivinara lo que pretendía crear. Ese día, marcha atrás para no dejar huellas, trazaba líneas alrededor de las rocas con la punta afilada de un palo. El hueco entre las líneas no era uniforme, sino que se estrechaba por unas partes y se ensanchaba por otras. Cuando terminó, vino a mi lado.

—Olas que rodean una cadena de islas. —Supe que esa respuesta era incorrecta en el mismo instante en que abrí la boca.

—Hoy no es tan poético —dijo sonriendo—. Tan solo son las curvas de nivel de unas colinas en un mapa.

—La garza sigue en el estanque. Parece que se ha convertido en su hogar.

—Antes o después continuará su viaje.

—¿Para qué querías verme?

Soltó el palo y me pidió que lo siguiera hasta su estudio. Hizo una reverencia a su emperador antes de dirigirse a la pared de los cuadros. Se quedó allí de pie, mirándolos uno a uno, moviendo lentamente la cabeza de izquierda a derecha. Por fin, descolgó de la alcayata la acuarela de mi hermana y me la ofreció.

La contemplé un instante y a continuación volví a mirarlo.

—Dijiste que era un regalo.

—Cada vez que entras aquí se te van los ojos.

El protocolo exigía que rechazara su ofrecimiento unas cuantas veces más por si cambiaba de opinión, pero él tenía razón: la codiciaba desde que fracasé en su compra. Extendí ambas manos y cogí el cuadro. Entonces, sorprendiéndome incluso a mí misma, me incliné ante él doblándome casi por la mitad. Cuando volví a levantar la cabeza, los dos sabíamos que había sido una reverencia completamente sincera.

Cuando llegué a casa, Magnus estaba en la veranda con un álbum de fotos debajo del brazo. Sobre la mesa había una fiambrera de varios pisos. Antes de que pudiera ocultárselo, ya se había dado cuenta de que llevaba el cuadro en la mano.

—Me lo ha dado —dije.

—Me alegro de que haya vuelto a ti. —Su sonrisa tenía un ligero matiz de arrepentimiento—. Llevas mucho tiempo sin venir a cenar. He venido para comprobar que sigues bien. —Señaló la fiambrera de varias alturas—. Emily ha hecho pollo al *curry* y ahí tienes arroz.

—Dale las gracias de mi parte. ¿Un *gin pahit*[1]?

—Me parece *lekker.* —Se sentó en una silla de ratán.

Fui dentro y regresé con las bebidas.

—Templer y su esposa han oído hablar del jardín de Aritomo —dijo—. Les gustaría verlo.

—No es muy dado a recibir visitas en su jardín.

—Por eso me gustaría que hablaras con él. Además, no son unos visitantes sin más —añadió Magnus—. Templer es el hombre más poderoso de Malaya.

—Te estás ablandando, Magnus, al dejar que un funcionario británico te pase por encima. ¿También vas a arriar tu bandera? —me burlé de él con una sonrisa.

—La bandera se queda donde está.

—Templer no tendrá ningún reparo en ordenarte que la quites.

Las historias sobre el nuevo alto comisionado llevaban circulando por el país desde el mismo día de su nombramiento; llegaron hasta las tierras altas a través de los funcionarios gubernamentales, que las contaban en los economatos del ejército y en el Club de Golf de Tanah Rata. Semanas después de asumir su puesto en Kuala Lumpur, Templer no tuvo reparo en reprender a quienes consideraba poco eficientes y en destituir a todo aquel que le parecía incompetente.

[1] Bebida alcohólica amarga a base de ginebra muy típica en Malasia. *(N. de la T.).*

Magnus se golpeó el pecho con el puño.

—Nunca se ha topado con alguien como yo.

—¿Cuándo viene?

—No conoceremos los detalles de su itinerario hasta el último minuto —dijo Magnus—. Una parte de su gira tiene como fin «ganarse el corazón y la mente de la gente», como él dice. No se lo hemos contado a nadie, por supuesto. Ni siquiera a los criados.

—Sabrán que viene alguien importante en el momento en que Emily les diga que tienen que limpiar la plata.

—*Gats,* tienes razón. —Se rio entre dientes—. Será mejor que la avise. —Deslizó hacia mí, por encima de la mesa, el álbum encuadernado en piel—. Pensé que te gustaría ver esto.

Las fotografías documentaban las fases de las obras en Yugiri desde los comienzos, cuando todo era jungla, hasta lo que parecía datar de antes de la ocupación. Pasé unas cuantas páginas más y me detuve.

—¿Cuándo conociste a Aritomo?

Magnus acarició su parche con el nudillo de su dedo.

—En el verano de 1930... no, de 1931. Eso es. La semana después de que Japón invadiera China. Yo me encontraba en Tokio, intentaba que los japoneses compraran mi té. La gente estaba de celebración en las calles. Había pancartas y manifestaciones por todas partes. —Dio un gran sorbo a su vaso—. Le comenté al agente comercial lo mucho que me habían gustado los jardines de los templos. Le hice tantas preguntas que el pobre hombre se sintió avergonzado por no poder responderlas. Al día siguiente me presentó a Aritomo. El mismísimo jardinero del emperador... ¡Casi no me lo creía! Me acompañó en un recorrido privado por los jardines imperiales. Eran espléndidos. —De repente se interrumpió y permaneció pensativo un momento—. Estos *japos* son gente eficiente. No es de extrañar que casi ganaran la guerra.

—Tú los admiras —dije.

—Y tú también, a tu manera —replicó—. ¿Por qué si no ibas a estar aquí?

—Solo lo hago por Yun Hong.

Magnus me miró fijamente. Yo volví a las fotografías. Unas cuantas páginas más adelante me detuve y señalé una en la que Aritomo daba instrucciones a cuatro jóvenes japoneses con la cabeza afeitada. Sus cuerpos menudos, descamisados y musculosos forcejeaban con la pesada rueda hidráulica. El fotógrafo había captado el marcado contraste de sus figuras, convertidas en estatuas conmemorativas de una revolución obrera.

—¿Él trajo aquí a su gente? —pregunté.

—A cinco... puede que a seis. Se quedaron durante un año para despejar el terreno y enseñar a los trabajadores locales.

—Es raro, ¿verdad?, que eligiera venir a Malaya... que eligiera esta tierra como su hogar.

—De hecho, yo tuve la culpa —dijo Magnus.

—¿Qué quieres decir?

—Bueno... Yo lo invité. No sabía que se enamoraría de Cameron en menos de una semana. —Su ojo recorrió la veranda, buscando un sitio donde posarse—. La primera vez que vino a Majuba se alojó aquí, en este mismo *bungalow*.

—Nunca me lo ha contado. — Resultaba extraño cómo la vida de Aritomo y la mía parecían reflejarse mutuamente; éramos como dos hojas que caían de un árbol y se tocaban una y otra vez mientras descendían en espiral hacia el suelo del bosque.

—Al igual que tú, él tampoco quería quedarse con nosotros. Estoy empezando a preguntarme si Emily y yo oleremos mal. —Se rascó el pecho de manera distraída, pero paró cuando se dio cuenta de que lo estaba mirando.

—El tatuaje... —pregunté mientras cerraba el álbum—, ¿te lo hizo él?

Acarició el vaso con los dedos y deshizo las gotas que la condensación había depositado sobre él.

—¿Aún lo recuerdas?

—¿Cómo lo iba a olvidar? —dije—. Te lo hizo Aritomo, ¿verdad? —La sospecha había crecido en mi interior desde que Aritomo me mostró su copia del *Suikoden*. Al ver la expresión de Magnus comprendí que estaba en lo cierto—. Déjame verlo.

Parecía no haberme oído. Estaba a punto de pedírselo otra vez cuando comenzó a desabrocharse la camisa. Sus movimientos eran premeditados, como si estuviera extrayendo chinchetas de un corcho. Se detuvo cuando un tercio de la camisa estuvo abierta y dejaba el pecho a la vista. El delta de su piel alrededor del cuello estaba moreno y arrugado; más abajo, su epidermis era pálida, tersa y suave. Prendido sobre el corazón, el tatuaje, más pequeño de lo que yo recordaba, reproducía a la perfección un ojo con el iris de un azul que casi hacía juego con el de Magnus. Se disponía sobre un rectángulo de colores que representaba la bandera de Transvaal.

—Es muy minucioso —reconocí.

Magnus bajó la vista hacia el pecho, y su voz pareció atrancarse en la garganta.

—Le dije que no quería nada demasiado japonés.

Los colores habían permanecido vivos, brillantes.

—Parece como si te lo hubieras tatuado hace poco.

—Él mismo mezcla las tintas. —Magnus rozó el tatuaje con la punta de los dedos y a continuación se los miró, como si esperara verlos manchados de pigmento.

—¿Dolió?

—Oh, *ja*. —Compuso una mueca de dolor al recordarlo—. Me había avisado, pero fue peor de lo que esperaba.

—¿Por qué te lo hiciste?

—Por vanidad —respondió—. Era como una medalla que me diferenciaba de otras personas. Siempre me sentí incompleto por esto… —Se tocó el parche del ojo—. En cierta ocasión me llevaron a una casa de baños del centro de Tokio. ¡Menuda experiencia, *jislaik!* Los hombres iban por ahí completamente *kaalgat,* con todo el cuerpo tatuado… dragones y flores… guerreros y bellas mujeres de cabello largo y negro. Esos tatuajes eran inquietantes. Pero al mismo tiempo los encontraba hermosos.

—¿Cuándo te lo hiciste?

—Cuando vino a vernos le hablé de los tatuajes que vi en aquella casa de baños. Se ofreció a hacerme uno, uno pequeño, a cambio de que le vendiera un trozo de tierra en la que estaba interesado. —Magnus se abrochó la camisa y alisó las arrugas—. Me pagó una buena cantidad, incluso invirtió algo en mi propia finca. Eso me facilitó mucho las cosas, ya que por aquel entonces andaba justo de dinero.

Un chotacabras cantó desde los árboles. Era la primera vez que oía uno desde que me había mudado al *bungalow*. Los habitantes de la zona lo llamaban el *burung tok-tok;* la gente solía hacer apuestas acerca del número de veces que emitiría su característico golpeteo. El pájaro volvió a cantar y, por inercia, comencé a contar sus gritos y a compararlos con el número que tenía en la cabeza; era algo que hacía en el campo de prisioneros, cuando me tumbaba en la cama para intentar distraerme de los mosquitos y moscas que se cebaban conmigo.

De repente fui consciente de que Magnus había fijado su ojo en mí.

—¿Ganaste? —preguntó sonriendo.

—Nunca he ganado una apuesta con los *tok-tok*.

Se puso en pie para irse.

—Quédate el álbum. Ya me lo devolverás cuando termines de verlo.

Bajé con él los escalones de la veranda y lo acompañé hacia su Land Rover.

—Esa sensación de estar incompleto… ¿desapareció después de tatuarte?

Se detuvo para mirarme. Una vieja tristeza oscureció su ojo.

—Nunca desaparecerá —dijo.

El pájaro *tok-tok* comenzó a cantar de nuevo después de la partida de Magnus y de que el ruido de su coche se hubiera perdido. Me quede de pie allí, en el camino de entrada, contando sus gritos. Y una vez más perdí la apuesta contra mí misma.

La semana anterior había sido más agotadora de lo habitual así que, a la mañana siguiente, me encontraba relajada remoloneando en la cama cuando oí que alguien me llamaba. El sol que se derramaba por las paredes de la habitación me permitió saber que debían de ser alrededor de las siete y media. Me puse una bata y contemplé un momento el cuadro de Yun Hong antes de salir. Aritomo estaba en la veranda con una mochila en la mano.

—Aquí estás —dijo—. Me he quedado sin nidos de pájaros.

—El herbolario de Tanah Rata no los reserva —le recordé— y, además, a esta hora no va a estar abierto hoy domingo.

—Vístete. Venga. —Dio varias palmadas—. Y ponte zapatos de campo. Vamos a subir por las montañas.

Partimos a pie en dirección a las colinas, al norte de la plantación Majuba. A lo lejos, en el este, las nubes rodeaban el monte Berembun. Los campos de té pronto dieron paso a una extensión de laderas sin cultivar. En el borde de la jungla Aritomo se dio la vuelta y miró hacia atrás un momento para escudriñar el camino que habíamos recorrido. Satisfecho, se adentró entre los helechos. Después de un instante de vacilación, lo seguí.

Es difícil describir lo que se siente al entrar en la selva tropical. Condicionado por las líneas reconocibles y las formas cotidianas de las ciudades y los pueblos, el ojo se siente abrumado por la variedad ilimitada de pimpollos, matas, árboles, helechos y hierbas que cobran vida sin ningún sentido del orden ni moderación aparente. El mundo se presenta en un tono uniforme, casi monocromático. Entonces, de forma gradual, comienzas a asimilar las distintas tonalidades de verde: esmeralda, caqui, verdeceledón, lima, verde amarillento, aguacate, oliva. Cuando el ojo se reajusta, otros colores intentan hacerse hueco: troncos de árboles veteados de blanco, briófitas amarillas y droseras rojas bajo los haces de luz del sol, flores de color rosa en una enredadera trepadora que engalana un tronco al rodearlo.

A veces el rastro trazado por algún animal que seguíamos se perdía por completo entre la maleza, pero Aritomo nunca dudaba y se adentraba en la vegetación para, unos segundos más tarde, dar con otro sendero. El ruido de los insectos crepitaba en el aire como la grasa sobre un wok humeante. Los pájaros graznaban, silbaban y alborotaban en las ramas que, alzadas sobre nosotros, nos regaban con rocío. Los monos aullaban, se sumían en un silencio irascible y luego reanudaban sus gritos. Unas hojas anchas y enceradas flanqueaban el camino a nuestro paso. Para mi sorpresa, descubrí que no me costaba seguir el ritmo a Aritomo; mi resistencia había mejorado desde que empecé a trabajar en Yugiri.

—¿Dónde vamos a conseguir los nidos?

—De los semai —contestó con la mirada fija en el camino y sin aminorar el paso—. Es mucho más barato que comprárselos a esos chinos despiadados.

Había visto los nidos en las tiendas de medicina china, dispuestos en cajas de madera decoradas elegantemente, cerca de los tarros de pene seco de tigre y de las raíces de ginseng descansando sobre terciopelo rojo.

—¿Y cómo es que los semai te los venden?

—Durante la ocupación tuvieron algunos conflictos con las autoridades —me explicó—. Magnus me pidió que les ayudara. Desde entonces siempre me han ofrecido los nidos a buen precio.

Los árboles se inclinaban formando ángulos extraños, como si las enredaderas que esposaban sus ramas tiraran de ellos hacia el suelo. Un pájaro sol color esmeralda pasó revoloteando y emitió un destello de la luz que acababa de absorber, antes de adentrarse en la jungla. Mientras ascendíamos, Aritomo dirigía mi atención hacia las plantas de la maleza. En una ocasión se paró para acariciar el tronco pálido de un árbol.

—El *tualang* —dijo—. Crecen hasta los sesenta metros. Y este… —se detuvo junto a un arbusto bajo, de aspecto poco llamativo, y lo golpeó con el bastón mientras me lanzaba una mirada traviesa—, este es el que los malayos llaman *tongat ali*. Sus raíces, según me dijeron, estimulan la libido marchita de los hombres.

Si esperaba incomodarme, desde luego no lo consiguió. Antes de la guerra las referencias directas al sexo me avergonzaban, pero ya no.

—Deberíamos recolectarlas y venderlas —propuse—. Piensa en la fortuna que ganaríamos.

El sol estaba alto cuando salimos de entre los árboles y aparecimos en una ladera rocosa totalmente desnuda, salvo por unas cuantas matas escuálidas de carrizo. Desde el principio di por hecho que iríamos a una aldea aborigen, así que, cuando vi aquella cueva excavada en el lateral de una pared vertical de piedra caliza, cuya entrada custodiaban las estalactitas, me detuve en seco.

Aritomo cogió un par de linternas de la mochila y me ofreció una, pero yo sacudí la cabeza.

—Te espero aquí —dije.

—No hay nada que temer —trató de tranquilizarme mientras encendía y apagaba la linterna unas cuantas veces—. Estaré todo el tiempo delante de ti.

El hedor húmedo y fétido de los excrementos de pájaro nos sacudió en el mismo momento en que entramos en la cueva. Encendí la linterna de inmediato, a pesar de que la luz del exterior bastaba para iluminar nuestro camino durante los primeros seis o siete pasos. Mi respiración sonaba fuerte, irregular. Giramos y entramos en una segunda cámara. Aritomo me tendió la mano. Después de dudar un momento, se la tomé. Avanzábamos sobre una pasarela elevada fabricada con viejas planchas de contrachapado que se combaban con nuestro peso. Unos ruidos de aleteos y repiqueteos surcaron la oscuridad de la caverna.

—¿Qué es eso? —pregunté en voz baja.

—Ecolocación —respondió Aritomo también con un susurro—, las aves la emplean para encontrar el camino en la oscuridad.

Al hacer un barrido con la linterna alrededor de mis pies, solté un grito de repugnancia. Miles de cucarachas ribeteaban los montones de guano que se disponían entre los tablones. Dirigí la linterna hacia arriba y, en el otro extremo, el haz de luz captó lo que parecía una red de grietas en las paredes; al enfocar de nuevo comprobé que se trataba de grandes ciempiés, de unos veinticinco centímetros de longitud, cuyas patas sobresalían de sus cuerpos delgados y tubulares. Me recordaron a esqueletos de peces prehistóricos, incrustados en la roca por el paso del tiempo. Incómodos por la luz, volvieron a la vida y se escabulleron entre la penumbra.

La galería se ensanchaba a medida que nos adentrábamos en la montaña y el techo se iba haciendo cada vez más alto. El suelo descendía y se elevaba, y solo de vez en cuando se nivelaba. Mi angustia disminuyó, pero continuaba agarrada de la mano de Aritomo. El aire se hizo menos denso cuando llegamos a otra caverna mayor que las dos anteriores. La luz del sol irrumpió desde el techo, a unos cuarenta o cincuenta metros, e iluminó el suelo de roca. Los vencejos pasaban como flechas entre los chorros de luz y el eco de las gotas de agua corroía el silencio pétreo.

Desde el fondo de la cueva llegaron unas voces. Iluminados por el brillo débil de un quinqué, dos *orang asli* miraban hacia la oscuridad superior bajo un andamio de bambú. Tenían treinta y tantos años, eran delgados y solo llevaban unos pantalones cortos anchos. Parecían ignorar nuestra presencia, hasta que Aritomo les silbó y una bandada de vencejos alzó el vuelo.

Los dos hombres dieron muestra de descontento cuando me vieron.

—Tú no traer gente —dijo uno de ellos a Aritomo.

—No se lo va a decir a nadie, Perang —se excusó Aritomo.

—No sabría encontrar el camino para volver aquí —aseguré a Perang en malayo.

Se volvió hacia el hombre que había a su lado. Tenía el pecho y los brazos cubiertos de tatuajes de un negro pálido que habían perdido la forma y se habían extendido por la piel. El hombre tatuado se encogió de hombros.

—Una vez solo —me advirtió Perang—. Tú no venir más, *¿faham?*

—*Faham* —asentí con la cabeza.

Volvieron a centrar su atención en la oscuridad que se elevaba sobre nosotros. Seguí su mirada mientras sentía que la tierra se me desplomaba encima. Al principio no veía nada, pero poco a poco comencé a distinguir unos movimientos en la pared de la cueva. Un niño de unos once años trepaba por una pértiga de bambú como una hormiga en un junco. Se encontraba a unos veinte o veinticinco metros de altura y no estaba amarrado a ninguna cuerda. De vez en cuando se paraba y se colgaba de una cornisa con un brazo; con el otro arrancaba nidos de la roca y los dejaba caer en una bolsa que llevaba atada a la cintura.

—¿Y qué pasa con los huevos? —pregunté con voz queda, acobardada por la inmensidad de la caverna y sin dejar de mirar al niño.

—Roban los nidos antes de que los pájaros los pongan —contestó Aritomo—. Cuando la hembra descubre que el nido no está, hace uno nuevo y ese se lo dejan para que ponga los huevos. Y no se llevan ningún nido que contenga polluelos.

Tenía el cuello agarrotado de mirar hacia arriba, pero ya había olvidado mis temores cuando el muchacho bajó por la pértiga. Perang cogió la bolsa y se agachó junto a una roca baja y aplanada iluminada por el sol sobre la que volcó el contenido. Las motas de polvo se arremolinaron bajo la luz. El color de los nidos, algunos de ellos cubiertos de plumas, iba del marrón rojizo al blanco amarillento. Su forma me recordó a las orejas humanas.

Aritomo solo escogió los más blancos. Los nidos oscuros, según me susurró, habían absorbido el hierro y el magnesio de las paredes. Los pagó y, cuando salimos de la cueva de los vencejos, oí que Perang gritaba a nuestra espalda:

—¡Tú no volver más!

Descansamos en una amplia cornisa que daba hacia un barranco profundo. Me sentí aliviada una vez fuera de la cueva. Respiré hondo para dejar que el aire húmedo y frío limpiara de mis pulmones cualquier resto del hedor pegajoso de aquel lugar. Al otro lado, de un afloramiento del terreno brotaba una cascada cuyas aguas se abrían como una pluma blanca arrastrada por el viento antes de alcanzar la tierra.

Aritomo llenó dos tazas con té de un termo y me dio una. Recordé lo que Magnus me había pedido la tarde anterior.

—El alto comisionado y su esposa quieren visitar Yugiri —dije.

—Las obras no han concluido.

—Puedes enseñarles las zonas que están terminadas.

Consideró mi sugerencia.

—Has trabajado mucho durante los últimos cinco meses. ¿Por qué no se lo muestras tú?

Era la primera alabanza que recibía por su parte desde que me convertí en su aprendiz. Me sorprendió lo bien que me hizo sentir.

—¿Llegaré a ser algún día una diseñadora de jardines competente?

—Si continuas trabajando, sí —dijo—. No tienes un talento natural para ello, pero has demostrado ser bastante resolutiva.

Me quedé callada, no sabía muy bien cómo responder. Éramos como dos polillas alrededor de una vela, pensé, que dábamos vueltas cada vez más cerca de la llama sin saber las alas de quién se quemarían primero.

—El primer día, cuando viniste a verme —añadió un momento después—, mencionaste que habías hecho amistad con Tominaga Noburu. —Miraba hacia las montañas con la espalda recta y el cuerpo inmóvil—. ¿Qué hacía él en tu campamento?

—Matarnos a trabajar —contesté—. Nos hacía trabajar a todos hasta morir.

Me miró.

—Sin embargo aquí estás, Yun Ling. Eres la única que sobrevivió.

—Tuve suerte. —Cruzamos nuestras miradas durante un instante, luego aparté la vista.

Sacó un par de nidos de la mochila y me los colocó en la palma de la mano. Tenían la frágil ligereza de las galletas. Al cogerlos tuve una sensación extraña, apenas hacía un rato que los habían arrancado de aquella grieta de la parte superior de la gruta. Pensé en los vencejos, de regreso a la cueva después de cazar, guiados por su eco, esos fragmentos de sonido que iluminaban su camino en la oscuridad, y encontrando en el lugar donde antes estaban sus nidos tan solo un silencio amorfo. Pensé en los vencejos, y la tristeza obstruyó mi pecho y lo endureció como los filamentos de saliva de las aves. Aritomo señaló al cielo en dirección este. Un muro de nubes se elevaba tras el monte Berembun.

—La lluvia de mañana se extiende en el horizonte.

Mis ojos vagaron desde el final de una montaña hasta la otra.

—¿Crees que durarán siempre?

—¿Las montañas? —dijo Aritomo, como si ya le hubieran hecho esa pregunta antes—. Desaparecerán. Como todo.

Capítulo quince

Un viernes por la mañana, pocos minutos antes de las diez y dos semanas después de nuestra excursión hasta la cueva de los vencejos, un Rolls-Royce negro escoltado por dos Land Rover se detuvo delante de la Residencia Majuba. Magnus y Emily esperaban en el camino de acceso para dar la bienvenida al alto comisionado, y yo me uní a ellos después de cerrar la puerta para que los perros no salieran. El *gurkha* estaba en posición firme. Ocho policías malayos salieron de los Land Rover y se alinearon junto a la entrada de la casa. Sir Gerald Templer bajó del Rolls y luego ayudó a salir a su esposa. El alto comisionado era un hombre delgado de estatura media y cincuenta y tantos años. Llevaba una chaqueta safari color caqui y pantalones de pinzas del mismo tono. Sus ojos se posaron sobre la bandera que ondeaba en el mástil del tejado antes de dirigir su mirada sobre Magnus. Su bigote recortado se curvaba hacia abajo a ambos lados de la boca. Percibí un destello en el ojo de Magnus: disfrutaba de la ironía que implicaba la presencia de Templer en Majuba.

—La verdad es que deberían venir más oficiales británicos a presentarnos sus respetos —me susurró mientras nos adelantábamos para recibir a los Templer. Emily le propinó un codazo en el costado.

—Bienvenido a Majuba —dijo mientras le daba un apretón de manos.

El alto comisionado se giró hacia la mujer que lo acompañaba.

—Mi esposa, Peggy.

—Hemos oído que merece la pena visitar la finca —comentó la señora Templer.

Magnus comenzó el recorrido de inmediato; la falta de paciencia de Templer era ya legendaria. Lo guiamos hacia el sector doce, elegido porque, aunque la ladera no era demasiado empinada, nos proporcionaría las mejores vistas de los valles cubiertos de té. Un oficial de policía alto y de mediana edad se apartó del grupo para caminar a mi lado.

—Thomas Aldrich, inspector jefe —se presentó—. Usted es la hija de Teoh Boon Hau, ¿verdad? Me han dicho que nos enseñará el jardín del *japo*. ¿Está aquí de vacaciones?

—Vivo aquí —respondí, absolutamente convencida de que, antes de la visita del alto comisionado, el Cuerpo Especial habría elaborado informes de todos los que estábamos en Majuba.

El cielo estaba despejado y el aire diáfano acentuaba el brillo de la luz. De la superficie del valle se levantó una brisa intermitente que rozaba las copas de los árboles. El alto comisionado y su esposa caminaban sin dificultad por el accidentado sendero que conducía hacia las casas de los trabajadores. Una valla de tres metros de altura rematada con alambre de espino rodeaba los barracones. Dos miembros de la Guardia Ciudadana Malaya, a quienes Magnus había entrenado, se pusieron firmes y saludaron a Templer. En los tenderos se sacudía la ropa descolorida. Cuando nos aproximamos, las gallinas se escabulleron con sus estelas de pollitos amarillos. Nos saludó una anciana que estaba fuera de su casa, en cuclillas; entre los pliegues del sari le sobresalían lorzas de grasa. Unas manos invisibles le masajeaban la cara rolliza mientras mascaba *sirih* con ritmo lento e inconsciente. De vez en cuando escupía un chorro de jugo de nuez de betel, color rojo sangre, que caía al suelo.

—Su padre ha sido sumamente útil en las conversaciones de la Merdeka —continuó Aldrich—. Creo que hay bastantes posibilidades de que Malaya alcance la independencia dentro de algunos años.

—Parece entusiasmado —dije—. La independencia podría significar que usted se quedara sin trabajo.

—A ustedes, los chinos, les asusta más la Merdeka que a los blancos —replicó con una sonrisa torcida.

Era cierto lo que decía, en especial a los chinos de los estrechos de educación inglesa, «los chinos del rey», como nos denominábamos a nosotros mismos. Habíamos visto cómo los movimientos independentistas se habían vuelto violentos en India, en Birmania y en las Indias Orientales Neerlandesas, y temíamos que un tipo similar de violencia interna desgarrara también Malaya. Ante la incertidumbre sobre nuestra suerte bajo el gobierno de los malayos, preferíamos que los británicos dirigieran el país hasta que Malaya estuviera preparada para la independencia. Pero nadie estaba dispuesto a decir cuándo ocurriría eso.

—Los CT afirman que ellos también están luchando por la independencia —apunté—. Es irónico, ¿verdad? Si ustedes traen la Merdeka a Malaya, se darán un buen batacazo en poco tiempo.

Aldrich señaló con la cabeza hacia Templer.

—Por eso él es partidario de que Malaya sea independiente lo antes posible. Eso será un golpe letal para los comunistas. En cualquier caso, después de cómo abandonamos a todos ustedes ante los *japos,* ¿de verdad seguimos teniendo derecho a gobernar?

Por el camino Magnus resumió a los Templer la historia de las tierras altas y les contó cómo William Cameron había estudiado esas montañas a lomos de elefante.

—Como Aníbal cuando cruzó los Alpes —dijo, y los ojos en blanco de Emily me hicieron pensar en un par de peces boca arriba tomando el sol.

—Cuando establecí la finca, la gente me tomó por loco. —Magnus me lanzó una sonrisa fugaz—. Y tenían razón. Caí bajo el hechizo de esta magnífica planta desde el primer momento. —Arrancó un brote verde y brillante de un arbusto, lo hizo rodar entre los dedos debajo de la nariz y se lo dio a la esposa del alto comisionado—. Estas provienen de las primeras plantas descubiertas en el Himalaya oriental. Antes de la era cristiana, un emperador chino ya las conocía. Él las llamó «espuma del jade líquido».

—¿El emperador que descubrió el té después de que algunas hojas se cayeran en la olla de agua que estaba hirviendo? —intervino Aldrich—. Eso es solo una leyenda.

—Pues yo sí me la creo —replicó Magnus—. ¿Qué otra bebida se ha tomado de formas tan diversas por tantas razas distintas durante más de dos mil años? Los tibetanos, los mongoles, las tribus de las estepas de Asia Central; los siameses y los birmanos; los chinos y los japoneses; los indios y, finalmente, los europeos. —Hizo una pausa, absorto en su sueño de té—. Todos lo han bebido, desde ladrones y mendigos hasta escritores y poetas; desde agricultores, soldados y pintores hasta generales y emperadores. Y si entras a cualquier templo y te fijas en las ofrendas de los altares, verás que incluso los dioses beben té. —Nos miró uno a uno—. Cuando los ingleses tomaron la primera taza de té, lo que en realidad se estaban bebiendo era la caída definitiva del Imperio chino.

—El rostro de Templer se puso colorado y su esposa le tocó suavemente el brazo.

Aldrich volvió a hablar:

—Bueno, no negará que China obtuvo grandes beneficios vendiendo té al mundo.

Por alguna razón, la leve sonrisita que acompañó sus palabras me produjo la sensación de que estaba tirando de la lengua a Magnus de manera intencionada.

—Eso fue así al principio —contestó Magnus—. Pero el flujo de plata hacia China a cambio del té se convirtió en un motivo de preocupación para ellos, así que los ingleses encontraron el modo de invertir ese flujo. ¿Y sabéis lo que hicieron?

—Lao Kung… —advirtió Emily a su marido. Me lanzó una mirada suplicante para que lo hiciera callar, pero yo me encogí de hombros: no podía hacer nada.

—Opio —dijo Magnus contestando a su propia pregunta—. Opio de los campos de la Compañía Británica de las Indias Orientales en Patna y Benarés. Se lo vendían a China para contrarrestar la pérdida de plata del tesoro de Inglaterra. Y de esa forma el Reino Celestial se convirtió en una nación de adictos al opio, todo por nuestros anhelos de té.

—Eso son tonterías —replicó Aldrich.

—¿Si? Vosotros los ingleses entrasteis en guerra contra China dos veces, dos, para defender vuestro derecho a vender opio. Mira en los libros de historia, las llaman precisamente las guerras del Opio, no sé si te acuerdas.

—¿Podemos continuar con la visita? —intervino Emily mientras se abría paso para colocarse delante de Magnus—. Tenéis que ver la guardería de nuestros trabajadores.

Con Emily como intérprete, los Templer se detuvieron en la guardería para charlar con las mujeres mayores que cuidaban de los niños mientras las madres recolectaban el té. Los bebés dormían en saris que colgaban de cuerdas atadas a las vigas del tejado. De vez en cuando, una de ellas les daba un empujoncito para mecerlos.

El alto comisionado dejó a las mujeres y se puso a caminar alrededor de los barracones mientras atisbaba a través de las ventanas de las casuchas de los trabajadores y comprobaba su estado. Magnus no parecía demasiado preocupado; no era un patrón excesivamente bondadoso, pero se aseguraba de tratar bien a sus empleados. Era estricto con ellos, los sancionaba y descontaba dinero de sus salarios por cualquier mala conducta que afectara al rendimiento de la producción. Pero, a diferencia de lo que ocurría en algunas plantaciones de caucho donde yo había estado, no se veía a niños sospechosamente pálidos correteando de un lado a otro.

Esperamos con paciencia mientras el alto comisionado hablaba con las recolectoras que trabajaban en las laderas arrojando puñados de hojas en las cestas. Templer insistió en dar la mano a cada uno de los trabajadores que vio en la finca y quiso oír todos los problemas con los que se encontraron durante la Emergencia.

—Su hermano está haciendo un buen trabajo, señorita Teoh —me dijo Aldrich cuando los demás nos adelantaron para dirigirse hacia la fábrica—. Para él no ha sido fácil estar en el cuerpo.

—¿Que no ha sido fácil? —Una risa burlona me brotó desde el fondo de la garganta. Kian Hock era uno de los pocos inspectores chinos de la Policía Malaya, y mi padre había estado moviendo hilos para que ascendiera en la profesión, lo mismo que había hecho por mí hasta que conseguí que me echaran.

—Cuando los *japos* se rindieron, los hombres que estuvieron en una posición privilegiada en Changi no quisieron que los relacionaran con quienes se habían fugado en vez de quedarse en sus puestos. A su hermano lo consideraron muchas veces uno de ellos, alguien que tuvo una guerra fácil y cómoda.

—Parece usted muy indulgente —reconocí—, a pesar de su propia experiencia.

Sus ojos se nublaron.

—Es extraño, ¿verdad?, que las personas parecidas nos reconozcamos entre nosotras. Yo estuve en Changi durante un año antes de que los *japos* me enviaran al ferrocarril.

—Tiene suerte de haber sobrevivido.

—Si hablamos de suerte, sin duda usted gana a todo el mundo que conozco. ¿La única superviviente de un campo de trabajos forzados? En un campamento de ubicación desconocida. —La calidez de su sonrisa no impregnó en absoluto su mirada—. Tengo que decirle que su informe me pareció… intrigante, aunque más bien breve.

Durante un instante no supe de qué me estaba hablando. Entonces recordé la declaración que había proporcionado a la agencia militar para la Recuperación de los Prisioneros de guerra aliados y civiles cuando estuve en el hospital.

—No tenía mucho que decir —repuse.

A lo lejos, Magnus nos miraba. Aldrich le hizo una señal para que continuaran hacia la fábrica sin nosotros.

—Por cierto, fue un trabajo fantástico el que hizo con Kwai Hoon —dijo—. Nos aseguró que, de no haber sido por usted, no se habría entregado.

—Se comprometió a mostrarles el lugar donde se ocultaba Chin Peng.

—Por desgracia ya habían abandonado el campamento cuando nuestros hombres llegaron. Pero creemos que sigue por aquí, en algún lugar —replicó—. Los peces gordos como Chin Peng están usando Cameron Highlands como cuartel general, según nos han informado nuestras fuentes.

—Pues atrápenlos si están tan seguros de que están por aquí.

Aldrich miró hacia los valles entornando los ojos.

—¿Tiene idea de cuántos *bungalows* vacíos, casas, cabañas y chozas hay ahí? No podemos registrarlos ni vigilarlos todos. Cuando oímos rumores de una reunión, siempre consiguen escapar entre la jungla antes de que lleguemos.

Me pregunté por qué me estaría contando todo eso. Por el rabillo del ojo vi que Magnus y los Templer ya habían entrado en la fábrica. Lo siguiente sería la visita a Yugiri.

—Este hombre, nuestro confidente —continuó Aldrich—, mencionó ciertos rumores de que alguien en la plantación Majuba estaba ayudando a los CT proporcionándoles comida y dinero. Puede que incluso información.

—¿Quién?

—Nuestro hombre no lo sabe.

—Cualquiera de los trabajadores de aquí podría estar haciéndolo —afirmé—. Los guardas no pueden vigilarlos todo el tiempo. Magnus ha solicitado más agentes, pero nadie ha respondido a su petición.

—Magnus Johannes Pretorius tiene fama de sacar provecho de las circunstancias más desfavorables.

—¿De qué está hablando?

—No lo encarcelaron durante la ocupación. Y mantuvo Majuba lejos de las manos japonesas.

—Aritomo intercedió en su favor.

—Nakamura Aritomo. —La leve sonrisilla volvió a aparecer—. Claro, claro. Me sorprende que el Tribunal de Crímenes de Guerra no lo investigara.

—¿Cree que Magnus está ayudando a los CT?

—Bueno, él no es que les tenga especial cariño a los británicos, ¿verdad?

—Tiene sus razones.

—Y los CT nunca han atacado Majuba. —Aldrich levantó el dedo índice—. Ni siquiera una vez.

—Muchas de las granjas de por aquí tampoco han sido atacadas —señalé—. Si los altos cargos comunistas utilizaran Cameron como base, como usted sugiere, no tendría sentido que nos atacaran, ¿cierto? No querrán llamar la atención.

—Algunos de los hacendados han pagado una cuota de protección para que los CT se mantengan alejados de sus tierras —dijo Aldrich.

—Esos rumores han circulado desde los primeros días de la Emergencia. ¿Por qué le interesa tanto Magnus? ¿Tiene alguna prueba de que esté sobornando a los CT?

—Nos gustaría que mantuviera los ojos bien abiertos ante cualquier actividad inusual en la finca; díganos si ve u oye algo que debamos saber —dijo Aldrich—. Manténganos informados sobre lo que Magnus está tramando.

—¿Quieren que lo espíe?

La sonrisa en la cara del inspector jefe permaneció inalterable.

—Usted se encuentra en una posición idónea para ayudarnos, señorita Teoh. Lleva viviendo aquí… ¿cuánto? ¿Seis meses? ¿Siete? Ya forma parte del paisaje. Que viniera aquí para ser discípula del *japo* es algo muy poco corriente, excéntrico, si me lo permite. Nadie sospecharía que trabaja para nosotros.

Eché a andar, pero él me detuvo.

—El Cuerpo Especial está también interesado en el jardinero japonés. Tenemos bastante curiosidad por saber qué está haciendo aquí. No queremos vernos obligados a deportarlo, ¿verdad?

—¿Por qué motivos? —A pesar de haberme dicho a mí misma que no me dejaría intimidar, tuve que superar el miedo que crecía en mi interior. Los montones de leyes del Reglamento de la Emergencia proporcionaban a las fuerzas de seguridad un poder casi ilimitado en cuestiones relacionadas con la insurgencia.

—Oh, descuide. Seguro que nos las arreglaremos para encontrar algo.

—Entonces esperaré a que lo hagan.

Me di la vuelta y me alejé de él con grandes zancadas hacia la fábrica de té.

Durante el tiempo que pasé en Yugiri llegué a sentir que el jardín se había vuelto mío en cierto modo. Enseñárselo a otras personas que no trabajaban allí parecía una violación de algo privado que solo compartía con Aritomo. Cuando llegamos a la entrada, fui la última en salir del coche. No había imaginado que sentiría esa resistencia a conducirlos dentro del jardín y casi deseé que Aritomo apareciera para hacernos dar la vuelta.

—Bueno, vamos a darnos prisa, ¿no? —dijo Templer.

Toqué la placa de madera de la pared y empujé la puerta para abrirla. Todos se quedaron en silencio mientras me seguían hacia el interior de Yugiri.

La luz allí parecía más suave, más antigua, y el aire estaba cargado con el olor punzante de las hojas amarillentas de bambú. Las curvas del camino no solo alteraban el sentido de la orientación, sino también la memoria, y al cabo de unos minutos casi imaginé que habíamos olvidado el mundo del que acabábamos de salir.

La señora Templer y Emily dejaron escapar murmullos de asombro cuando abandonamos el sendero y llegamos al borde del estanque. Al ver de nuevo el jardín con los ojos de esas personas, me acordé de la habilidad de Aritomo. Las seis rocas estrechas que sobresalían del agua me recordaron unos dedos que se estiraban para alcanzar una espada mágica arrojada al agua desde lejos. Por un momento me pregunté por qué Aritomo no había seguido los consejos del *Sakuteiki* de limitar a cinco el número de piedras, como había hecho en el jardín de rocas de delante de su casa.

—El estanque se llama Usugumo —dije—: «Remolinos de nubes».

—Un nombre raro para un estanque —apuntó el alto comisionado.

—Mira —sugirió su mujer.

El viento había amainado y las nubes sobre el agua semejaban los reflejos de unas caras asomadas a un pozo.

—Qué ingenioso —reconoció Templer.

—Quería preguntarte... ¿Qué significa Yugiri? —preguntó la señora Templer.

—«El jardín de las brumas».

—Un nombre más evidente incluso que «Remolinos de nubes». Debo decir que me esperaba algo más críptico.

—Yugiri es un personaje de *La novela de Genji*. —Por la expresión amable de su cara supe que no tenía ni idea de lo que estaba diciendo—. Era el primogénito del príncipe Genji.

—Qué interesante. Y ¿el templete? ¿Tiene nombre?

—Aritomo todavía no se ha decidido por ninguno.

El alto comisionado sacó una cámara Leica de una bolsa que llevaba uno de sus ayudantes.

—Me temo que el señor Nakamura tiene prohibido hacer fotografías en el jardín —dije. Templer me lanzó una mirada de fastidio mientras guardaba la cámara de nuevo.

Aritomo nos esperaba fuera de la casa, vestido con una túnica de algodón azul y *hakama* grises. Nunca lo había visto con ropa tradicional japonesa, excepto cuando practicábamos con el arco.

—Eres muy amable al dejarnos ver tu jardín, Aritomo —agradeció Emily, justo detrás de mí.

Él le sonrió.

—Emily, tú siempre eres bienvenida aquí.

—Has llevado a cabo muchas modificaciones —señaló Magnus un momento después, acercándose a nosotros.

Aritomo se inclinó ante él y ante los Templer.

—Espero que Yun Ling haya sido una buena guía.

—Ha sido maravillosa —confirmó la señora Templer—. Sabe mucho y es muy entusiasta.

—Tengo un profesor exigente —dije mirando a Aritomo.

—El templete es precioso —continuó la mujer del alto comisionado—. La verdad es que debería ponerle un nombre, algo especial.

—El Pabellón del Cielo —dijo Aritomo. Lo miré sorprendida y él me hizo un gesto de asentimiento con la cabeza.

—Qué… oriental. ¡Y su casa! —añadió la señora Templer mientras posaba la mirada un instante en Aritomo—. Si no lo supiera, hubiera jurado que estábamos en Japón.

—Así que usted es el jardinero de Hirohito —intervino Templer.

—Lo fui hace mucho tiempo —contestó Aritomo.

Aldrich se presentó a Aritomo y añadió:

—Algunos japoneses peregrinan por el país para visitar los lugares donde sus tropas lucharon contra los nuestros.

Una luz pareció afilar la mirada de Aritomo.

—¿Quiénes son?

—Se autodenominan la Asociación para la Recuperación de Nuestros Héroes Caídos o algo tan ridículo y ostentoso como eso —dijo Aldrich—. Han solicitado protección policial para sus viajes, pero estamos muy faltos de personal como para preocuparnos por ellos. ¿Tal vez se han puesto en contacto con usted?

—Desde que terminó la guerra no he visto ni he hablado con nadie de Japón —respondió Aritomo.

—¿No ha vuelto nunca a casa?

—No.

El alto comisionado tenía que visitar aún otras fincas de las tierras altas. Cuando ya abandonaban Yugiri, la señora Templer nos llevó a un lado a Aritomo y a mí.

—¿Por qué no diseña un jardín para nosotros, señor Nakamura? —Lo miró esperanzada—. Después de lo que hemos visto esta mañana, los jardines de King's House resultan terriblemente feos.

—En este momento de mi vida solo me interesa trabajar en mi propio jardín —contestó Aritomo, y sus palabras cortantes y precisas llenaron el hueco que nos separaba sin dejar el mínimo resquicio para un cambio de parecer.

—Qué pena me da oír eso. —Frunció el ceño y después me dirigió una sonrisa—. Pero seguro que no hay nada que te impida a ti diseñarnos uno, ¿verdad?

—Cuando Aritomo piense que estoy preparada —contesté—, su jardín será uno de mis primeros trabajos.

—Te tomo la palabra, querida —concluyó. Se volvió hacia Aritomo—. Debería abrir al público su jardín, sinceramente. Es una verdadera lástima que guarde solo para usted algo tan bonito.

Yo observaba a Aritomo con atención. La tristeza eclipsó sus ojos.

—Yugiri siempre será un jardín privado.

Mientras descansaba en la veranda de mi *bungalow,* me pregunté por qué las noticias de Aldrich sobre los japoneses que peregrinaban por el país habían incomodado tanto a Aritomo. Cogí mi cuaderno y fui pasando las páginas para mirar una vez más los recortes de periódico y ojear la gran cantidad de notas garabateadas. El sobre azul claro se cayó de entre el montón de papeles y fue a parar al suelo; lo recogí y lo miré.

Nunca le había contado a nadie mi verdadera razón para trabajar en el Tribunal de Crímenes de Guerra, ni siquiera a mi padre o a mi hermano Hock. Buscaba información que me ayudara a encontrar el campo en el que había estado recluida y pensé que, como empleada de investigación, tendría oportunidad de hablar con los criminales de guerra japoneses procesados en Malaya. Además, encontré una japonesa que completó con sus enseñanzas lo que yo sabía de aquel idioma.

Las reglas habituales en cualquier procedimiento judicial no se aplicaban de manera estricta en las vistas orales de los crímenes de guerra. El Tribunal dio credibilidad a informaciones sin corroborar y aceptó testimonios indirectos y pruebas circunstanciales de las víctimas de los japoneses. Yo entrevistaba a los oficiales japoneses y registraba sus declaraciones, pero también introducía mis propias preguntas para averiguar si sabían algo de mi campamento. Me aseguraba de que los casos en los que trabajaba estuvieran bien planteados para que los criminales de guerra nunca pudieran recibir un indulto. Mi tenacidad impresionaba a los fiscales, pero mi salud se iba deteriorando a medida que investigaba cada prueba y acudía a todos los interrogatorios que podía. Convencía, inducía y amenazaba a las víctimas más reacias para que testificaran en contra de los criminales japoneses. Me resultaba imposible no involucrarme, por supuesto. A veces no podía seguir leyendo los documentos porque recordaba el miedo y el dolor que yo misma había sufrido. En aquellas ocasiones tenía que obligarme a continuar, a revisar concienzudamente la información para encontrar lo que buscaba. Pero nunca se mencionaba el campamento donde Yun Hong y yo estuvimos encerradas. Cuando dejé el Tribunal para proseguir mis estudios, conservé el cuaderno con mis anotaciones. Una parte de mí todavía esperaba encontrar la respuesta en él.

Visité al capitán Hideyoshi Mamoru el día en que lo iban a ahorcar. Estaba sentenciado a muerte por la masacre de doscientos chinos en Teluk Intan, un pueblo pesquero de la costa oeste de Malaya. Testigos supervivientes afirmaron que, siguiendo sus órdenes, sus hombres obligaron a los habitantes del pueblo a adentrarse en el mar a pie. Cuando el agua les llegaba por la cintura, los soldados abrieron fuego contra ellos. Según el testimonio de uno de los vecinos, había tanta sangre que fueron necesarias siete mareas para limpiar las manchas en la playa.

Un guarda sij me condujo hasta la celda de Hideyoshi. El japonés estaba hecho un ovillo sobre un camastro de madera. Se incorporó cuando vio que me acercaba a los barrotes metálicos. Hice un gesto al sij para que se marchara.

—Pareces tranquilo, no como otros —dije a Hideyoshi.

—No se engañe, señorita Teoh —contestó en un inglés fluido. Entonces recordé su expediente: había recibido parte de su formación militar en Inglaterra. Era un hombre esbelto, entrado en los cuarenta, que con las penurias de la guerra se había quedado más delgado, como todos nosotros—. Estoy asustado, sí, y mucho. Pero he tenido bastante tiempo para prepararme. ¿Sabe por qué?

—¿Por qué?

—Desde el primer día en que la vi caminar por el juzgado supe que usted cumpliría con su deber de manera minuciosa. Supe que me iban a colgar.

—Ahorcar —dije—. No colgar.

—Para mí es lo mismo —replicó—. Usted estuvo en uno de nuestros campamentos, *¿neh?*

—Estuve en un campo de internamiento japonés. —Eran las mismas palabras que había empleado con aquellos otros que, con mi ayuda, fueron enviados a la horca. En ese momento ya sabía cuál sería la siguiente pregunta de Hideyoshi. Todos los prisioneros con los que había hablado, invariablemente, querían saber lo mismo cuando descubrían que yo había pasado por uno de aquellos campos de prisioneros. Hideyoshi no fue una excepción.

—¿Y dónde la enviaron? —preguntó—. ¿Changi? ¿Java?

—Estuve en Malaya, en algún lugar de la jungla.

Hideyoshi se levantó del camastro y se dirigió arrastrando los pies hasta la reja.

—¿El campamento estaba escondido? —Aunque apestaba a sudor rancio, di un paso al frente para acercarme más a él—. Mataron a todos los demás prisioneros, ¿verdad? —continuó—. ¿Cómo es posible que usted fuera la única superviviente?

—¿Has oído hablar de ese campamento? —susurré.

—Solo rumores... ¿Cómo los describen los malayos?

—*Khabar angin.*

—«Noticias garabateadas en el viento» —asintió—. Sí, he oído hablar de ese lugar, sí.

—Cuéntame algo más sobre él. —Era difícil mantener la voz firme.

—¿Y que hará usted por mí a cambio?

—Puedo hablar con algún superior, quizás puedan revisar tu caso.

—¿Y qué razones dará? —quiso saber Hideyoshi—. La pruebas contra mí se presentaron de manera brillante ante el tribunal. Brillante.

Tenía razón: parecería muy sospechoso que yo intercediera a su favor. Eché un vistazo al pasillo. Tenía que averiguar qué más sabía. Tenía que hacerlo. Era la única pista con la que me había topado después de todo ese tiempo.

—Si escribo una carta a mi hijo —dijo—, ¿se la enviará? Intacta, sin censura.

—Solo si me convences de que lo que me cuentas es verdad.

—Eran solo rumores —repitió, como si le preocupara haber prometido demasiado. Yo lo miré fijamente—. *Kin no yuri* —dijo, y seguidamente me lo tradujo, aunque yo ya había entendido su significado—: «Lirio dorado».

—Eso no me dice nada —protesté elevando la voz. Desde el otro extremo del corredor el guarda sij me miró. Le hice señas de que todo marchaba bien.

—Es el nombre que le dan a sitios como ese donde la enviaron a usted —explicó Hideyoshi—. Si la llevaron allí sabrá más que yo sobre él.

Me di cuenta de que eso era todo lo que sabía, todo lo que podía contarme. Esa sensación de esperanza que me había exaltado un momento antes, la expectativa de que alguien supiera algo sobre el campo donde me habían enviado, se esfumó. Me alejé de los barrotes.

—No va a cumplir nuestro acuerdo —dijo— ¿verdad?

Me di la vuelta y me alejé. Volví a su celda media hora más tarde. Abrió los ojos y alzó la cabeza cuando lo llamé por su nombre. Le pasé a través de los barrotes material para escribir y fui a apoyarme en un muro mientras veía cómo lo hacía. Poco después se acercó hasta la reja y me alargó una carta dentro de un sobre azul claro cerrado. Miró mi mano, la mano en la que faltaban dedos.

—Debería olvidar todo lo que le ocurrió —dijo.

La dirección del sobre estaba escrita en inglés y en japonés.

—¿Cuántos años tiene tu hijo?

—Once. Eiji tenía tres años, casi cuatro, la última vez que lo vi. Él no me recordará.

Comprobé el peso de la carta en la palma de mi mano.

—Pensé que pesaría más.

—¿Cuánto papel necesita para decir a su hijo que lo quiere? —contestó.

Al mirar a aquel hombre que había ordenado la matanza de una aldea entera, sentí una profunda tristeza por él, por nosotros.

Cuando los guardias acudieron para llevarse a Hideyoshi, me pidió que lo acompañara. Dudé, pero al final accedí. Mientras avanzábamos por el corredor, pasando por delante de los otros prisioneros que aguardaban en sus celdas, algunos de ellos se pusieron firmes y le saludaron tras los barrotes. Hideyoshi mantuvo la mirada al frente mientras movía los labios en silencio.

La puesta de sol veteaba el cielo con su rojo sangrante cuando salimos al patio en la parte trasera de la cárcel. Hideyoshi se detuvo y levantó la cabeza mientras respiraba a la luz de las primeras estrellas de la noche. Los guardas lo condujeron por las escaleras hasta la plataforma y lo colocaron bajo la horca. Le ataron la cuerda alrededor del cuello y la tensaron. Él tropezó, pero recuperó el equilibrio. Uno de los guardias sostenía una venda para los ojos. Hideyoshi sacudió la cabeza.

Un monje budista, designado para llevar a cabo el rito religioso en aquellas ejecuciones, comenzó a rezar y a pasar los dedos por la ristra de cuentas que llevaba enroscada en la mano mientras, versículo a versículo, las oraciones brotaban de su garganta. El murmullo constante me envolvió. Hideyoshi y yo nos miramos el uno al otro hasta que se abrió la trampilla de par en par y cayó en un abismo visible solo para él.

La sirena que anunciaba el final del día de trabajo aulló en el aire y me apartó del aluvión de recuerdos. Cuando regresé al interior del *bungalow* para dejar el cuaderno en mi habitación, me detuve un momento ante la acuarela de Yun Hong. Noté que la inquietud se apoderaba de mí, como un aviso de los periodos de desesperación que solían inundarme antes de llegar a las tierras altas. Percibía la inminencia de esos cambios de humor, su amenaza sobre el horizonte de mi mente.

Me puse una chaqueta y una bufanda y me dirigí a Yugiri. Las masas de nubes habían quedado atrapadas entre los huecos de las cimas montañosas. Me entretuve un rato en el estanque Usugumo. Con el estanque lleno, el jardín parecía más grande, y fui consciente de que ese espejo líquido era otra forma de *shakkei* que tomaba prestado el vacío para crear más vacío. Los guijarros que habíamos empleado como revestimiento estaban ahora sumergidos. Me causaba una profunda satisfacción saber que lo habíamos hecho todo como era debido, aunque los resultados de nuestro esfuerzo no fueran visibles. Las piedras del fondo conferían al agua un carácter diferente y, al ocultar sus secretos, la hacían parecer más antigua, más densa.

En la zona menos profunda, la garza real se erguía sobre una pata mientras se acicalaba. Se detuvo y me observó, pero enseguida siguió contemplándose en el agua. Por alguna razón se había quedado allí; a veces se ausentaba un par de días, pero siempre regresaba al estanque.

Los chillidos metálicos de los grillos llenaban el aire. En la orilla opuesta, un movimiento en los helechos arborescentes captó mi atención. Me puse tensa, dispuesta a correr si era necesario. Aritomo apareció un segundo después. Suspiré, y el alivió hizo que mis extremidades se relajaran. Al igual que la garza, Aritomo se quedó quieto y me miró desde el otro lado. Luego se acercó a mí.

El crepúsculo humedecía el aire con una neblina acuosa que impregnaba cada hoja del jardín con la tristeza de otro día concluido. Aritomo se detuvo a mi lado y se apoyó en su bastón mientras observaba a la garza. Por primera vez desde que lo conocía me fijé en que ya no era joven.

—«Un estanque custodiado por un ave acuática traerá paz a la casa» —murmuré recordando uno de los consejos del *Sakuteiki*.

Se formaron unas arrugas en los bordes de su sonrisa. Durante un instante fuera del tiempo lo miré directamente a los ojos y él me miró con la misma concentración con que observaba la diana, justo antes de disparar la flecha.

Por encima de las montañas más altas, el final del día se evaporaba del firmamento.

—El Pabellón del Cielo… Yun Hong estaría encantada.

—Me alegro.

La garza batió las alas una vez, dos veces, para librarse de su rigidez, y el sonido se alejó entre los árboles. Al echar a volar, de sus patas cayeron unas gotitas que hicieron florecer sobre la superficie del estanque un juego de brazaletes concéntricos.

Un movimiento por encima de nosotros, por encima del vuelo de la garza, nos llamó la atención. Levantamos la cabeza hacia el cielo al mismo tiempo. Aritomo señaló con el mango del bastón y el gesto le confirió la apariencia de un profeta en una antigua tierra. En el extremo oriental del firmamento, donde ya era de noche, aparecían diseminadas unas estelas de luz. Al principio no supe reconocerlo pero, cuando caí en la cuenta de lo que estaba viendo, un suspiro brotó de mis labios.

Era una tormenta de meteoros, flechas de luz disparadas por arqueros desde la otra punta del universo que se encendían y atravesaban la atmósfera ardiendo. Cientos de ellos se consumían a mitad de camino y, justo antes de morir, destellaban con más fuerza.

Allí de pie, ambos con la cabeza vuelta hacia el cielo, la cara iluminada por la luz del fuego extinto de un planeta desaparecido mucho tiempo atrás, olvidé dónde estaba, lo que había sufrido, lo que había perdido.

—Mi abuelo me enseñó los nombres de los planetas y las estrellas —dijo Aritomo—. Nos sentábamos en su jardín y observábamos la dispersión de luz del cielo desde su telescopio. Él estaba muy orgulloso de aquel aparato.

—Dime cómo se llaman —le pedí—. Señálalos.

—Aquí las estrellas son diferentes. —Sus ojos recorrieron el cielo de nuevo y me pregunté si el sentimiento de pérdida que percibía en su voz lo acompañaría durante el resto de su vida.

—En uno de los jardines que él construyó —continuó un momento más tarde, sin apartar los ojos del firmamento—, utilizó solo piedras blancas. Completamente blancas, casi luminosas. Las dispuso de forma que reflejaban las posiciones de las constelaciones que más le gustaban: el Cedazo, el Cincel, el Recinto Prohibido Púrpura. —Los nombres que salían de su boca sonaban como ofrendas a la cúpula que se extendía sobre nosotros—. Quería que los visitantes del jardín se sintieran paseantes en el cielo nocturno.

El torrente de estrellas fugaces se agotó, pero la noche seguía desprendiendo luminosidad, como si hubiera retenido la luz de los meteoros. Quizás aquella luz no estuviera atrapada en el cielo, sino en nuestros ojos, en nuestra memoria.

—Mi *amah* siempre me advertía de que esos meteoros son malos augurios —dije—. Ella los llamaba *soh pa sing,* «estrellas de palo de escoba», porque barren la buena suerte. Yo nunca he estado de acuerdo con ella. ¿Cómo puede traer mala suerte algo tan bonito?

—A mí me recuerdan a los pilotos kamikaze —señaló Aritomo—. Mi hermano fue uno de ellos.

Pasaron un par de segundos antes de que yo hablara.

—¿Sobrevivió a la guerra?

—Estuvo en la primera tanda de pilotos voluntarios.

—¿Qué le incitó a alistarse?

—El honor de la familia —contestó Aritomo. Esa justificación, ofrecida con tanta frecuencia por parte de los prisioneros japoneses que había conocido, siempre me había repugnado—. No es lo que piensas —continuó—. Nuestro padre falleció poco después de que yo me marchara de Japón. Shizuo echaba la culpa de su muerte a los problemas que yo había causado a la familia.

Arañó las piedras de la orilla con la punta del bastón.

—Antes de encontrarte, antes de que vinieras, no conocía personalmente a nadie que hubiera perdido amigos o familiares durante la ocupación. Bueno, conocía a gente que había sufrido un trato brutal por parte de los míos: hombres y mujeres de las aldeas, trabajadores de aquí, incluso Magnus y Emily, pero yo estaba por encima de todo eso. Me mantuve lejos de lo desagradable. Solo prestaba atención a mi jardín.

Aparecían las primeras estrellas del anochecer, leves y tímidas, como si se sintieran abrumadas por el diluvio de luz de unos minutos atrás. Al mirar al vacío, sentí que podría permanecer ahí hasta que amaneciera, girando con la tierra, observando cómo las estrellas trazaban sus crípticos recorridos en el cielo.

Aritomo extendió la mano y me tocó la mejilla con suavidad. Le agarré los dedos, tiré de él y lo besé. Él se apartó primero. Dio un paso hacia atrás, pasó por mi lado y se fundió con las sombras que se volcaban desde los árboles. Me di la vuelta para observarlo mientras se alejaba. Redujo el paso y luego se detuvo.

Durante unos instantes permanecí inmóvil, callada. Luego fui hacia él y, juntos, en silencio, caminamos hacia su casa; nuestras respiraciones no eran más que nubes que ardían con la luz de las estrellas.

Capítulo dieciséis

Dos horas después de medianoche, dejo de escribir. No quiero enfrentarme a mi recuerdo entre páginas y páginas de palabras. Pero ahí está, agazapado en mi mente detrás de una piedra, a la espera para volver a salir. Dejo el bolígrafo sobre el escritorio y empujo la silla hacia atrás, abro la puerta corredera y me paseo por la oscura veranda hasta la parte delantera de la casa.

El mundo está cubierto de escarcha bajo la luz de la luna. Oigo a un chotacabras que luego se calla. Espero a que reanude su canto, pero me quedo con las ganas. Mientras me froto las muñecas para estimular la circulación, me acuerdo de que, a partir de aquel atardecer con Aritomo junto al estanque, empecé a mirar con frecuencia hacia arriba cuando me encontraba de noche en el exterior. Pero nunca volví a ver nada parecido a aquel monzón de estrellas fugaces abarrotando el cielo.

Había olvidado al capitán Hideyoshi Mamoru. El recuerdo de mi conversación con él brotó a medida que iba escribiendo. Quería parar y, sin embargo, permití que saliera del bolígrafo. Al volver a pensar en mis propias palabras, me quedo helada. ¿Había sido tan despiadada como para corregir el vocabulario de un hombre poco antes de que lo ajusticiaran? Colgado, ahorcado… ¿Qué más daría?

Como jueza, he actuado en casos civiles y criminales. He sentenciado a muerte a gente por asesinato, tráfico de drogas y robo a mano armada. Siempre me he sentido orgullosa de mi imparcialidad, de mi objetividad, pero ahora me pregunto si esos no serían simplemente los atributos de un corazón insensible.

Antes de entrar de nuevo, vuelvo a mirar el cielo. Las estrellas están quietas, inmóviles. Ni un solo punto se ha desplazado en este mapa eterno.

Durante los últimos días el profesor Tatsuji ha pasado más tiempo en el jardín. No hemos hablado mucho desde nuestra conversación en el Pabellón del Cielo, hace ya una semana. Le he dado permiso para que explore Yugiri, pero no parece que se aleje mucho de la casa. Algunos días lo veo junto al templete, de pie, sin más, con las manos en la espalda. Quiero que examine los grabados lo más rápido posible pero, por alguna razón, el hecho de verlo observando el agua me disuade de apremiarlo. En más de una ocasión lo he descubierto mirando el cielo, como si buscara algo tras las nubes.

Me pregunto si habrá alguna verdad en eso de que fue el emperador quien envió a Aritomo a Malaya, como sospecha Tatsuji. La respuesta me resulta difusa, como la tinta en el agua.

Esta mañana intercepto a Ah Cheong cuando sale de la cocina con una bandeja de té y bollitos.

—Yo se la llevo —le digo.

Cuando entro en la sala de trabajo, la atención de Tatsuji se centra en los grabados esparcidos por el escritorio. Las persianas de bambú están enrolladas y, al caminar descalza por el suelo de madera de cedro, lo noto caliente por el sol. Su ejemplar de los poemas de Yeats está sobre la mesa. Continúa mirando una de las xilografías y solo levanta la vista cuando se da cuenta de que estoy ahí. Un segundo antes de que aparte la mirada, percibo que sus ojos están llenos de dolor.

Dudo por un momento y dejo la bandeja al lado de una ilustración de un pueblo pesquero malayo. Podría ser una aldea cualquiera de la costa este. Me pregunto qué tendrá esa imagen que tanto le ha afectado.

Carraspea unas cuantas veces.

—Todos están sin título. Los he organizado por orden cronológico. —Le da la vuelta a la hoja y señala una línea vertical de escritura japonesa—. Este está fechado el quinto mes del vigésimo año de la *Showa jidai:* el Periodo de Paz Ilustrada.

Sabía que cada periodo del calendario japonés se correspondía con el reinado de un emperador.

—¿Cuándo se convirtió Hirohito en emperador?

—El día de Navidad del año 1926. Por lo que, cuando Aritomo escribió esto, era 1945; mayo de 1945.

—Tres meses antes de que Japón se rindiera. —Imagino a Aritomo sentado aquí, en Yugiri, trabajando en el grabado mientras yo seguía prisionera: cada uno sin conocer la existencia del otro, sin saber que nuestros caminos convergerían algún día.

Estiro el brazo y levanto la hoja. En una playa, unas hileras de sepias se secan sobre rejillas de madera. Tras ellas los cocoteros se hacen reverencias unos a otros; las hojas están grabadas con tanta delicadeza que casi las oigo crujir con el viento salino. Aritomo ha dispuesto toda la escena dentro del contorno de una gran sepia y ha rellenado los bordes externos con imágenes de sepias más pequeñas, superpuestas en tinta traslúcida azul oscura, sombras sobre sombras.

—Los antiguos chinos llamaban a la sepia «el escriba del dios del océano», porque lleva tinta dentro del cuerpo —murmuro—. Me lo contó Aritomo en una ocasión. ¿Es adecuada la calidad de los grabados para tu libro?

Tatsuji carraspea otra vez.

—La de la mayoría de ellos, sí. No tan buena como la de las obras de Kanaoka, claro. Pero ninguna lo es, supongo. —Lo miro y me explica—: Kanaoka vivió en el siglo XVII. Es famoso por el realismo de su estilo. Se decía que un caballo que pintó en el muro de un palacio cobraba vida por la noche y salía a galopar por las praderas bajo la luna de otoño.

—La humedad ha dañado algunos ejemplares —remarco.

—Aunque estén hechos jirones, quiero que la gente los vea. Los incluiré en mi libro… con tu permiso, por supuesto. —Examina de nuevo el pueblo pesquero y, en voz más baja, dice—: Es la primera vez que vuelvo desde la guerra.

—Ya solo los viejos como yo, como nosotros, recordamos aquello —señalo.

Levanta la vista del *ukiyo-e* y me mira.

—No estás bien, ¿verdad?

Me quedo en silencio un momento.

—Me dijiste que eras piloto de la Marina.

Asiente.

—¿Dónde estaba tu base? ¿En Butterworth? ¿En Singapur? —Me pregunto si formaría parte de la primera oleada de aviones que bombardearon las calles de Singapur y Penang. Quizás estuviera en el escuadrón que hundió el Prince of Wales y el Repulse en la costa este.

Tatsuji mira por la ventana con los ojos entornados, como si divisara algo en el horizonte.

—Mi base estaba en las afueras de un pueblo pesquero.

—¿Dónde? —Alcanzo la otra silla de palisandro que está detrás de mí y la arrastro para sentarme cerca de él.

Durante un buen rato permanece en silencio. Por fin, comienza a hablar con voz lenta y firme.

—El día que estaba programada mi muerte, llovía. Yo no había dormido. La lluvia, proveniente del mar de China, no había dejado de azotar el techo de paja de los barracones. El monzón tendría que haber acabado ya, pero seguía lloviendo un día tras otro.

»El coronel Teruzen, mi instructor de vuelo, ya estaba en la veranda y miraba hacia la playa. Los relámpagos refulgían entre las nubes bajas y el mar. «Hoy no habrá vuelo», dijo cuando acudí junto a él. Su alivio era evidente. Aquel año, él cumplía cuarenta años y yo sabía que aquel hombre sobreviviría a la guerra. Eso me alegraba.

»El pequeño aeródromo estaba fuera de Kampong Penyu, en la costa sudeste de Malaya. La pista corría paralela a la playa. En los barracones no quedaba ningún piloto, salvo el coronel Teruzen y yo.

»Repetí sus palabras: «Hoy no habrá vuelo». Viviría un día más. La sensación de alivio me aturdió y me hizo sentir avergonzado. En todo caso eso acarreaba, de manera indefectible, una creciente frustración y la incertidumbre de la espera.

»Me habían encomendado la misión unos dos meses antes, junto a los demás pilotos de mi escuadrón. Seis de nosotros habíamos volado desde la base aérea de la Marina, en Kyushu, hasta Luzón. Pasamos la noche en la base de Luzón y al día siguiente partimos al amanecer para evitar que los americanos nos detectaran. Una hora después de despegar, el motor de mi avión empezó a dar problemas; se sacudía como si se resistiera a transportar la bomba de más de doscientos kilos que llevaba enganchada en su parte posterior.

Aquellos aviones no habían sido concebidos para cargar con tanto peso y, por aquel entonces, tenían bastantes defectos de fábrica. Yo no podía hacer nada. El equipamiento era tan básico en esa fase de la guerra que ni siquiera disponíamos de radio para comunicarnos entre nosotros. Solo pude ver cómo mis compañeros volaban a toda velocidad en dirección sur, hacia Malaya, hasta desaparecer.

»Busqué en mis mapas la pista de aterrizaje más cercana y recé para que el renqueante motor no se detuviera. Cuarenta minutos más tarde aterricé de manera forzosa en la base aérea de Bacolod, poco más que un grupo de barracas de madera rodeadas por unas cadenas montañosas bajas con las cimas interrumpidas por nubes de tormenta. La única señal de vida era una manga de viento que se agitaba frenéticamente como si un pájaro estuviera atrapado en ella.

»El personal de tierra estaba formado por un mecánico cojo de mediana edad y su ayudante. Les expliqué en qué consistía la avería. «¿Cuánto tiempo hará falta para arreglarlo?». «Tendremos que esperar a que el motor se enfríe, pero, por la descripción que nos das…». El mecánico aspiró con fuerza. Él comprendía mi desesperación: tenía que morir con mis camaradas de escuadrón. Habíamos pasado juntos el periodo de instrucción en la aviación y nos habíamos graduado a la vez en la Academia de la Marina Imperial. No quería quedarme atrás. «Tenemos un viejo motor Mitsubishi en el taller —dijo—. Quizás podamos rescatar algunas piezas. Lo haremos lo más rápido posible».

»Se puso firme y deduje que alguien se acercaba por detrás de mí. Me di la vuelta y volví a ver al coronel Teruzen después de un año. Él entornó los ojos con gesto ligeramente divertido y yo le dediqué un saludo militar. «Teniente Yoshikawa —dijo—. Eres muy amable dejándote caer por aquí para visitarnos». «He tenido problemas con mi avión, señor», contesté aturullado por su aparición inesperada.

»Miró el avión y sus ojos se ensombrecieron. «¿Te han enviado a la unidad *tokko*?». «Yo… Bueno, todos los de mi clase nos ofrecimos voluntarios —respondí—. ¿Y qué hace usted aquí? Había oído que estaba en Tokio». «Recorro las bases aéreas del mar de China Meridional —contestó— para informar al almirante Onishi sobre la efectividad de enviaros a vosotros, los jóvenes pilotos, a la muerte». El enfado en su voz era evidente: nos había entrenado a muchos de nosotros. «Un millón de corazones latiendo al unísono», dijo, citando el eslogan de los pilotos suicidas que en aquel momento se repetía por todo Japón. «Un desperdicio. Un desperdicio lamentable».

»Yo estaba cansado y con el uniforme húmedo y sudado. «¿Dónde están todos?», pregunté. «Los últimos pilotos se marcharon ayer. Han divisado un convoy de buques de guerra americanos en el mar de Sulu —dijo el coronel Teruzen—. Estamos esperando al siguiente grupo. Puede que pronto nos envíen más niños. Ven —sugirió—, te pondremos algo para desayunar. Puedes informar al comandante más tarde. A esta hora suele estar borracho».

»Lo seguí hacia la sala de un edificio bajo que se encontraba a unos doscientos metros del hangar; estaba totalmente vacía a excepción de un escritorio y un mapa desteñido de Filipinas clavado a la pared. Hice una reverencia ante la fotografía del emperador. El coronel Teruzen se apoyó en el marco de la puerta y me observó con los brazos cruzados sobre el pecho. «¿Hacia dónde te diriges?», preguntó. «Hacia la costa sudeste de Malaya», respondí. «¿Hacia Kampong Penyu?». Frunció el ceño. «Creía que habíamos abandonado esa base». «No lo sé, Teruzen-*san*. Yo solo cumplo órdenes».

»Se acercó a mí y rememoré nuestro último día juntos en Tokio. Yo había tomado la decisión de anteponer el cumplimiento de mi deber a mis propias necesidades. No deseaba que me recordaran, había elegido el camino de los pilotos *tokko*. «¿Cómo está Noriko?». «Hubo un ataque aéreo —contestó con el rostro rígido—. Ella estaba en casa preparando la cena. Destruyeron el barrio entero. Las llamas duraron varios días». Permanecimos un rato apartados el uno del otro, luego me acerqué y le di un abrazo.

»El mecánico tardó cinco días en reparar el motor y otros tres en ajustarlo. Me encontraba dividido entre la necesidad de apremiarle y las ganas de alargar mi estancia allí. Durante aquel tiempo Teruzen me llevó a hacer senderismo por las colinas cercanas. No necesitábamos hablar mucho; comprendíamos los matices de nuestros silencios. Una intensidad desconocida acompañaba cada uno de nuestros actos. Y por primera vez desde que nos conocimos, mucho tiempo atrás, me libré de todos los remordimientos inútiles. Por la noche me quedaba despierto y sentía cerca de mí su presencia. Él dormía regular. Su cabello se había vuelto de un color ceniza claro y había más arrugas alrededor de sus ojos.

»Nos habíamos conocido en la casa de mi padre, en Tokio. Teruzen era el consejero naval enviado para supervisar la fabricación de los aviones que construía mi padre. Japón acababa de tomar Singapur y la guerra en Asia marchaba viento en popa. Hubo un entendimiento inmediato entre nosotros aquella noche, cuando lo miré a los ojos después de hacerle la reverencia. Me quedé merodeando por allí mientras le presentaban a los demás empresarios.

»Él venía con frecuencia para hablar con mi padre sobre la fabricación y los detalles de ingeniería de los aviones, y muchas veces se quedaba a pasar la noche. Yo tenía dieciocho años. A mi alrededor todo eran llamamientos para que me alistara en el ejército y defendiera nuestra tierra. Era fácil dejarse atrapar por la histeria y ceder a la seducción de las historias de aquellos heroicos pilotos de combate que aparecían en los periódicos. Todos los estudiantes de instituto de Japón querían ser pilotos de la Marina.

»Terminé la instrucción para la aviación y solicité el ingreso en la Academia de la Marina Imperial, donde él enseñaba. A veces, a la salida de clase, nos invitaba a unos cuantos a su casa. Fue allí donde me enseñó por primera vez algunos de los *ukiyo-e* de Aritomo. Tenía una gran colección. «Son obra del *niwashi* del emperador», me dijo una vez que fui a visitarlo yo solo. «¿El mismo que te hizo el tatuaje?», le pregunté. Yo ya había visto el par de garzas que se perseguían formando un círculo en la esquina superior izquierda de su espalda. Aunque al principio me provocó rechazo, fui cambiando de opinión a medida que lo veía. Me había extrañado mucho que un hombre de la clase de Teruzen estuviera tatuado. Aproveché entonces la oportunidad para preguntárselo y él me contestó: «Éramos muy amigos». Algo en su voz me incitó a preguntar: «¿Qué ocurrió?». «El emperador lo echó. Aritomo dejó el país hace varios años. Nadie sabe dónde se fue».

»En varias ocasiones, Teruzen me llevó a los jardines que Aritomo había diseñado y me contó historias sobre el jardinero. Ahora, al volver la vista atrás, siento que fueron los días más felices de mi vida. Pero fue también entonces cuando conocí a su esposa, Noriko. Ella tenía treinta y tantos años y su delicada belleza contrastaba con el aspecto robusto de su marido. Me di cuenta de que tenía que poner fin a nuestra relación.

»Por entonces Japón estaba perdiendo la guerra. Los planes del vicealmirante Onishi para defender nuestro país comenzaban a divulgarse: se pedía a los pilotos que se lanzaran en ataques suicidas contra los buques de guerra americanos. Aquellos hombres eran conocidos como «flores de cerezo», ya que solo florecían durante un pequeño intervalo de tiempo antes de caer.

»Después de mi graduación recibí destino, pero no se lo conté a Teruzen cuando me llevó al santuario de Yasukuni para rendir culto a los espíritus de los guerreros caídos. Allí, en el silencio sagrado del patio, le anuncié que no nos volveríamos a ver nunca más. Todavía hoy percibo con nitidez la tristeza de su cara. Cerró los ojos, como si rezara una oración a los muertos que nos rodeaban. Cuando los abrió de nuevo, insistió: «Prométeme que nos volveremos a encontrar después de la guerra en este lugar». Yo accedí, aunque sabía que eso no iba a pasar. La guerra nos había reunido pero, una vez que hubiera concluido, todo volvería a cambiar. Él tendría que volver con Noriko. Le hice una reverencia y salí del santuario.

»Diez días después del aterrizaje de emergencia en Bacolod, mi avión estuvo listo para volar a Malaya. Cuando di las gracias al mecánico, me miró y luego miró a Teruzen, que se aproximaba a nosotros desde el otro lado de la pista. «Si hubiera tenido valor, habría averiado el motor para dejarlo inservible; ya ha habido demasiadas muertes inútiles», dijo. «Si yo hubiera tenido valor, Naga-*san* —apunté—, te habría pedido que lo averiaras». Nos inclinamos el uno ante el otro. Luego, cuando ya se marchaba, se detuvo un instante y se volvió hacia mí. «Rezaré una oración por ti en el santuario de Yasukuni cuando la guerra haya terminado».

»Teruzen se colocó junto al avión y golpeó el fuselaje. El metal sonó endeble y hueco. «Tu padre me consultó sobre su construcción —dijo—. Pero no era esto lo que queríamos fabricar. Deshonran el nombre de tu familia. Son una vergüenza para nuestra nación». «Mi padre construyó algunos de los mejores aviones antes de la guerra —reconocí—, pero se nos agotaron los materiales. Se nos agotó el ánimo». Teruzen me agarró por los hombros. «Nunca se nos agotó el ánimo». Entonces saqué una hoja de papel de mi maltrecho mono de vuelo y le hablé: «Me diste esto poco después de conocernos». Él lo miró y me apartó la mano. «No lo necesito; me lo sé de memoria».

«Me gustaría oírlo de tu boca otra vez —le pedí—. Por favor...». «Estoy seguro de encontrar mi fin / en un alto lugar sobre las nubes[1]...», comenzó a recitar en inglés. Era el primer verso del poema de Yeats *Un aviador irlandés prevé su muerte.* Cerré los ojos y lo escuché mientras percibía el enfado resignado de su voz al llegar al verso final. Entonces supe que, a diferencia de lo ocurrido en la última despedida, esta vez no intentaría olvidarlo. Abrí los ojos despacio. «Fui un idiota aquel día en Yasukuni, ¿verdad? —dije—. Todo este tiempo desperdiciado». «Pero también lo fui yo, al aceptar tu petición». «Y, sin embargo, hicimos lo correcto, de eso estoy seguro», reconocí.

»La mañana estaba encapotada y la manga de viento caía lacia. Una pareja de garzas se elevó entre los árboles en el borde de la jungla. Las observamos volar cada vez más alto hasta que desaparecieron tras una delgada cortina de lluvia en busca de un refugio que yo nunca hallaría. En los ojos de Teruzen percibí el mismo anhelo que yo había sentido al contemplar aquellas aves. Sabía lo que él quería de mí, aunque no lo expresó en voz alta. Sacudí la cabeza. «No puedo». Bajó la mirada. «Lo entiendo». Trepé a la cabina y me abroché el cinturón. «Le diré a tu padre que me encontré contigo aquí», dijo. «Se alegrará de saberlo», repuse. Cerré la cubierta antes de que él pudiera decir nada más.

»El motor falló varias veces antes de arrancar y con su estruendo irregular expulsó al aire un humo negro. Mientras activaba el acelerador, murmuré una oración para que aquel aparato me llevara finalmente al mar de la China Meridional, hasta las costas de Malaya. El avión comenzó a moverse, retenido por la bomba que colgaba debajo como el bulto canceroso de un pájaro. Ya estaba casi fuera de pista cuando, a duras penas, levantó el morro y despegó del asfalto. Di una vuelta alrededor del campo de aviación sin dejar de observar a Teruzen, que continuaba de pie en la pista. Mientras me elevaba por el cielo, el calor de las lágrimas contenidas empañó mis gafas protectoras.

»Estaba a ciento cuarenta kilómetros de la costa de Malaya cuando me topé con las nubes del monzón, espesas, altas y oscuras. Las gotas de lluvia, duras como balas, salpicaban el parabrisas. Tenía la incómoda sensación de que me seguían. Me revolví en el asiento para examinar el cielo a mis espaldas, preguntándome si un caza

[1] W. B. Yeats, *Poesía reunida,* traducción de A. Rivero Taravillo, Pre-textos, 2010. *(N. de la T.).*

americano me habría visto y jugaba conmigo. El cielo estaba vacío, pero la sensación no remitía. La visibilidad bajó a cero un momento después; si yo no era capaz de ver nada, tampoco me podían ver a mí.

»El avión se sacudía con el vaivén de las corrientes de viento y agua. No tenía bastante combustible como para remontar por encima de la tormenta. Solo podía mantener el rumbo y esperar no chocarme contra una montaña. Consultaba los mapas cada pocos minutos y la concentración exigida me impedía pensar en Teruzen y en mi padre.

»Pronto divisé unas luces tenues debajo de mí. Al examinar los mapas otra vez, grité de alivio. Había llegado a Kampong Penyu. Descendí hacia la pista, pero la configuración de luces me indicaba que las condiciones para tomar tierra eran imposibles. No tenía más opción que aterrizar, pero primero tenía que asegurarme de que sobreviviría. Continué volando y encontré un claro a un kilómetro y medio de distancia. Volé a ras y solté la bomba desactivada, con la esperanza de que, bajo la oscuridad y la lluvia, cayera en un sitio blando. Al librarse del enorme peso, el avión levantó el vuelo. Viré de regreso al aeródromo, intentando no perderlo de vista entre la tormenta. Finalmente aterricé y las ruedas chirriaron sobre la pista levantando un torrente de agua. Un momento después, me topé con una sucesión de baches. Comencé a girar descontroladamente. Oí cómo se partía el tren de aterrizaje. Me golpeé la cabeza con el cristal y perdí el conocimiento.

»Me desperté en una habitación con pocos muebles. Un hombre miraba por la ventana hacia la playa, de espaldas a mí. Lo reconocí y, por un momento, pensé que estaba soñando. Me llegó el sonido de las olas. Se dio la vuelta. Intenté incorporarme, pero el dolor me lo impidió. «Te has roto dos costillas —dijo el coronel Teruzen, acercándose a mi cama—. El médico ha hecho todo lo que ha podido, que tampoco es mucho. Están muy escasos de suministros». «¿Y mi avión?», pregunté. «El personal de tierra está intentando recuperarlo». «Viniste todo el camino detrás de mí desde Bacolod», dije al recordar la persistente sensación de que algo estaba persiguiéndome durante el vuelo. Me acercó a los labios un vaso de agua tibia. Me la bebí y me secó la boca con su pañuelo. «Tú conseguiste aterrizar entero, no como yo», observé. Me asaltó una renovada sensación de fracaso. «Ah, pero eso era de esperar; al fin y al cabo, fui tu profesor». «¿Queda alguien de mi grupo aquí?». En su cara apareció una sonrisa afectuosa. «El lugarteniente Kenji. Apareció un fallo en su motor la mañana que iba a volar, hace tres días. Cuando me vio, se quedó boquiabierto». Su sonrisa desapareció. «El fallo se ha arreglado y ya ha recibido órdenes. Volará mañana». «Es más joven que yo —dije—. Es un niño. Debería ir yo primero». «¡No estás en condiciones de pilotar un avión, Tatsuji!», concluyó con brusquedad. «No deberías haberme seguido hasta aquí, Teruzen-*san* —le recriminé—. Has desobedecido tus órdenes». «¿Qué le pasó a tu padre?». Su pregunta me sorprendió y no pude eludirla. De hecho, ¿qué sentido tenía evitarla en aquel momento? Era, como el poeta irlandés había escrito, un gasto de aliento en balde, los años que se habían ido, los años que habrían de llegar. Solo existía aquel momento presente para morir y vivir. Así que, muy despacio, comencé a hablar a Teruzen sobre la última vez que había visto a mi padre.

»Cuando aceptaron mi destino en las unidades *tokko,* viajé hasta la casa de campo de mi familia junto a las laderas de Gunma-ken. Mi padre se había trasladado allí al comienzo de los ataques aéreos. Los americanos habían bombardeado Tokio implacablemente y yo me alegré de ver intactas las viejas avenidas flanqueadas por arces de mi juventud. Las hojas se preparaban para rendirse ante el invierno; estaban más rojas de lo que, en mi recuerdo, habían estado jamás, puede que la tristeza de la guerra las hubiera manchado. Tiré de la cuerda que colgaba en la entrada. Imaginé que oía el tintineo de la campana en el interior de la casa. Poco después, el pestillo se abrió. Escondí mi estupor cuando vi a mi padre. Él nunca había sido una persona fuerte, pero ahora los huesos se le marcaban, estaba demacrado y tenía la mirada atormentada. Llevaba puesta su vieja *yukata* gris, que le quedaba demasiado ancha. «No me dijiste que fueras a venir», me recriminó. Durante un rato nos miramos como si fuéramos desconocidos. Entonces, hice algo que nunca había hecho: lo abracé. Me acarició la cabeza mientras susurraba mi nombre una y otra vez. Después, me apartó con una sonrisa. A pesar de la patente alegría de nuestro encuentro, noté cierta tensión en el aire. Tomamos el té en la *engawa* —era algo que solíamos hacer a menudo—, y yo me sentí aliviado y a la vez triste por los recuerdos. No sabía cómo abordar el asunto de mi destino. Estuvimos un rato hablando de los días de antes de la guerra, pero entonces, para mi sorpresa, él mismo sacó el tema del programa de los *tokko* del vicealmirante Onishi. «Me han ordenado que construya más aviones para la guerra —dijo—. No importa si son de peor calidad, siempre y cuando vuelen. Quieren que los fabriquemos lo más rápido posible». Sacudió la cabeza disgustado. «Es el deseo del emperador —dije—. Los aviones nos ayudarán a defendernos de los americanos». Aquellas palabras, que tantas veces había oído por la radio, me sonaron huecas. Mi padre se había ocupado de mí desde la muerte de mi madre; con solo mirarme a los ojos, supo la razón de mi visita. Empezó a llorar, en silencio, pero con los ojos desorbitados. Ver al líder de una de las mayores *zaibatsu*[2] del país en aquel estado me impresionó. Entonces supe que perderíamos la guerra.

»Me quedé allí cinco días. No volvimos a mencionar la guerra. La última mañana, al levantarme, percibí una tranquilidad en el ambiente fuera de lo común. Atravesé la casa y encontré a mi padre en el jardín. Estaba mirando el estanque de las carpas, en el que ya no había peces. Vestía completamente de blanco. «¿Dónde están los criados?», pregunté. «Les he pedido que se vayan». Más que sus palabras, fue el tono lo que me asustó. Comprendí entonces por qué iba ataviado de blanco y lo que estaba a punto de hacer. «No, *Oto-san*», dije. Me tendió la mano. Al agarrársela, sentí la solidez que recordaba de él. Me apretó la mía y un instante después la soltó. Entonces se dirigió hacia la parte posterior de la casa. Corrí tras él, llamándolo a gritos, pero él no se detuvo, no miró atrás. Llegamos al jardín *kore-sansui,* que él mismo había diseñado. La grava estaba rastrillada. En el borde de un rectángulo de arena blanca había una estera de juncos. Sobre ella reconocí las espadas de nuestros antepasados: la larga *katana* y, junto a ella, la *wakizashi* más corta. En una bandeja reposaban una taza y una pequeña jarra de sake.

»Mi padre miró los surcos en la grava: ondas silenciosas que se expandían desde un punto central. ¿O acaso regresaban sin hacer ruido? Tenía la costumbre de crear nuevos dibujos todas las tardes cuando volvía del trabajo. Le relajaba. Entonces dijo: «Buda ha dejado grabada la huella de su dedo en la tierra». «No lo hagas». Mi

[2] Agrupación de empresas. *(N. de la T.).*

voz temblaba, pero él estaba tranquilo, decidido como un barco que llega a puerto tras navegar por alta mar a través de la tormenta. Se arrodilló en la estera y se sirvió una copa de sake. Me sentí como si estuviera de nuevo aprendiendo a pilotar mi avión, sin oxígeno en los pulmones y a punto de perder el conocimiento por ir en contra de las fuerzas invisibles que unen los cielos y la tierra. «La vida es justa, ¿verdad? —dijo—. Yo construyo los aviones que envían a la muerte a los hijos de otros. Así que, para compensar, mi hijo también tiene que morir». Me miró fijamente. «Comprende que no pretendo que desobedezcas órdenes. Acepto que tienes que cumplir con tu obligación. A cambio, tienes que aceptar lo que yo debo hacer». Se quedó allí sentado durante otro rato, tan quieto que tuve un atisbo de esperanza al pensar que no se volvería a mover jamás y recé por ello. Hubiera preferido que se convirtiera en piedra antes de que continuara con aquello. Cogió la *wakizashi* y la desenvainó. El sol de la mañana atrapado en la hoja me hizo desviar la mirada. «Así, de este modo, terminará la gran familia Yoshikawa», dijo mi padre.

»Le sujeté el brazo y él dijo, muy bajito, como cuando yo era pequeño y quería despertarme: «Tatsu-*chan*…». El dolor de su voz me hirió más que si me hubiera gritado. «Estará bien volver a dormir en paz. Estoy tan cansado, hijo mío. Tan cansado». «*Oto-san*…». Me tomó la mano y la acarició. «Esperaba verte por última vez y ya lo he hecho. ¿Qué más puedo pedir? No te quedes, vete». Sacudí la cabeza. «Soy tu hijo». *Oto-san* asintió con la cabeza. Sostuvo la espada con la mano derecha y se abrió la bata. Respiraba lenta y profundamente, saboreando cada inspiración. El jardín estaba en silencio, los pájaros se habían ido. Recogí la *katana,* dispuesto a utilizarla en caso de que su dolor fuera insoportable o de que tuviera un momento de flaqueza. Pero no titubeó ni un instante.

»Teruzen y yo fuimos los primeros sobre la pista de aterrizaje. El lugarteniente Kenji y el comandante llegaron unos minutos más tarde. Delante de nosotros había una mesa con tazas de porcelana y una botella de sake. Pensé en las numerosas ceremonias que había presenciado durante los primeros días del programa *tokko.* En cada una de ellas habíamos bebido una copa de sake con los pilotos y les habíamos dirigido una reverencia antes de que subieran a los aviones. Echando la vista atrás, supongo que muchos de nosotros ya sabíamos que la guerra estaba perdida, pero la batalla había que darla igualmente. No había alternativa.

»El *hachimaki* blanco que llevaba atado Kenji alrededor de la cabeza tenía un sol naciente pintado, como si le hubieran disparado en medio de la frente. Serví el sake e hicimos una reverencia en dirección al palacio del emperador. Teruzen se bebió su copa de sake, pero no hizo el gesto de respeto. Kenji leyó su poema de despedida con voz juvenil aunque decidida, se inclinó ante nosotros y trepó al avión. «Que tengas un buen vuelo», le deseé al último miembro de mi escuadrón. «No tendrás que esperar mucho —me contestó gritando—. ¡Nos vemos en Yasukuni!». Despegó y le dije adiós con la mano hasta que lo perdí de vista para siempre. Nadie supo si consiguió asestar su golpe a los americanos. Yo era el último piloto que quedaba. Teruzen levantó el brazo, retrocedió y lanzó la taza hacia el cielo. La arrojó tan alto y tan lejos que no la oí romperse al caer. Cuando me di la vuelta para mirarlo, ya caminaba hacia los barracones.

»Pasábamos los días en una playa, no muy lejos de la base, bajo un refugio improvisado de hojas de cocotero. Durante los días claros se divisaba en el horizonte, hacia el sur, el suave perfil de Tioman. Según los pescadores locales, la isla era una princesa china que había surcado los mares en tiempos ya olvidados. Teruzen y yo habíamos hablado de ir a visitarla, pero el mar estaba demasiado agitado. «Cuesta creerlo —dijo señalando hacia el agua—, pero solo a ochenta kilómetros en dirección norte nuestros aviones hundieron dos buques de guerra británicos».

»Mis lesiones se estaban curando más rápido de lo que le hubiera gustado a Teruzen. Una semana después de la partida del lugarteniente Kenji, me informaron de que el mecánico era incapaz de recuperar mi avión. Cuando Teruzen me lo contó, vi un reflejo de esperanza en sus ojos. Fue a última hora de la mañana y el cielo estaba despejado. Habíamos pasado por delante del pueblo pesquero, con sus rejillas de pescado salado secándose al sol. «Tendré que encontrar otro avión», dije. «Pero ¿eres idiota?». Fue la primera vez que le oí levantar la voz. «Nos han dado, a ti y a mí, una segunda oportunidad para aquello que una vez desperdiciamos. No tenemos ninguna obligación con nadie». «¡Quieres que sea un cobarde! —exclamé—. Quieres que renuncie a mi juramento y a mi honor». «Ya no puedes hacer nada —repuso—. Hemos perdido la guerra, por más que nos neguemos a aceptarlo». «No puedo anteponer mis necesidades a mi deber», contesté. «Lo que te estoy pidiendo… —balbuceó—. Lo que te estoy pidiendo es que antepongas mis necesidades, las mías». Me quedé mirándolo. «¿Y dónde iríamos?». Miró hacia el mar despejado. «No tenemos que ir a ningún sitio —contestó finalmente—. Este lugar nos bastaría, ¿no? Pasaríamos aquí el resto de nuestros días, lejos del mundo. Una casa en esta playa y un tiempo eterno».

»Durante un buen rato me dejé seducir por su sueño. Me permití pensar por un instante en todas las posibilidades que se abrían ante mí, en cómo sería aquella vida. Recordé las garzas que una vez vimos alzar el vuelo hacia un santuario inalcanzable. Pero sabía que era imposible. Era imposible. «Si no cumplo con mis órdenes, la muerte de mi padre habrá sido en vano —dije, esforzándome por encontrar la manera de explicarle mi decisión—. Él aceptó que yo tenía que volar, y si no lo hago, ¿qué sentido tiene entonces su muerte?». Me detuve y afiancé mi determinación. «Por eso te pido que me permitas usar tu avión. Podemos enganchar en él el soporte de la bomba que llevaba el mío».

»El rostro de Teruzen envejeció súbitamente; se parecía tanto al de mi padre antes de morir que sentí como si la guerra hubiera alterado por completo la estructura del tiempo. Por primera vez desde que lo conocía, se vino abajo. «No debería haberte seguido hasta aquí —reconoció—. Fui un egoísta. Quería estar contigo durante el tiempo que te quedara». «Tú conocías mi destino desde el día en que me diste la primera lección de vuelo —murmuré mientras rozaba su hombro—. Nada puede cambiarlo».

»Teruzen pilotaba un biplaza Yoshikawa K41, uno de los primeros modelos de mi padre. Sobre el fuselaje estaba pintado el emblema de su familia: una pareja de garzas volando en círculo en una persecución eterna. Mientras modificaban el avión, pasó una mañana instruyéndome sobre la mejor manera de llevar la bomba. Después de aquel día en la playa no habíamos hablado mucho, salvo para debatir sobre los arreglos del aparato. Un día, a última hora de la tarde, dijo: «Quiero llevarte, volar contigo una vez más. Así te harás una mejor idea de cómo funciona».

»En la cabina tomé los mandos y él se sentó detrás. Por fin entendí por qué mi padre se había avergonzado de los aparatos de calidad inferior que tuvo que construir al final de la guerra. Comparado con el mío, el avión de Teruzen era suave y potente, un águila frente a un gorrión. Recordé nuestro primer vuelo juntos en el avión de entrenamiento en la academia y me invadió una gran tristeza. «Sube más —me indicó Teruzen—. Todo lo alto que puedas». Ascendimos por encima de las nubes, donde los últimos rayos de sol todavía teñían el cielo de rojo. Volamos y volamos hasta que por debajo de nosotros se hizo de noche en la tierra. Pronto, por encima del dosel, comenzaron a aparecer las estrellas. «Una vez, mientras estaba en una patrulla nocturna —dije—, sentí que no quería aterrizar. Me dieron ganas de seguir volando, pensaba que siempre estaría a salvo en la oscuridad». «Sería maravilloso permanecer siempre en vuelo», comentó en voz baja pero lo suficientemente clara para hacerse oír en el interior de aquella cápsula de cristal. Sentí que me agarraba el hombro con una mano y yo puse encima la mía. Tal vez un millón de corazones estuvieran en ese momento latiendo al unísono por un piloto suicida como yo, pero allí arriba, aquella noche, yo solo podía oír y sentir el suyo y el mío.

»Me llegaron órdenes tres veces y tres veces fueron canceladas debido a la meteorología adversa. La tarde del 5 de agosto de 1945 las recibí por cuarta vez. Habían divisado un portaaviones americano en la costa de Borneo, en dirección norte. Yo partiría al día siguiente, a las ocho de la mañana. Estaba previsto tiempo bueno y soleado.

»Después de la cena de despedida ofrecida por el personal de la base que quedaba, Teruzen y yo dimos un paseo por la playa. La luna asomaba desde el mar. No había olas. Teruzen estaba tranquilo y resignado, y me ofrecía consejos e indicaciones sobre cómo sacar el mejor partido posible al avión. «No hablemos más de la guerra —le pedí. Me miró y asintió—. Cuéntame qué harás cuando todo esto haya acabado». Quería asomarme a una parte de su vida en la que yo nunca podría participar. «Es probable que me acusen de criminal de guerra y me procesen». Sacudí la cabeza. «Dime lo qué harás», insistí. Miró hacia el mar y comprendió lo que yo quería. «Regresaré aquí, a esta isla, y construiré una casa… allí». Señaló una zona bajo una hilera de cocoteros. «Pasaré aquí el resto de mi vida. Saldré en barca todas las mañanas, pescaré y contemplaré la salida del sol por el océano». «Será una buena vida», le aseguré. «Pensaré en ti todos los días», dijo mirándome. «He escrito mi poema de despedida. ¿Te gustaría oírlo?». «Mañana me lo recitarás».

»Seguimos caminando. No quería desperdiciar el tiempo durmiendo, pero al final me dijo: «Tienes que descansar un poco. Vas a necesitar que tus reflejos estén alerta cuando vueles mañana». «Quiero pasar la noche en esta playa», le pedí. «Duérmete —accedió—. Yo te despertaré».

»Me tumbé sobre la arena fría y húmeda. Las estrellas parecían estar lo bastante cerca como para agarrarlas. Solo tenía que estirar el brazo. Pero en vez de eso, lo que agarré fue su mano, y no dejé que se soltara ni siquiera cuando me quedé dormido.

»Cuando me desperté, no estaba. Eran casi las ocho menos diez y el sol se encontraba ya alto. Salí corriendo hacia la base maldiciéndome. El Yoshikawa K41 estaba sobre la pista, con el motor soltando humo. Mi reloj marcaba las ocho y doce. Me paré para recuperar el aliento y reanudé mi carrera hacia el aparato a toda velocidad. Ya no había tiempo, el portaaviones pronto quedaría fuera de mi alcance.

»El K41 comenzó a moverse. No me lo podía creer. El acelerador se abrió y el avión empezó a rodar hacia el principio de la pista. A través del cristal de la cubierta, vi la cara de Teruzen. El K41 se detuvo. Durante un momento eterno, él me miró a los ojos. Parpadeó una vez y sonrió. Levantó la mano, abierta como si pudiera tocarme en la distancia. Yo le gritaba, grité hasta quedarme ronco, incluso cuando ya no podía oír nada.

»Dejó caer la mano. El avión dio unas cuantas sacudidas hacia delante y luego tomó velocidad. Saqué toda la fuerza de mis piernas para alcanzarlo. Cambié de dirección, esperando poder interceptarlo en la pista a mitad camino, aunque sabía que eso era imposible. El K41 se levantó del suelo. Me caí y me levanté, sin apartar la mirada de Teruzen, mientras él daba una vuelta a baja altura sobre el aeródromo. No tengo ninguna duda de que nuestros ojos se encontraron una última vez. Cerró el círculo y viró en dirección al sol.

»Y en ese momento fue cuando el cielo cambió de color. Se volvió completamente blanco antes de resquebrajarse en vetas rojas, magenta y púrpura. Apreté los ojos, pero la luz seguía penetrando y me cegaba. Solo unas semanas después me enteré de que los americanos habían lanzado su primera bomba atómica sobre Japón. En el preciso instante en que Teruzen despegaba en mi lugar para chocar contra el barco, la guerra acababa.

»Y así es como me convertí en la flor de cerezo que jamás cayó al suelo, salvado por la orden de un emperador mudo a quien daba voz la derrota. Tenía veintidós años cuando la guerra terminó y el emperador Hirohito pronunció el primer discurso por radio que un Ser Divino dirigía a su gente; en él nos animaba a aceptar la derrota y a «soportar lo insoportable».

»Y qué razón tenía. Lo soporté.

Después de que Tatsuji termina de hablar, nos quedamos sentados en silencio durante un largo rato. No ha tocado el té ni yo tampoco. Su mirada vuelve al *ukiyo-e* del pueblo pesquero.

—Ahora soy un hombre viejo, mayor de lo que era Teruzen cuando voló aquella mañana —dice—. Cuando termine el libro sobre Aritomo, regresaré a Kampong Penyu. He comprado un terreno allí, en el sitio exacto del que habló Teruzen. Y allí construiré la casa que él quería para nosotros. Y esta vez… —hace una reverencia—, esta vez no me volveré a ir nunca más.

—¿Te recluyeron cuando terminó la guerra?

—En Singapur. Me pusieron a trabajar con otros cientos de hombres. Quitábamos los escombros de las calles, limpiábamos las alcantarillas, reponíamos los cables eléctricos derribados. Después de que me enviaran a casa, dejé la Marina. —Se pone de pie con dificultad—. Nunca volví a visitar el santuario de Yasukuni. Nunca fui al Museo Bélico Kagoshima, donde se pueden ver y tocar los restos de los aviones que usaron los pilotos *tokko* y que sacaron del mar. Nunca quise volver a verlos —dice—. Para mí, aquella playa alejada de Japón es el único lugar donde el espíritu de Teruzen podrá encontrar la paz.

—¿Y qué harás allí? —le pregunto, como él le preguntó una vez al hombre que amaba, al que sigue amando.

—Todas las mañanas, al amanecer —contesta con la mirada perdida—, saldré a remar en una barquita. Me giraré hacia el punto donde divisé por última vez el avión de Teruzen y esperaré a que salga el sol.

Capítulo diecisiete

Aritomo no cambiaba la manera de comportarse conmigo cuando estábamos delante de otras personas. Había una parte de él donde yo sabía que nunca podría entrar. De vez en cuando, mientras trabajábamos en el jardín, lo descubría contemplándome con expresión atenta en el rostro. Él nunca apartaba la vista cuando me cruzaba con sus ojos, sino que continuaba observándome.

Tras un periodo de calma relativa, los CT intensificaron su actividad; más de trescientos civiles fueron asesinados en un mes, y parecía que seleccionaban a mujeres y niños como objetivo. Dispararon a una niña de dos años mientras jugaba con el cocinero de la familia en una plantación de caucho. Un hacendado y su esposa sufrieron una emboscada en una carretera principal; los terroristas mataron a la mujer y dejaron con vida al marido. Justo una semana antes, cinco CT entraron en la iglesia de arenisca de Tanah Rata durante la misa matutina y asesinaron al sacerdote francés que oficiaba el servicio. Se recomendó a las esposas de los hacendados y de los propietarios de minas, que habían jurado quedarse junto a sus maridos en Malaya, que hicieran las maletas y se marcharan con sus hijos; algunas familias europeas de Cameron Highlands ya lo habían hecho.

Templer clasificó las zonas infestadas de CT como «áreas negras». En ellas intensificó el racionamiento de alimentos e impuso restrictivos toques de queda con la intención de que sus habitantes, condenados a una vida de miseria, se vieran obligados a retirar el apoyo a los comunistas. A pesar de esas medidas, la lista de áreas negras crecía vertiginosamente y su extensión sobrepasaba con creces la de áreas blancas libres de la infiltración subversiva. Aquello me recordaba a las piedras blancas y negras del *go,* al que a veces jugaba con Aritomo; él rodeaba mis piezas para convertirlas en piezas de su color.

Por la noche, tumbada en la cama, escuchaba los tiroteos del ejército sobre los campamentos de los CT en algún valle cercano. El cielo vibraba con las detonaciones y se iluminaba con una aurora boreal artificial. «Aurora ecuatorial», la llamaba Magnus.

Una noche, al volver de Yugiri, me dirigí hacia la parte posterior del *bungalow.* Había empezado a usar la puerta trasera para que, al encender la luz, no se viera mi silueta desde el carril de entrada. Estaba a punto de girar cuando una figura salió de detrás de los árboles y me apuntó con una pistola.

—¡Adentro! —gritó—. ¡Rápido!

La luz de la cocina estaba encendida. Yo parpadeé. Las persianas de las ventanas estaban bajadas y había tres personas sentadas en la mesita del comedor. Una de ellas era una mujer un poco más joven que yo, extremadamente delgada y con el pelo corto y descuidado. Los hombres tendrían veintitantos años, tal vez treinta. Sus uniformes color caqui estaban mugrientos y las tres estrellas rojas descoloridas de sus gorras parecían gotas de sangre seca. El hombre de la pistola me empujó hacia una silla, perdí el equilibrio y casi caí al suelo.

—Coged toda la comida que queráis —dije—. Y hay dinero en mi monedero.

La mujer se levantó y vino hacia mí.

—Teoh Yun Ling, ayudante del fiscal del distrito —habló en inglés, pronunciando lentamente cada palabra.

—Ya no —repliqué—. Deberíais poneros al día con las noticias. —Ella me dio una bofetada.

«No es nada —me susurré a mí misma para obviar el dolor—. Ya te han golpeado otras veces».

El zumbido de mis oídos desapareció un minuto más tarde y pude escuchar el sonido de una mariposa nocturna alrededor de la luz de la cocina. Mis ojos recorrieron la habitación en busca de un arma, de cualquier cosa que me pudiera servir. Sobre la mesa había un número de la revista *Planter's Weekly,* pero, a diferencia de Aritomo, yo no sabía cómo hacer uso de ella.

La mujer fue a la encimera, encendió la radio y giró el dial hasta que encontró una emisora china. Una canción inundó la estancia, una balada muy conocida que le gustaba a mi madre, a pesar de no entender la letra: *Yue Lai Xiang.*

—Cada vez que la oigo me acuerdo de mi hermana —dijo la mujer—. Ella la cantaba todo el rato. Se llama Liu Foong. Gracias a ti, fue deportada a China.

—¿No os gusta cómo funcionan las cosas en China?

Uno de los hombres se me acercó. Me dije que debía mantener el cuerpo relajado para que el dolor disminuyera. Era un viejo truco que aprendí en el campo de prisioneros. De todas formas, dolía. Me golpeó hasta que me dejó casi inconsciente mientras los lamentos de la canción terminaban. La sangre me entraba en los ojos y me chorreaba por la barbilla. Oí que registraban los armarios de la cocina y llenaban bolsas con todo lo que encontraban.

La mujer volcó mi silla de una patada. Me golpeé el hombro izquierdo contra el suelo. Grité. Ella se agachó junto a mí. A través de los ojos hinchados vi que llevaba un cuchillo en la mano. Intenté rodar, pero me agarró por el tobillo y tiró de mí. Comencé a lanzar patadas como loca y, en una de ellas, le di en el mentón. Ella gruñó, levantó el cuchillo y me lo clavó en el muslo. Mis gritos se fundieron con otra voz lejana, una voz que reconocí como mía, que aullaba desde una vida anterior.

Unas cortinas blancas y finas cubrían el hueco de la ventana. Todo era blanco: las paredes, el techo, incluso el suelo. Creí que estaba de nuevo en mi antigua habitación en la Residencia Majuba. Tenía la visión borrosa y notaba los párpados pegados. La mujer que ocupaba una cama al otro lado de la habitación se quejó suavemente, como para sí misma. Fuera, en el pasillo, unas voces murmuraban. Las ruedas de un carrito chirriaron. Al verme despierta, la enfermera salió de la habitación y volvió unos minutos más tarde acompañada de un médico.

—Estás en el hospital de Tanah Rata —me explicó el hombre. Lo conocía de uno de los *braais* de Magnus o de una de sus fiestas. Teoh... no, ese es mi nombre. Yeoh. Doctor Yeoh—. Has perdido mucha sangre —añadió—. El jardinero *japo* fue a buscarte cuando vio que no ibas a trabajar. Si él no hubiera...

—¿Cuánto tiempo llevo aquí? —Mi voz sonaba extraña.

—Dos días —dijo la enfermera mientras me ayudaba a incorporarme en la cama.

Tenía la cara cubierta de vendas, como una momia. Cuando me la toqué, la noté hinchada. Alrededor del muslo, donde me había apuñalado la terrorista, tenía otro vendaje.

El subinspector Lee de la comisaría de policía de Tanah Rata llegó más tarde, aquella misma mañana, a la vez que Magnus y Emily. Cuando me di cuenta de que tenía las manos descubiertas me puse a buscar frenéticamente mis guantes. Magnus hurgó en su bolsillo y me los dio.

—La mujer que te acuchilló parece ser Wong Mei Hwa —dijo el subinspector Lee, después de que yo relatara lo sucedido—. Hemos oído que se encuentra por la zona. Está en el Lau Tong Tui del Partido Comunista Malayo.

—¿Qué es eso? —pregunté.

—El Cuerpo Especial de Servicio. —Miró a Magnus y a Emily—. Cuadrillas asesinas. Tienes suerte de haber escapado solo con esas heridas.

—Dijo que su hermana fue una mujer cuyo caso llevé: Chang Liu Foong. Fue deportada.

—Ah... —Lee revisó sus anotaciones—. Ayudaste a algunos altos mandos de los CT a entregarse hace unos meses. Es posible que el Partido Comunista Malayo se estuviera vengando. ¿Mencionó Wong Mei Hwa algo sobre eso?

Sacudí la cabeza.

—¿De qué diablos está hablando? —interrumpió Magnus—. ¿Ayudaste a entregarse a unos CT?

Le conté lo que había pasado.

—¡Me acuerdo de eso! —dijo Emily—. Salió en el *Straits Times,* ahora lo recuerdo. Aquel hombre consiguió una buena recompensa. Dijo que iba a abrir un restaurante.

—No quise decir nada... Os habríais preocupado —me excusé.

—¡Pues claro! *¡Blerrie...!* —Magnus explotó—. ¡Nos has puesto en riesgo a todos!

—¡No grites tanto-*lah!* —le pidió Emily. Magnus empujó su silla hacia atrás con gran estruendo y se fue airado hacia la otra punta de la sala.

Después de que el subinspector se marchara, Emily abrió los termos que había traído y llenó un cuenco con caldo de pollo.

—Bébete esto. Te aliviará el cuerpo. Yo misma lo he preparado. Lleva ginseng. —El sabor era horrible, pero tenía claro que sería más fácil tragármelo que negarme a hacerlo—. Hemos llamado a tu padre —dijo mientras me observaba para asegurarse de que me terminaba hasta la última gota—. Quiere que vuelvas a Kuala Lumpur.

Me limpié los labios.

—No voy a irme.

—Vale, ¡pero no puedes seguir viviendo sola! —concluyó Magnus, que ahora estaba a los pies de mi cama.

Una enfermera lo mandó callar desde el fondo de la sala y Emily se disculpó con una sonrisa.

—No soy una niña, Magnus —dije.

—Ya has oído a Lee: esa mujer podría haberte matado. Vuelve a tu casa en Kuala Lumpur. Siempre podrás venir cuando haya acabado la Emergencia.

—¿Y cuándo será eso? —pregunté—. ¿Me lo puedes decir?

Emily tocó la mano de Magnus y él se tragó su genio con un esfuerzo evidente. Suspiró.

—Vamos, *Lao Puo* —dijo Magnus mientras tiraba de Emily para que se pusiera de pie—. No la agotes más con tu cháchara, deja que la estúpida de la niña descanse un poco.

Con la ayuda reticente de la enfermera, fui cojeando hasta la consulta del doctor Yeoh, una sala grande y soleada al final de un largo pasillo, para telefonear a mi padre. Cuando llegué, tenía la frente empapada en sudor. El médico había salido. Después de mucha agitación y unas cuantas palabras subidas de tono, conseguí que la enfermera se marchara a continuar su ronda.

—¡Gracias a Dios que estás a salvo, Ling! Me tenías preocupadísimo —dijo mi padre—. Mañana tengo que ir a Singapur. No sé cuanto tiempo estaré allí, pero enviaré a mi conductor a Majuba para que te recoja. Solo dime cuándo te darán el alta.

—Estoy bien. No ha sido nada grave.

—¿Que no ha sido grave? ¡Te atacaron y te apuñalaron! Magnus es el responsable de todo esto.

—Insistí a Magnus para que me dejara vivir sola, padre. Espero que no le hayas contado nada a madre.

—No se lo he contado. De todas maneras daría igual: ya no nos reconoce ni a Hock ni a mí. —«Y tú deberías estar aquí, cuidando de ella». Eso no lo expresó en voz alta, pero le leí el pensamiento.

—Magnus nos ofreció un lugar seguro para escondernos durante la guerra —afirmé—. No me lo habías dicho.

—¿Bajo la protección de su amigo japonés? Eso era inaceptable —dijo mi padre—. Y tú…¡trabajando para un japonés! Después de lo que nos hicieron…

—Si hubieras aceptado el ofrecimiento de Magnus, Yun Hong seguiría viva —le recriminé—. Habríamos estado todos a salvo. Y madre no estaría… Todavía estaría bien.

—¿Crees que no cuidé de vosotras? ¿Que no hice todo lo que pude para averiguar qué os había sucedido? He perdido la cuenta de los japoneses a los que tuve que implorar para que me dijeran qué había sido de vosotras. Les pagué todo lo que me pidieron. ¡Pero jugaron conmigo! Me aseguraban que no sabían nada, que no estabais en ninguno de sus registros.

—No te molestes en enviar a tu conductor, padre —zanjé la conversación—. No tengo intención de marcharme.

Todo lo que oí fue silencio. Y luego colgó.

Esa tarde, cuando me desperté, Aritomo estaba en la silla donde Magnus se había sentado poco antes. Dejó su libro —*El temblor de una hoja,* de Somerset Maugham— y se dirigió hacia una mesita auxiliar en la que había una fiambrera con varios compartimentos.

Fuera ya era de noche.

—¿Qué hora es? —pregunté mientras me incorporaba entre las almohadas.

—Más de las seis. —Abrió la tapa de la fiambrera, sacó el recipiente superior y me lo dio. Miré dentro y sonreí a la vez que sacudía la cabeza. El movimiento me provocó espasmos de dolor en la cara.

—Sopa de nidos de pájaro —reconocí cuando el dolor remitió—. En nada volveré a trabajar.

—Entonces, ¿te quedas?

—El monzón no ha empezado.

Fue hacia la ventana. Pegó la cara al cristal para mirar el cielo.

—Creo que este año se va a retrasar —afirmó.

Me visitó todos los días mientras me recuperaba. Siempre traía sopa de nidos de pájaro en la fiambrera y se aseguraba de que me la tomara. Luego me sacaba en la silla de ruedas al jardín del hospital, que no era más que un amplio césped inclinado con algunos arbustos de hortensias en los arriates. Mientras me empujaba por los caminos, entre los dos lo rediseñábamos una y otra vez.

—Ah Cheong se casa mañana —me dijo una tarde cuando llegó a visitarme—. Con una chica de Tanah Rata. Su madre lo concertó. Nos ha invitado, pero en tu estado pensé que era mejor declinar la invitación.

—Tienes que darle dinero —le pedí—. Pónselo en un sobre rojo.

—Ya se lo he dado —apuntó mientras, un día más, abría la fiambrera.

Ya estaba un poco harta de sopa de nidos de pájaro, pero no dije nada por no herir sus sentimientos.

—¿Eso qué es? —pregunté cuando miré en el primer recipiente y percibí el aroma.

—De parte de Ah Cheong. Abulón. También hay sopa de aleta de tiburón. Y langosta a la parrilla. Parece que su «medio hermano» es quien llevará la comida para el banquete de bodas. Es propietario de un restaurante en Kuala Lumpur, por lo visto. No sabía que tenía un hermano. —La sonrisa de Aritomo fue tan fugaz que casi se me escapa—. ¿Y tú?

La última tarde que pasé en el hospital, una enfermera acompañó a Magnus hasta el jardín. Llevaba un ramo de lirios y sonrió de oreja a oreja cuando vio a Aritomo, que me ayudaba a trasladarme con unas muletas. Me dio los lirios.

—Un poco tarde para traerme flores, ¿no crees? —dije mientras me ayudaban a sentarme en un banco—. Mañana me dan el alta.

—Son de parte de Frederik. Se enteró hace dos días de lo ocurrido. Ha estado en la jungla.

Charlamos durante un rato de cosas sin importancia. En más de una ocasión percibí cierta inquietud en Magnus. Por fin, se volvió hacia mí y me contó:

—Tu padre me llamó ayer.

—¡Ay, por Dios! Ya le dije que no mandara a su conductor.

—No llamó para eso. Quiere que te prohíba vivir sola en Majuba. —Magnus se frotó la correa del parche—. Y, después de lo que ha ocurrido, tengo que darle la razón.

—¿Me estás pidiendo que me vaya de Casa Magersfontein? —pregunté en tono acusador.

—Emily ha empaquetado tus cosas y las ha trasladado a nuestra casa.

Comprendía el dilema en el que se encontraba, pero me puse furiosa con él.

—Buscaré otro sitio donde quedarme, fuera de Majuba.

Magnus se dirigió a Aritomo con impotencia:

—¿Puedes hacer que entre en razón?

Aritomo se quedó callado unos instantes. Finalmente, habló:

—Puedes quedarte conmigo.

Un mes después retomé el trabajo en Yugiri. Aritomo solo me asignaba las tareas más fáciles y me mantuvo alejada de las otras hasta que recuperé las fuerzas. Magnus y Emily intentaron que cambiara de opinión respecto a quedarme en Yugiri. Yo los ignoré. La gente comenzaría a hablar y sabía que los chismorreos llegarían a oídos de mi padre en unos días, pero desde el momento en que me trasladé a Yugiri, supe que estaba al margen del resto del mundo. A pesar de que había asesinatos por todo el país, era la primera vez en muchos años que me sentía en paz. Aunque el mundo exterior enseguida comenzó a entrometerse: habría sido ingenuo pensar lo contrario.

Una mañana, cuando estábamos terminando de practicar *kyudo,* vi a Ah Cheong por el rabillo del ojo. Se quedó fuera de la galería de tiro, sin decir una palabra, hasta que Aritomo disparó la segunda flecha y bajó el arco.

—Hay unas personas en la entrada que desean verle, señor.

La atención de Aritomo seguía fija en el *matto;* sus flechas se habían desviado ligeramente del centro.

—No espero a nadie. Diles que se vayan.

—Me han pedido que le explique que vienen de Tokio. Son de… —Miró un papel que llevaba en la mano e intentó leerlo. Al notar la impaciencia de Aritomo, me lo dio a mí.

Con alguna dificultad, pude interpretar los caracteres japoneses.

—La Asociación para traer a casa a los Guerreros caídos del Emperador —leí despacio.

Después de deslizarse por un claro abierto entre las nubes, el sol volvió a ocultarse. A lo lejos, los pájaros salieron disparados en silencio de un árbol, como hojas arrancadas por un fuerte viento. Aritomo echó una mirada alrededor de la galería de tiro, como si hubiera algo en ella que no había visto antes. La varita de incienso que había encendido para determinar nuestra hora de entrenamiento estaba terminando de quemarse. Una última línea de humo se desprendió y se alejó formando una voluta en el aire.

—Deja que esperen en la *engawa* delantera —dijo. El mayordomo asintió con la cabeza y se fue. Aritomo me miró—. Ven conmigo.

Colgué el arco al fondo de la galería y me volví para mirarlo.

—No quiero conocer a esa gente.

Pasé por delante de él con grandes zancadas, pero me agarró por la muñeca y apretó un instante antes de soltarme. Se dirigió hacia la urna y sopló con suavidad el apéndice de ceniza, que al desintegrarse impregnó de polvo el borde del recipiente y el aire hasta que una ligera brisa lo dispersó por la luz.

Había una mujer y, a cierta distancia de ella, tres hombres. Todos examinaban las rocas del jardín *kore-sansui* y hacían comentarios en voz baja. Cuando Aritomo los llamó se dieron la vuelta; a mí solo me dirigieron una mirada rápida. Los hombres llevaban traje negro y corbata de colores apagados, excepto uno, que era completamente calvo y exhibía la vestimenta tradicional gris. La mujer aparentaba cincuenta y tantos años; vestía una blusa entallada verde esmeralda y una falda *beige*. Las perlas que le rodeaban el cuello eran tan delicadas como el rocío de la mañana que salpica una telaraña.

El primer hombre soltó su maletín, avanzó medio paso e hizo una reverencia.

—Soy Sekigawa Hisato —dijo en japonés—. Deberíamos haberle informado de nuestra visita con anterioridad; le agradecemos que haya accedido a recibirnos.

También en la cincuentena, tenía la espalda estrecha pero parecía corpulento, quizás por el aire de seguridad que le otorgaba su condición de líder del grupo. Imaginé que estaba acostumbrado a esa posición. Los demás se inclinaron cuando Sekigawa los fue presentando uno a uno. El hombre con la cabeza afeitada era Matsumoto Ken. La mujer, Maruki Yoko, me sonrió. El último, Ishiro Juro, solo asintió con indiferencia.

—La Asociación para traer a casa a los Guerreros caídos del Emperador se creó hace cuatro años —explicó Sekigawa mientras se sentaban en el tatami alrededor de la mesa baja. Sentí cómo me miraba fijamente cuando coloqué las piernas en la posición *seiza*—. Hemos recorrido todos los lugares donde nuestros soldados lucharon y murieron.

Ah Cheong salió a la veranda con una bandeja de té. Una vez que Aritomo nos hubo servido a todos, Sekigawa aspiró el aroma de su taza y levantó las cejas.

—¿Fragancia del árbol solitario?

—Sí —confirmó Aritomo.

—¡Estupendo! ¡Exquisito! —Dio un sorbo y lo mantuvo en la boca unos instantes antes de tragarlo—. No lo tomaba desde antes de la guerra. ¿Dónde lo ha conseguido?

—Me traje varias cajas cuando me trasladé aquí, pero ya casi se me ha acabado. Dentro de poco tendré que encargar más.

—Ya no podrá conseguirlo —dijo Sekigawa.

—¿Por qué no?

—La plantación, los campos de té, el almacén… todo se destruyó en la guerra.

—Yo… no tenía ni idea… —De repente Aritomo se mostró perdido.

—*Hai,* es una pena. —Sekigawa sacudió la cabeza—. El dueño y toda su familia fueron asesinados. Una desgracia.

La señora Maruki cambió de postura antes de hablar:

—Estamos aquí para encontrar… —Se detuvo y me lanzó una mirada vacilante.

Aritomo se tomó un tiempo antes de intervenir.

—Yun Ling habla *nihon-go* bastante bien.

La señora Maruki asintió.

—Estamos aquí para encontrar los restos de nuestros soldados y llevarlos a casa para enterrarlos como es debido.

—Descansarán en Yasukuni con las almas de todos los soldados que murieron en la guerra del Pacífico —añadió Matsumoto.

—En las playas de Kota Bahru y en la zona de Slim River… —respondió Aritomo después de quedarse pensando un momento—. La lucha más encarnizada entre británicos y japoneses tuvo lugar allí.

—Ya hemos estado —replicó la señora Maruki—, a mi hermano lo mataron en Slim River.

Permaneció a la espera, ansiosa. Aritomo no dijo nada y yo tampoco. Había algo en aquel grupo de personas que me incomodaba. Miré de reojo a Aritomo, pero su expresión era indescifrable.

—¿Cómo diferencian los huesos de unos y otros? —pregunté—. Dudo que las familias de los soldados británicos vean con buenos ojos que sus restos acaben en un santuario pagano.

La señora Maruki sacudió la cabeza hacia atrás, como si le hubiera escupido en la cara. Sus mejillas enrojecieron.

Sekigawa intervino con la voz conciliadora de un experimentado mediador.

—El acto es simbólico —explicó—. Solo recogemos una muestra de huesos de cada emplazamiento que visitamos. —Dio un pellizco al aire con sus dedos índice y pulgar—. Trozos muy pequeños.

—Las familias siempre agradecen que se lleve a casa algún resto de un hijo, un hermano, un padre —dijo la señora Maruki.

—No hay soldados muertos en Yugiri —dijo Aritomo.

—Claro, claro, lo sabemos —replicó Sekigawa—. Esperábamos que usted nos hablara de otros lugares sobre los que no hemos obtenido ninguna información.

—Hemos estado en todos los campos de batalla conocidos —añadió la señora Maruki—, queremos visitar los desconocidos, los olvidados. También los centros de internamiento de civiles.

—¿Centros de internamiento de civiles? —repetí—. Querrá decir campos de trabajos forzados. Estoy segura de que esos los encontrará en los registros de su ejército.

—El ejército destruyó toda su... documentación innecesaria cuando se hizo evidente que no íbamos a ganar la guerra —dijo Ishiro Juro, que hasta entonces había permanecido en silencio.

—Bien, quizás yo pueda ayudarles —propuse—. Les enseñaré dónde torturó la Kempeitai a sus prisioneros. Los edificios que rodean el albergue del Gobierno de Tanah Rata siguen desocupados. La gente de la zona dice que algunas noches se oyen los gritos de las víctimas —continué hablando, implacable como una exploradora que avanza por la jungla abriéndose camino entre la maleza con un *parang*—: Los vecinos hablan de una fosa común en algún lugar de Blue Valley, a unos cuantos kilómetros de aquí. Allí llevaron a cientos de ocupantes chinos en camiones y los soldados japoneses los mataron con bayonetas. Me gustaría mucho llevar a cabo esa investigación para ustedes. De hecho, es probable que pudiera encontrar cincuenta, cien, incluso doscientos lugares como ese a lo largo de Malaya y Singapur.

—Esos... lamentables... incidentes no se encuentran dentro de los propósitos de nuestra organización —dijo la señora Maruki.

Me volví hacia Matsumoto y señalé su ropaje.

—Usted es sacerdote sintoísta, ¿verdad?

Inclinó la cabeza.

—Tomé los votos un año después de la rendición. No tengo ningún impedimento para llevar a cabo una ceremonia de bendición de esos lugares. A veces es lo único que podemos hacer: ayudar a que las almas de los muertos encuentren la paz, ya sean japoneses o británicos, chinos, malayos o indios.

—Están muertos, Matsumoto-*san* —señalé—. Es a los vivos a quienes deberían ustedes ayudar; aquellos a quienes sus compatriotas trataron brutalmente, a los que el Gobierno japonés negó cualquier indemnización.

—Esto no es asunto suyo —apuntó Ishiro.

—Yun Ling es mi aprendiz —intervino Aritomo antes de que yo pudiera contestar—. Sea usted amable con ella.

—¿Su aprendiz? —preguntó Ishiro—. ¿Una mujer? ¿Una china? ¿Y eso lo permite el Departamento Imperial de Jardines?

—El Departamento hace años que dejó de tener cualquier tipo de control sobre mí, Ishiro-*san* —contestó Aritomo.

—Ah, el Departamento… —intervino Sekigawa—, esa es otra de las razones de que hayamos venido a verle, Nakamura-*sensei*. —Sacó un sobre color crema de su maletín—. Nos pidieron que le entregáramos esto.

Se lo tendió con ambas manos, con la misma veneración con que se sostiene un objeto de valor ancestral. En el centro del sobre había un emblema estampado en oro de una flor de crisantemo. Aritomo lo tomó también con ambas manos y lo colocó sobre la mesa. Sekigawa miró el sobre y de nuevo a Aritomo.

—Debemos esperar su respuesta.

Aritomo permaneció allí sentado, totalmente inmóvil. Todos lo mirábamos. Nadie decía nada, nadie se movía. Al cabo de un instante, volvió a coger el sobre y rompió el sello con la uña del pulgar. Sacó un papel, que desdobló y comenzó a leer. Era tan fino que las pinceladas negras que había escritas en él parecían la nervadura de una hoja a contraluz. Pasado un rato, volvió a doblar el documento apretando los pliegues con el dedo. Guardó la carta en el sobre y lo dejó con cuidado en la mesa.

—Entendemos que va a ser reasignado con carácter inmediato a su anterior puesto en palacio —dijo Sekigawa—. Por favor, acepte nuestra más sincera enhorabuena.

—Mi trabajo en Yugiri no ha terminado.

—Pero sin duda la carta deja claro que el Departamento le ha perdonado por lo que pasó entre Tominaga Noburu y usted —añadió.

El sonido de aquel nombre me sobresaltó. Me alegré de que los japoneses estuvieran buscando a Aritomo y no a mí.

—¿Ha oído lo que le pasó a Tominaga-*san*? —preguntó Ishiro rompiendo el silencio.

—No estoy al día de los acontecimientos en Japón —contestó Aritomo.

—Sirvió en la guerra. Volvió a la casa de su abuelo cuando el emperador proclamó la rendición —explicó Ishiro—. Sus criados declararon que varios días después salió a la pista de tenis de su jardín y llevó a cabo su *seppuku*[1].

Al conocer la muerte de Tominaga me quedé aturdida; había sido mi última conexión con el campo de internamiento, la única persona que sabía que había estado allí y que suponía que seguía viva. Y ahora también se había ido.

—¿Dejó alguna nota? —dijo finalmente Aritomo. El vacío en su voz fue el único indicio de que las palabras de Ishiro le habían afectado.

—No se encontró nada. Los criados dijeron que el día antes de que se suicidara Tominaga-*san* quemó todos sus papeles: documentos, cuadernos, diarios… Todo.

—Quizás tuviera miedo de que los americanos lo procesaran —apuntó Aritomo.

—En ninguna de las vistas orales se mencionó su nombre —dijo Sekigawa—, ni por parte de los testigos ni por ninguno de los nuestros que fueron juzgados. Estoy convencido de que Tominaga-*san*, como muchos de nosotros, simplemente no pudo soportar ver nuestro país ocupado por los extranjeros.

Un miedo familiar y en parte olvidado fue penetrando en mi interior a medida que examinaba al sacerdote Matsumoto; tendría que haberlo reconocido como un antiguo oficial de la Kempeitai desde el primer momento en que lo vi, pero había aprendido a camuflarse bien.

—¿Y qué hay de usted, Matsumoto-*san*? ¿Mencionaron alguna vez su nombre en alguna de las vistas orales de los crímenes de guerra?

El sacerdote sintoísta no apartó la mirada, pero sus compañeros echaron la espalda hacia atrás y se sumieron en un silencio cauteloso y atento.

[1] Término formal para referirse al haraquiri. *(N. del T.)*.

—Debería haberme dado cuenta antes de que estamos hablando con una antigua «huésped del emperador» —dijo.

—¿Antigua? Nosotros siempre seremos huéspedes de vuestro emperador.

Sekigawa intentó rebajar la tensión del ambiente:

—¡Ah! En un mes habrá terminado la ocupación americana. Seremos libres otra vez. Siete años con los americanos. ¡Parece que hayan sido mucho más!

—Si lo desea, alargaremos nuestra estancia unos cuantos días más para que reconsidere su respuesta —propuso Ishiro.

—No es necesario. —Aritomo se puso en pie con un ágil movimiento que no daba lugar a discusión. Los otros tres miraron a Sekigawa. Él hizo un gesto afirmativo con la cabeza y se levantaron todos a la vez, la señora Maruki con la ayuda de Matsumoto.

—Hemos oído hablar mucho de su jardín —dijo Sekigawa—. ¿Podríamos verlo?

—Oh, y también de la rueda hidráulica —añadió la señora Maruki—. Estoy segura de que sería para usted un gran honor recibir semejante regalo del emperador.

—Estoy haciendo algunos arreglos en ese sector —se excusó Aritomo, y su mentira incorporaba tanto pesar que casi me convence a mí también—. En otra ocasión, quizás, cuando esté terminado todo el trabajo.

—Tiene que informarnos cuando sea posible visitarlo —insistió Sekigawa.

—Vuelvan ustedes cuando la Emergencia haya terminado. Entonces será más seguro retomar la búsqueda —dijo Aritomo—. El campo no es ahora mismo un lugar seguro.

—Sí, hemos tenido problemas con las autoridades —admitió Ishiro—. Hubo muchos lugares que no nos permitieron visitar.

—¿Y cuánto tiempo durará la Emergencia? —preguntó la señora Maruki. Me di cuenta de que era el tipo de mujer que no es capaz de marcharse sin obtener una recompensa, aunque sea insignificante.

—Yo diría que años —contestó Aritomo—. Años y años.

El sobre seguía en la mesa y el sello del crisantemo brillaba como el reflejo distorsionado del sol sobre el estanque Usugumo. Aritomo se sirvió una taza de té y me ofreció la tetera. Yo sacudí la cabeza.

—¿Es verdad que te han pedido que vuelvas a casa? —Me preocupaba esa posibilidad.

Dejó la tetera en el brasero.

—Parece que hay escasez de jardineros; los más jóvenes fueron asesinados o quedaron heridos en la guerra, y los más viejos ya no pueden mantener el ritmo de trabajo. —Hizo girar el té dentro de la taza unas cuantas veces mientras entrecerraba los ojos. Me pregunté si estaría pensando en la plantación donde su mujer se había criado—. Llevo lejos de Japón muchos años. Muchos.

—¿Por qué nunca has vuelto a casa, ni siquiera de visita?

—No iré mientras esté ocupada por los americanos. No soporto la idea de que todos esos soldados extranjeros estén en nuestras ciudades.

—¡Pues no te resultó insoportable vivir aquí cuando Malaya estuvo ocupada por soldados extranjeros!

—Vuelve a tu antigua vida en Kuala Lumpur —dijo con brusquedad—. Nunca serás una buena jardinera si llevas tanta rabia en tu interior.

Durante un rato permanecimos en silencio.

—Eras amigo de Tominaga, ¿verdad? —pregunté—. ¿Qué ocurrió entre vosotros?

—Hay un templo arriba, en las montañas. Quiero pedir a las religiosas que recen por Tominaga. ¿Vendrás conmigo? Di a los trabajadores que mañana pueden tomarse el día libre.

Un trueno retumbó entre las nubes. Seguí dándole vueltas a la conversación con los visitantes japoneses. Tenían otra razón para estar en Malaya, pensé; sospechaba que Aritomo la conocía pero no iba a revelármela.

Aritomo se subió la manga derecha con la mano izquierda, cogió la tetera y se llenó la taza casi hasta el borde. Colocó el recipiente exactamente en el mismo punto de donde lo había retirado y se giró sobre las rodillas para colocarse frente a las montañas del este. Se quedó en esa posición durante lo que me pareció un largo rato. Entonces, como una flor que se marchita para tocar la tierra, agachó la cabeza hacia el suelo. Un momento después se enderezó, levantó la taza con las manos y se la llevó a la frente.

Lo dejé allí, despidiéndose por última vez del hombre que una vez conoció, un hombre que ya había viajado por las montañas y se había desplazado más allá de las brumas y las nubes.

Capítulo dieciocho

La carretera que subía hacia las montañas estaba envuelta en una densa niebla. En el interior del Land Rover de Aritomo hacía frío y nuestra respiración empañaba el parabrisas con una cascada blanquecina. De vez en cuando él lo limpiaba para poder ver. En los huertecillos dispuestos en bancales, la corneta del gallo llamaba al sol. Justo antes de llegar a la aldea de Brinchang, Aritomo tomó un carril estrecho de tierra y siguió cuesta arriba hasta alcanzar un pequeño claro. Aparcó y salimos del coche.

—Hay dos caminos que llegan a la cima —me indicó mientras se colgaba una mochila a la espalda—. Tomaremos este de aquí, el más difícil.

Se abrió paso por los helechos de hormiga y el carrizo, y yo lo seguí de cerca. Por detrás del follaje se extendía un sendero angosto. Yo caminaba con cuidado, intentando no resbalar en las zonas de musgo. A mi derecha, un tajo del terreno iba a parar al río, que discurría seis metros más abajo, cuyas rocas medio sumergidas deshacían el agua en briznas blancas. La jungla era una capa monocromática. Las tenues siluetas de los árboles se hacían compactas a nuestro paso para luego desaparecer a nuestra espalda. Los pájaros, ocultos tras la densa vegetación, trinaban. Gruesas raíces a medio enterrar fragmentaban el camino formando escalones arcillosos que se hundían bajo mi peso. Nos detuvimos sobre una pendiente para ver salir el sol. Se abrió un claro entre la bruma y Aritomo señaló unas construcciones bajas diseminadas en el fondo del valle.

—Majuba.

Era la primera palabra que pronunciaba desde que nos habíamos adentrado en la jungla. Recordé lo charlatán que estuvo durante nuestra excursión anterior, cuando fuimos hasta la cueva de los vencejos; durante el camino me fue desvelando los secretos de las plantas y los árboles.

—Allí está la casa —señalé al atisbar el refulgir parpadeante de la bandera de Transvaal. Me vino a la memoria el desagrado de Templer cuando la vio y se lo comenté a Aritomo. Esperaba que le hiciera gracia, en cambio, su cara adoptó una expresión meditabunda.

—¿Recuerdas que te hablé sobre mi viaje a pie por Honshu, cuando tenía dieciocho años? —dijo—. Pasé una noche en un templo que se caía a pedazos donde ya solo vivía un monje. Era viejo, muy viejo. Y estaba ciego. A la mañana siguiente, antes de irme, le corté un poco de leña. Cuando me iba se colocó en el centro del patio y señaló hacia lo alto. En el borde del tejado ondeaba una bandera de oración, descolorida y hecha jirones. «Joven —me preguntó—, dime: ¿es el viento el que está en movimiento o es solo la bandera lo que se mueve?».

—¿Qué respondiste?

—«Ambos se mueven, señor». El monje sacudió la cabeza, claramente decepcionado por mi ignorancia. «Un día te darás cuenta de que no hay viento y de que la bandera no se mueve», dijo. «Lo que se agita es solo el corazón y la mente de los hombres».

Durante un rato nos quedamos callados, pero seguimos allí de pie contemplando los valles.

—Vamos —dijo finalmente—. Todavía nos queda un largo camino.

Un chaparrón había empapado la jungla y tuvimos que ir saltando para evitar los charcos del sendero. Aritomo esquivaba con agilidad las raíces mientras se movía con soltura y decisión, para seguir una llamada que solo él oía. La ramas, fracturadas por anteriores tormentas, obstaculizaban el paso y, al trepar por encima de ellas, nos embadurnábamos las manos y los muslos con líquenes y fragmentos de corteza empapada.

—¿Cuánto falta para llegar al Templo de las Nubes? —pregunté después de una hora de ascenso.

—Nos queda subir tres cuartos de la montaña —Aritomo contestó por encima del hombro—. Solo los devotos de verdad acuden allí.

—No me extraña.

No nos cruzamos con nadie. Al mirar a mi alrededor imaginaba que habíamos retrocedido millones de años hasta una época en la que la jungla todavía era joven.

—Ahí está.

El templo era un conjunto de edificaciones bajas y parduzcas que se inclinaban en la ladera de la montaña. Me sentí decepcionada, después del arduo camino esperaba algo más. Por delante del templo fluía un arroyo que más adelante alcanzaba un desfiladero estrecho. Entre el vapor de agua que brotaba al caer, se formaba un pequeño arcoíris oscilante. Aritomo señaló las rocas de la orilla opuesta. Parecía como si temblaran. Un segundo después me di cuenta de que estaban cubiertas por miles de mariposas. Me quedé un momento mirándolas, pero me venció la impaciencia por continuar.

—Espera —dijo Aritomo observando el cielo.

El sol eclosionó desde detrás de las nubes y transformó la superficie de las rocas en un resplandor turquesa, amarillo, rojo, morado y verde, como si la luz hubiera atravesado un prisma. Las mariposas aletearon de repente y a continuación comenzaron a agitarse más rápido. Se elevaron de las rocas en pequeños grupos y permanecieron suspendidas en el aire antes de dispersarse por la jungla como sellos de correos diseminados por el viento. Unas cuantas atravesaron el arcoíris que flotaba sobre el desfiladero y me pareció que, al salir, eran más brillantes, las alas reavivadas por los colores de aquel puente de luz y agua.

Caminamos hacia la entrada del templo. Dos faroles de tela que una vez fueron blancos colgaban de los aleros como capullos abandonados por gusanos de seda. La caligrafía roja pintada sobre ellos, ennegrecida por décadas de hollín y humo de incienso, se había desgarrado, los trazos corridos cubrían la tela ajada y las palabras yacían transformadas en heridas.

Cuando entramos no había nadie para recibirnos. Subimos por un tramo de escalones de piedra rotos. El ruido del río amainó. En la sala de oración principal una religiosa con hábito gris pasó por delante de nosotros arrastrando los pies y purificando el aire con el manojo de varitas que llevaba entre las manos. Grandes volutas de incienso de sándalo colgaban de las vigas y se convertían en espirales lánguidas e infinitas. Los dioses, con los ojos feroces y el ceño fruncido, se erguían sobre altares; algunos de ellos blandían tridentes y sables perforados por anillos metálicos, pero todos estaban cubiertos de un ligero terciopelo de polvo y cenizas.

Reconocí la figura con cara colorada de Kwan Kung, el dios de la guerra, de cuando mi *amah* me llevó, en varias ocasiones, a un templo situado en un callejón de George Town para pedir a los dioses los números semanales de la lotería. Nunca ganó dinero, pero ella no dejaba de ir una semana tras otra. El dios de la guerra estaba ataviado con una armadura negra y se recogía la barba amarillenta con una mano enguantada.

—También es el dios del comercio —comenté a Aritomo—. «Los negocios son como la guerra», dicen.

—Y la guerra —replicó él— es un negocio.

Arrodillada sobre un banco acolchado delante de otra deidad, una mujer de unos setenta años agitaba entre sus manos un recipiente de madera lleno de palillos planos de bambú. Lo sacudió hasta que uno se escapó y repiqueteó contra el suelo. Dejó el recipiente, hizo una reverencia ante el dios y recogió el palillo. Después se acercó cojeando hasta el médium del templo, un hombre con un mechón de barba en el mentón. El médium se volvió hacia un arcón con cajoncitos del tamaño de cajas de cerillas y seleccionó el papel que correspondía al número del palillo de bambú de la mujer. Ella se inclinó para aproximarse más al médium y escuchar la respuesta del dios.

—¿Quieres intentarlo? —susurró Aritomo.

—No puede decirme lo que quiero saber —repuse.

Una religiosa se acercó a nosotros. Sus plácidos rasgos y su cabeza afeitada dificultaban averiguar su edad. Aritomo escribió el nombre de Tominaga en caracteres chinos y se lo dio. A continuación, cogió un puñado de varitas de incienso de manos de la mujer y las aproximó a la llama de una lámpara de aceite. Se colocó delante de la estatua de la diosa de la misericordia, sobre un cuadrado de luz que entraba por un agujero del techo. Cerró los ojos, los volvió a abrir e insertó el incienso en una urna de latón redondeada sobre el altar. Hilos de humo blanco se elevaron hacia la luz.

—Una vez que fui desobediente, mi madre me contó una historia sobre un asesino —dijo Aritomo con voz cortante mientras el aroma del sándalo perfumaba el aire—. Cuando murió lo mandaron al infierno. Un día, mientras Buda caminaba por un jardín del paraíso, miró por casualidad hacia un estanque de loto y, en lo más profundo del estanque, vio al asesino que agonizaba en el infierno.

»El Buda estaba apunto de reanudar su paseo cuando, al observar una araña que tejía su tela, recordó que en cierta ocasión el asesino se contuvo y no mató a una araña que le trepaba por la pierna. Con el permiso de la araña, Buda tomó una hebra de la tela y la colgó del estanque de loto.

»Desde las profundidades del infierno, el asesino vio algo que brillaba en el cielo color rojo sangre y que descendía poco a poco hacia él. Cuando lo tuvo justo encima de la cabeza, lo agarró y tiró. Para su sorpresa, resistía su peso. Empezó a trepar con la intención de salir del infierno y llegar al paraíso, pero la distancia que hay entre el infierno y el paraíso es de miles y miles de kilómetros. Los demás pecadores pronto se dieron cuenta de lo que pretendía, y empezaron a trepar ellos también. Para entonces, él se encontraba muy arriba, ya casi había salido del infierno. Se detuvo para descansar, miró hacia abajo y vio a miles de personas, hombres y mujeres, viejos y jóvenes, que intentaban seguirlo, todos aferrados al hilo. «¡Dejad eso! ¡Este hilo es mío! —les gritaba—. ¡Dejadlo!».

»Pero nadie lo escuchaba. Le daba terror que la hebra se rompiera. Algunos de los que le iban a la zaga ya casi lo habían alcanzado. Les dio patadas y patadas hasta que se soltaron y cayeron. Pero con esos movimientos desesperados rompió el hilo por encima de su posición y él mismo cayó en picado, de nuevo hacia el infierno, sin dejar de gritar».

Unas golondrinas salieron volando de las vigas y agitaron con su estela el humo del incienso.

—Después de oír esa historia me pasé semanas sin dormir —concluyó Aritomo.

Dejamos la sala de oración y ascendimos otro tramo de escalones. Aritomo saludó a algunas de las religiosas al pasar por delante de ellas. Arriba se abría un camino que daba a un pequeño jardín rodeado por un muro bajo. A lo lejos, en el valle Kinta, se distinguía la ciudad de Ipoh, las casas-tienda y las mansiones de los magnates del estaño como granos de arroz en el fondo de un cuenco. En las montañas, por encima de la línea de árboles, la jungla se despejaba y perdía la solidez necesaria para proseguir su ascenso.

—¿Cómo mejorarías este jardincito? —preguntó Aritomo mientras se sentaba en un banco de madera cojo.

Yo aún pensaba en el asesino que perdió la oportunidad de escapar del infierno. Tardé unos segundos en contestar.

—Me desharía de ese seto de hibisco: el espacio está demasiado repleto. Luego llenaría ese estanque ornamental tan soso y podaría buena parte del guayabo que bloquea las vistas —dije—. Lo simplificaría todo para abrir el jardín al cielo.

Hizo un gesto de aprobación con la cabeza. Desenroscó la tapa de su termo, llenó dos tazas con té y me pasó una. Más abajo, en alguno de los edificios del templo, las religiosas habían comenzado a cantar y sus voces se elevaban hasta nosotros.

—Parece que las religiosas te conocen bien —comenté.

—Ya no quedan muchas en este lugar; la mayoría son bastante viejas —dijo—. Cuando la última se vaya, me temo que el templo quedará abandonado. La gente se olvidará de su existencia.

Nos quedamos allí sentados un rato, dando sorbos al té.

—Quiero saber lo que te pasó en el campo de internamiento —dijo finalmente.

El calor de la taza traspasaba los guantes y me calentaba las manos.

—Nadie desea oír hablar de nosotros, los prisioneros, Aritomo. Somos un recordatorio muy doloroso de la ocupación.

Me miró y me tocó la frente con suavidad. Sentí como si hubieran hecho sonar una campana en mi interior.

—Quiero saberlo —repitió.

La primera piedra de mi vida fue colocada años atrás, cuando oí hablar del jardín de Aritomo. Todo lo ocurrido desde entonces me había conducido hasta ese lugar en las montañas, hasta ese preciso instante. Ser consciente de ello, en lugar de consolarme, me hizo temer la dirección hacia donde me llevaba la vida.

Comencé a hablar.

Capítulo diecinueve

Para un anglófilo como mi padre, Teoh Boon Hau, solo había un refrán chino en el que creer: «La riqueza de una familia no perdura más de tres generaciones». Como hijo único —y nada menos que varón— de un hombre rico, el principal propósito de su vida era cuidar y ampliar la fortuna que su propio padre había creado y le había dejado, y asegurarse de que sus tres hijos no la malgastarían cuando crecieran. Supongo que tenía buenas razones para preocuparse: en Penang abundaban las historias de hijos de millonarios que se habían vuelto adictos al opio y a las carreras de caballos o que habían acabado como indigentes vagando por las callejuelas de George Town y pidiendo dinero en el mercado matutino. Mi padre siempre se encargaba de mostrárnoslos.

Crecimos en la casa que mi abuelo construyó en Northam Road: mi hermano Kian Hock, Yun Hong y yo. Mi hermano me sacaba doce años. Yo era la pequeña, aunque Yun Hong y yo siempre habíamos estado muy unidas, incluso a pesar de la diferencia de tres años entre nosotras. Ella había salido a mi madre y, por tanto, mucha gente —desde luego mis padres— la consideraba guapa. Kian Hock y yo heredamos la gordura de nuestro progenitor, de manera que no era extraño escuchar la regañina materna cuando pedía repetir en las comidas. «No comas tanto, Ling, ningún hombre quiere una esposa gorda». Aquello se convirtió en una cantinela familiar cuando estábamos en la mesa, una cantinela que yo ignoraba y que, aun así, seguía doliéndome. Yun Hong siempre me defendía.

En casa hablábamos un inglés aderezado con *hokkien*, el dialecto de los chinos de Penang. Mi padre estudió de pequeño en un colegio misionero inglés; no le habían enseñado a hablar ni a leer mandarín, y traspasó a sus hijos esas mismas deficiencias. Mi hermano fue a Saint Xavier, mientras que mi hermana Yun Hong y yo estudiamos en el colegio de monjas para chicas. Los chinos de Malaya que no hablaban inglés nos miraban por encima del hombro porque no conocíamos la lengua de nuestros ancestros. Nos llamaban «los comemierda de los europeos». A cambio, nosotros, los chinos de los estrechos, nos reíamos de ellos por sus modales ordinarios y nos compadecíamos de su incapacidad para conseguir buenos trabajos en la administración pública o para ascender en nuestra sociedad colonial. No teníamos necesidad de saber otras lenguas aparte del inglés, nos decía a menudo mi padre cuando éramos pequeños, porque los británicos siempre iban a gobernar Malaya.

Nuestro vecino era el viejo señor Ong, el antiguo mecánico de bicicletas. Él mantenía el contacto con su tierra natal. Cuando los japoneses invadieron China puso en marcha el Fondo de Ayuda a China con el fin de recolectar dinero para los nacionalistas. Como recompensa nombraron al viejo señor Ong coronel en el ejército del Kuomintang, el KMT. Era solo un puesto honorífico otorgado por Chian Kai-Shek, quien con toda probabilidad los repartía sin reservas entre los chinos del extranjero como recompensa por sus generosas donaciones, pero el señor Ong se sentía muy orgulloso. Nos mandó una copia del periódico local chino con la fotografía tomada en el momento de recibir la distinción.

Fuimos vecinos del viejo señor Ong durante veinte años, pero mi padre solo trabó amistad con él después de que los japoneses masacraran a cientos de miles de chinos en Nankín. Nos costó admitir las noticias: la matanza y violación de mujeres viejas y jóvenes, de niños, la tremenda brutalidad de todo aquello. Lo que más enfurecía a mi padre era que los británicos no hubieran hecho nada para detenerlo, absolutamente nada. Por primera vez en su vida cuestionó la posición de superioridad que siempre les otorgó, la admiración que en todo momento había sentido hacia ellos. Cuando oyó que el viejo señor Ong había abierto las puertas a los agentes del Kuomintang que recorrían el mundo para recaudar dinero y apoyo, mi padre comenzó a acudir a las reuniones. Junto con Ong y un grupo de reconocidos empresarios chinos visitó las ciudades y pueblos de Malaya y Singapur, dio conferencias e instó a la gente a colaborar con el Fondo de Ayuda a China. Iban acompañados de agentes del Kuomintang para relatar al público la fuerza con la que los soldados del KMT luchaban contra los japoneses en China. A veces me permitían asistir a los actos de aquellas campañas.

«Siempre sabrás de qué lado está un hombre con solo ver de quién son las fotografías de su casa —me dijo una vez mi padre cuando volvíamos en coche después de un mitin—. O hay un retrato de Sun Yat Sen o uno de ese otro tipo, Mao, colgado junto al altar de la familia». Eso mismo era lo que ocurría en las habitaciones de nuestros criados, en la parte trasera de nuestra residencia. Unos días después mi padre les ordenó que retiraran el retrato de Mao.

En 1938, cuando cumplí quince años, el Gobierno japonés quiso comprar caucho a mi padre. Él se negó a recibirlos, pero más tarde cambió de opinión y aceptó reunirse con los funcionarios de comercio en Tokio. Nos llevó a todos con él; fue en ese viaje cuando mi hermana se enamoró de los jardines de Japón.

Las negociaciones con los japoneses no llegaron a buen puerto. Mi padre se negó a venderles caucho. Después de eso las esposas de los funcionarios se volvieron frías con nosotras: ya no sonreían ni se prestaban a llevarnos por ahí. Más tarde Yun Hong me contó que el KMT había dado instrucciones a mi padre para que aceptara la invitación de las autoridades japonesas con el fin de informar después de todo lo que descubriera en el transcurso de su viaje. Por desgracia el KMT no le advirtió de la buena memoria del Gobierno nipón.

Dos años más tarde, durante las últimas semanas de 1941, las tropas japonesas llegaron a la costa noreste de Malaya, quince minutos después de la medianoche y una hora antes de que atacaran Pearl Harbour. A menudo se piensa que Japón entró en la guerra con Pearl Harbour, pero Malaya fue la primera puerta que derribaron. Los soldados japoneses se arrastraron por la playa de Pantai Chinta Berahi y tomaron los lugares donde, todos los años por esas fechas, las tortugas laúd salían del mar para poner sus huevos lisos y redondos. Desde la playa de Passionate Love se abrieron camino por Malaya, recorriendo en bicicleta las carreteras secundarias que atravesaban los *kampongs,* los arrozales y las junglas que las autoridades habían calificado de impenetrables.

Mi padre estaba convencido de que los soldados británicos los detendrían. Pero tres semanas más tarde los japoneses alcanzaron Penang. Los británicos evacuaron a su gente a Singapur y dejaron que los nativos nos enfrentáramos a los invasores. Los europeos que habían venido a nuestras fiestas durante años, los Faraday, los Brown, los hermanos Scott… esos que mis padres consideraban sus amigos, se marcharon en barco y desaparecieron sin decirnos una palabra. También hubo muchos que se negaron a irse, que se negaron a dejar a sus amigos y a sus criados en manos de los japoneses: la familia Hutton, los Codrington, los Wright.

Kian Hock, mi hermano, estaba en el cuerpo de policía. Lo mandaron a Ceilán para entrenarse dos meses antes de que llegaran los japoneses. Mi padre le ordenó que se quedara allí. El viejo señor Ong nos ofreció marchar con su familia a su campo de durianes de Balik Pulau, en la parte oeste de Penang.

—Allí estaremos a salvo de los *jipunakui* —nos aseguró.

Nos fuimos de casa la mañana en que los aviones de los japoneses empezaron a bombardear George Town: el viejo señor Ong, sus dos esposas y sus hijos con sus respectivas familias partieron en tres coches; mis padres, Yun Hong y yo, en el Chevrolet de mi padre. Las carreteras para salir de George Town estaban abarrotadas, cientos de personas huían a las colinas de Ayer Itam. Todos habíamos oído lo que las tropas japonesas hacían a los habitantes de las ciudades en las que entraban.

La carretera estaba desierta cuando nos acercamos a Balik Pulau. Acabábamos de pasar por el *kampong* malayo. Yo nunca había estado en esa parte de la isla. El campo de durianes del viejo señor Ong se encontraba en lo alto de una loma. Mientras íbamos en el coche Yun Hong señaló hacia el mar que los huecos de los árboles nos permitían entrever.

—Debería haberme traído las pinturas y los pinceles —dijo.

Desde el asiento delantero mi madre, sin darse la vuelta, comentó:

—No vamos a estar aquí tanto tiempo como para que puedas pintar nada, cariño.

El capataz del campo era el primo del señor Ong, que nos recibió con toda la ceremonia que merecían la riqueza y posición de nuestro vecino. Sacó de su casa a su esposa y a sus hijas para que se instalaran en ella el viejo y su familia. Mi madre parecía estar al borde de las lágrimas cuando vio la ruinosa choza de madera de una planta que iba a ser nuestro nuevo hogar y se horrorizó aún más al descubrir que tendríamos que usar unas letrinas exteriores. Quiso regresar inmediatamente a nuestra casa de Northam Road, pero mi padre se mantuvo firme.

Yun Hong y yo nos acostumbramos pronto a vivir en la cabaña. Nos pasábamos el día explorando el campo. La época de los durianes acababa de empezar y el aire estaba impregnado con el olor del puntiagudo y maduro «rey de la fruta». Ah Poon, el capataz, nos advirtió para que tuviéramos cuidado. «Si os cae uno en la cabeza, puede mataros-*lah*». Entre los árboles había redes extendidas para recoger los frutos. Al caminar entre ellas, me sentía como si estuviera dentro de una carpa de circo mirando la red de los acróbatas. Cada vez que oíamos que un durián caía entre las ramas, levantábamos la vista rápidamente para ponernos a cubierto. Yun Hong no soportaba esa fruta, pero a mí me encantaba su pulpa picante y cremosa.

—Te huele fatal el aliento —se quejaba después de que me atiborrara de ellos—. Ningún hombre querrá besarte.

A menudo bajábamos a la playa, encantadas por tenerla entera para nosotras. Fue una de las pocas veces de mi vida en que pude bañarme sin preocuparme de que la gente me mirara, se riera de mí o hiciera comentarios maliciosos. Esta parte de Penang daba al mar de Andamán. En una ocasión vi unas ballenas que expulsaban aire fuera del agua. Nadaban tan cerca de la orilla que distinguía los percebes sobre su piel y oía su respiración húmeda y hueca, como si gruñeran a través de una manguera de goma. El sonido me resultaba familiar y a la vez como de otro mundo. Yo trepaba por las rocas y me quedaba allí sentada durante horas para observarlas hasta que se hacía de noche y solo se detectaba su presencia por los suspiros de vapor. Las ballenas se quedaron en la bahía durante una semana, y un día, de repente, desaparecieron.

Era fácil olvidar que estábamos en medio de una guerra pero, una vez por semana, Ah Poon nos ponía al día de las noticias cuando regresaba con provisiones de un pueblo cercano. Kuala Lumpur había caído y después cayó Singapur. Habían enviado a miles de *ang moh* a campos de internamiento. La Esfera de Coprosperidad Asiática se había establecido y Japón disfrutaba de la mayor parte del pastel.

Entonces la Kempeitai empezó a extenderse por Penang, a reunir a la gente y a llevársela en camiones. El viejo señor Ong advirtió a Ah Poon para que se mantuviera alejado del pueblo durante un tiempo. Una tarde mi padre nos hizo ir a la casa del capataz. Todas las mujeres, incluidas las esposas del viejo señor Ong, hacían cola para que la mujer de Ah Poon les cortara el pelo. Habían decidido que, por si acaso, nuestro aspecto debía ser lo menos atractivo posible. En aquel momento, por primera vez, sentí miedo de verdad.

Llevábamos en el campo de durianes casi cinco meses cuando la Kempeitai vino a buscar al viejo señor Ong. La policía secreta andaba detrás de él. También buscaban a mi padre. Llegaron en dos camiones y nos acorralaron frente a la casa de Ah Poon. Nos arrodillamos bajo el sol de mediodía con las manos detrás de la cabeza. Algunos de los jornaleros consiguieron escabullirse en la jungla cuando oyeron que venía la Kempeitai, pero a nosotros no se nos presentó la oportunidad. Y, de todas formas, ¿hacía dónde íbamos a correr?

Los agentes conocían todos nuestros datos. Compararon nuestro rostro con las fotografías de sus expedientes. Ordenaron al señor Ong y a mi padre que entraran en la casa de Ah Poon. Desde donde estábamos arrodillados en el exterior lo oíamos todo: los gritos, los golpes, los chillidos de dolor que crecían hasta convertirse en alaridos inhumanos. La más joven de las esposas del viejo Ong se desmayó. Yo escuché hasta que ya no reconocí la voz de mi padre. Luego la casa se quedó en silencio.

Los agentes salieron sin mi padre y sin el viejo señor Ong. Dieron una orden y sus hombres empezaron a moverse entre nosotros mientras iban, uno por uno, poniendo de pie y arrastrando hasta el camión a todos los hijos de Ong con sus respectivas esposas, a las hijas adolescentes de Ah Poon y a las esposas de los trabajadores con sus hijos.

Y entonces Yun Hong y yo fuimos seleccionadas también.

El aire se cubrió de llantos, las familias rogaban a los japoneses que nos dejaran marchar. Cuando intenté levantarme, mis piernas parecían haber perdido sus huesos. No podía respirar. Los guardias nos condujeron a la parte de atrás del camión. Mi madre estaba gritando. Nunca la había oído chillar de aquella manera. Un soldado le dio un puñetazo y entonces, cuando se cayó al suelo, comenzó a darle patadas, una y otra vez en la cara, en la cabeza, en el estómago. Me separé de los demás prisioneros y salí corriendo hacia ella. Un guardia me golpeó en la tripa con la culata del rifle. Me doblé por el impacto y me desplomé de rodillas. Nunca antes había sentido tanto dolor. Me obligué a tragar el vómito fétido que me subía por la garganta.

—¡Levántate, Ling! —oí vagamente que mi hermana me gritaba desde atrás—. ¡Levántate o te matará!

Conseguí ponerme de pie tambaleándome. Vi a mi madre tumbada en el suelo. No se movía. Ni siquiera sabía si respiraba. Nadie se atrevió a atenderla. Miré hacia atrás, hacia la casa donde habían torturado a mi padre. El guardia me empujó y gritó. Volví cojeando al camión. Yun Hong me tendió el brazo y tiró de mí.

La Kempeitai paró en otros tres o cuatro pueblos para recoger a más prisioneros, que fueron hacinados en la parte de atrás hasta que no quedó espacio, ni siquiera para sentarse en el suelo. Bajo la cubierta de lona del camión hacía un calor sofocante. Los asientos junto a la entrada trasera estaban ocupados por los dos guardias. Algunos nos mareamos y vomitamos encima de la ropa. El olor me producía más náuseas. Yo intentaba controlar mi garganta, pero era imposible. Yun Hong me ayudó a limpiarme, pero tampoco pudo hacer mucho.

El camión se detuvo y nos ordenaron salir para orinar. Las mujeres se agacharon en un lado de la carretera mientras los hombres lo hacían en los árboles del otro lado. Nuestros vigilantes se fumaron un cigarrillo. Enseguida nos pusimos en marcha otra vez. Cruzamos el canal hacia la península en *ferry*. En la estación de tren de Butterworth nos metieron en un tren de mercancías que esperaba en una vía muerta. Los vagones de ganado ya estaban repletos de prisioneros. Yo tenía sed, llevábamos todo el día sin beber nada y sin comer.

—¿Crees que nos llevan a Changi? —le pregunté a Yun Hong cuando el tren se puso en marcha.

—No lo sé —contestó—. No lo sé.

Viajamos durante horas. Los guardias nos dieron un cubo de agua para que nos lo disputásemos entre los cincuenta o sesenta que estábamos en el vagón. Alguien dijo que nos dirigíamos al sur. Yun Hong tenía la esperanza de que nos llevaran a Singapur.

—Padre nos encontrará allí —dijo—. Nos sacará. —Intentaba mantener el ánimo—. Si quisieran matarnos —me susurró—, no se molestarían en todo esto.

El tren se detuvo. Las puertas se abrieron y bajamos con dificultad. Hacía calor y a lo lejos el sol se ponía en las montañas. Estábamos orinando junto a las vías cuando oímos que llegaba otro tren. Yun Hong tiró de mí para que me levantara, me alisó la falda e hizo lo mismo con la suya. La mayoría de las mujeres estaban demasiado agotadas como para que su aspecto les importara lo más mínimo.

El sonido del segundo tren se hizo más fuerte. Tomó una curva y aminoró la velocidad hasta detenerse junto al nuestro. Unos soldados japoneses abrieron las puertas de los vagones de ganado, de los que descendieron, tambaleantes, soldados británicos sucios y exhaustos, algunos vestidos con uniformes mugrientos, otros cubiertos apenas con taparrabos.

—Se los llevan al ferrocarril de Birmania —susurró a mi lado una mujer euroasiática—. Putos *japos.* Hijos de puta.

Los guardias hacían grupos, fumaban y charlaban. Uno de los prisioneros de guerra británicos miró a su alrededor. Sus ojos se encontraron con los míos durante un segundo. Entonces cruzó las vías corriendo a toda velocidad hacia los árboles. Los guardias comenzaron a gritar y le dispararon. El cuerpo del hombre se sacudió y se desplomó sobre la hierba. Intentó levantarse, pero no pudo. Empezó a arrastrarse hacia la jungla. Uno de los guardias se aproximó a él y, mientras le aplastaba el cuello con la bota, le disparó en la cabeza.

A última hora de la tarde, nuestro tren se detuvo por última vez y las puertas volvieron a abrirse. A ambos lados de las vías del ferrocarril se extendía la espesa jungla. Nos hicieron desfilar entre los árboles hacia un claro donde nos esperaban unos camiones. Los conductores encendieron los motores y los faros. Un guardia nos arrojó a los pies unas vendas para los ojos y nos hizo un gesto para que nos las pusiéramos. Yun Hong me agarró de la mano. Estaba temblando. Habíamos oído historias de cómo la Kempeitai llevaba a sus prisioneros a lugares abandonados de la jungla para matarlos.

El viaje era interminable. Parecía que íbamos todo el tiempo cuesta arriba. A partir de un momento la carretera empeoró. Nadie se atrevía a moverse. En el repentino silencio oí que gritaban en japonés. Entonces nos ordenaron quitarnos las vendas. Yo entorné los ojos, mareada y desorientada. Mientras bajaba del camión con inseguridad, miré a nuestro alrededor protegiéndome el rostro de los focos. Era de noche. A través de los árboles vislumbré una valla metálica elevada con alambre de púas. Más allá de la alambrada solo había oscuridad. Desde unas plataformas encaramadas a los árboles, hombres armados vigilaban el recinto y nos observaban.

Miré a mi hermana. Nuestros ojos se cruzaron durante un momento. Nos encontrábamos a años luz de cualquier cosa que hubiéramos conocido con anterioridad.

Los guardias separaron a las mujeres de los hombres y nos obligaron a marchar hacia una de las cabañas de hojas que había bajo los árboles. Dentro, veinte o treinta mujeres estaban firmes. Sus rostros aparecían cetrinos bajo la luz de las lámparas de parafina que colgaban de las vigas bajas. Un agente delgado y calvo examinó a las recién llegadas. Se detuvo frente a mí. Cuando su mirada se clavó en la mía me dio un escalofrío. Continuó hacia Yun Hong. Al terminar habló con otro, que hizo una reverencia y sacó de la fila a media docena de mujeres. Yun Hong fue una de las elegidas. Dos de ellas comenzaron a llorar. El hombre les dio una bofetada. Las seis, Yun Hong entre ellas, fueron trasladadas a otra parte.

Todavía era de noche cuando salí de la cabaña al día siguiente con las demás prisioneras. No había podido dormir. Tenía los brazos y la cara hinchados; me habían picado los mosquitos. Nos reunieron en una especie de explanada. Yun Hong estaba de pie en el otro extremo con un grupo de mujeres jóvenes. En la penumbra distinguí su rostro hinchado y magullado.

Un hombre bajito y delgado se presentó a nosotras como el capitán Fumio.

—Soy el encargado aquí —dijo a través del intérprete del campamento, el padre Jacobus Kampfer—. Está amaneciendo en Tokio. El emperador está a punto de desayunar en palacio. Ahora le mostraréis vuestros respetos.

Nos hizo inclinarnos en una reverencia en dirección a Japón. Cantamos el *Kimigayo;* las recién llegadas, que no nos sabíamos la letra, teníamos que mover los labios o nos arriesgábamos a ser abofeteadas. Después nos ordenaron que nos retiráramos. Miré a Yun Hong, se estaban llevando a su grupo.

—¿Qué les están haciendo? —pregunté en un susurro a la china que estaba delante de mí, pero no me contestó o fingió no haberme oído.

Nos pusimos en cola para desayunar en un cobertizo sin paredes que hacía las veces de cocina y comedor. Nos dieron a cada una un cuenco con una sopa aguada y una pequeña rebanada de pan correoso. Teníamos diez minutos para engullirlo. Luego los guardias nos ordenaron formar en fila y nos obligaron a ir por la jungla hasta una cueva en la ladera, que era la entrada a una mina. Supervisados por ingenieros japoneses, los prisioneros varones cavaban un túnel dentro de la montaña y apuntalaban las galerías con vigas de madera y pilares de cemento. Las mujeres transportaban las piedras rotas en cestas de bambú y tiraban los escombros por un barranco o por el otro lado de la colina. Mientras volvía cojeando a la cueva después de haber vaciado la cesta, me fijé en un grupo de civiles japoneses que deambulaban por allí consultando planos y determinando el ángulo del sol.

En la mina había cuatro niveles comunicados por un sistema de túneles y pozos de ventilación. Tenía que haber algún río cerca porque, transcurrido un mes desde mi internamiento, después de que hubiera estado lloviendo a cántaros durante días, las paredes del nivel inferior se derrumbaron. El agua inundó la cámara y los prisioneros que trabajaban allí se ahogaron. Tuvimos que entrar a sacar el agua. El ingeniero jefe nos dijo que dejáramos allí los cadáveres: quedarían enterrados en los cimientos.

En el campamento vivíamos trescientos prisioneros. Setenta u ochenta eran europeos, tanto civiles como soldados aliados capturados. El resto éramos chinos y había también unos cuantos euroasiáticos. Los británicos se mantenían aparte, al igual que los australianos y los holandeses. Pero entre las mujeres no había divisiones. Las cuarenta y cuatro vivíamos hacinadas en una cabaña: europeas, chinas y euroasiáticas. Las chozas, situadas bajo los árboles, eran de bambú con el techo de hojas.

Nadie sabía dónde estaba nuestro campamento. También a los hombres les habían vendado los ojos durante el trayecto. Gracias a mis conversaciones con las prisioneras chinas descubrí lo que teníamos en común: padres o familiares que habían participado en la exaltación del sentimiento antijaponés.

Pregunté por Yun Hong por todo el campamento, pero nadie la había visto. Al final Geok Yin, una de las prisioneras de más edad, me lo explicó:

—Hay una cabaña detrás de la cocina de los policías. Allí es donde las tienen. Allí es donde se han llevado a tu hermana. Si tiene suerte, solo tendrá que servir a los agentes.

Durante unos segundos me quedé muda e inmóvil. Luego me alejé de ella. Solo había expresado en palabras lo que yo ya sabía, pero me negaba a aceptar, desde el momento en que se llevaron a Yun Hong de mi lado.

Pedí al padre Kampfer que me enseñara japonés. El misionero holandés tenía sesenta y tantos años y anteriormente había vivido en Yokohama. Cuando se dieron cuenta de que hablaba un *nihon-go* básico, los guardias empezaron a tratarme mejor que al resto de los prisioneros. Les pedí que me ayudaran a mejorar mi japonés y a veces incluso me pasaban cigarrillos extra. Yo después los canjeaba por comida: nunca había suficiente alimento y yo siempre estaba hambrienta. Comer era lo único que nos obsesionaba a todos. Convencí al director del campo para que me colocara a trabajar en el comedor de oficiales preparando la comida. Nunca en mi vida había tenido que cocinar, pero trabajar allí me ofrecía más oportunidades para sobrevivir, así que aprendí rápido. Desde la ventana de la cocina veía la cabaña donde tenían a Yun Hong. En el exterior, cinco veces al día, una fila de japoneses esperaban turno.

Una tarde, mientras trabajaba en la cocina, el pozo de una mina se derrumbó. Los agentes dejaron la comida a medias y se marcharon corriendo para evaluar los daños. Después de asegurarme de que nadie me veía, salí sigilosamente y caminé hacia la cabaña como si nada. La puerta estaba cerrada con candado. Fui hacia la parte de atrás y miré por una ventana protegida con barrotes. En la oscuridad pude distinguir una serie de camas separadas unas de otras por endebles biombos de bambú. Había varias chicas sentadas sobre ellas charlando, algunas no aparentaban más de catorce o quince años. Llamé a Yun Hong por su nombre. Las chicas susurraron entre ellas antes de transmitir mi mensaje. Yun Hong apareció en la ventana un momento después, con la cara cubierta de cardenales descoloridos. Por la expresión de asombro de sus ojos supe que mi aspecto también había cambiado.

—Estás muy delgada —me dijo—. Piensa en lo contenta que estaría madre si te viera ahora.

Las lágrimas comenzaron a caerle por las mejillas y los labios. Extendí el brazo a través de los barrotes metálicos y le agarré la mano. Habría dado cualquier cosa por haberme podido cambiar por ella. Debería haberlo hecho.

Todos los días eran iguales, lo único que diferenciaba una jornada de la anterior era si habían herido a alguien, si alguien había enfermado o había muerto. Por la noche dormíamos en los camastros de madera, desquiciadas por las moscas y los mosquitos, y contando los cantos de los pájaros *tok-tok*. Trabajábamos dieciocho horas diarias en la mina y sobrevivíamos con una dieta a base de un pedazo de pan y un poco de sopa en la que flotaban trozos de verdura podrida. Todas padecíamos enfermedades: disentería, beriberi, paludismo o pelagra, y muy a menudo una combinación de varias. Yo era afortunada por trabajar en la cocina, aunque también enfermé y recibí palizas. La carencia de alimentos y medicinas, el trabajo duro y los castigos redujeron el número de prisioneros. Nos vengábamos poniéndoles apodos a nuestros guardianes: el Perro loco, el Carnicero, el Cara de pus, el Cerebro de mierda, la Muerte negra. Eso nos hacía sentir, aunque solo fuera por un instante, que teníamos algo de control sobre nuestra vida.

En dos o tres ocasiones vislumbré, por detrás de la valla, unas figuras de color pardo y movimientos ágiles que se deslizaban con sigilo entre los árboles.

—Son *orang asli* —me dijo una prisionera—. Los *japos* los dejan tranquilos. A veces han matado a algún *japo* con sus dardos venenosos.

Cada tres semanas llegaban camiones con el emblema de la Cruz Roja al campamento y descargaban cajas de acero y barriles para que los prisioneros los lleváramos a la mina. Un día, cuando creía que ningún guardia le prestaba atención, un soldado australiano echó un vistazo dentro de una de las cajas. Fumio hizo que lo ataran a una estructura de bambú y fue azotado en la explanada. Luego lo encerraron dentro de una jaula baja con el techo de chapa, un cubículo donde no podía sentarse ni ponerse de pie, durante dos días. Se volvió loco y al final lo mataron de un disparo.

Durante la estación lluviosa teníamos que redoblar nuestro esfuerzo para caminar hacia la mina todas las mañanas bajo el diluvio interminable. Parecía que los guardias japoneses solo supieran decir una palabra en inglés; todo tenía que ser *¡speedo, speedo!*, «¡rápido, rápido!». Los prisioneros se debilitaban y morían, pero siempre traían nuevos grupos de hombres y mujeres para sustituir a los muertos.

Cada vez que podía, me escabullía para ver a Yun Hong; sobornaba al centinela de la cocina con cigarrillos para que hiciera la vista gorda. Robaba la poca comida que podía para ella: un trozo de pan mohoso, un plátano, un puñado de arroz. Nunca hablábamos sobre lo que los japoneses la obligaban a hacer. Ella se distraía y me distraía a mí, hablando de los jardines japoneses de Kioto que habíamos visitado y describiéndolos al detalle con voz fantasiosa.

—Así es como sobreviviremos —me dijo en una ocasión—; así es como saldremos vivas de aquí.

—¿Todavía te encantan sus jardines, después de todo esto?

—Sus jardines son bonitos —contestó.

En alguna ocasión intentó hablar de nuestros padres, preguntándose en voz alta qué les habría ocurrido desde que los vimos por última vez. Yo la cortaba. No quería pensar en ellos, me habría vuelto loca. Era mejor fingir que estaban bien y a salvo.

Un día una de las compañeras de Yun Hong se ahorcó de una viga. Vi cómo se llevaban su cadáver. Tenía quince años. El capitán Fumio eligió a una chica holandesa de mi cabaña para remplazarla. Eso me dio una idea.

—Le diré a Fumio que quiero ocupar tu lugar —dije a Yun Hong cuando la vi aquella noche, antes de que un nuevo grupo de hombres entrara en la cabaña.

—Ni se te ocurra —contestó acercando la cara más todavía a los barrotes—. ¿Me oyes, Ling? —Me aplastó la mano entre las suyas—. ¡No se te ocurra jamás hacer eso!

Al mirarla comprendí que el hecho de que no me hubieran obligado a mí a servir a los japoneses del campamento era lo único que le había permitido seguir adelante. Más tarde averigüé, a través de uno de los guardias de más confianza, que Yun Hong también intentó ahorcarse al principio, pero el agente que estaba esperando su turno con ella fuera de su cubículo la detuvo a tiempo. Fumio le advirtió:

—Mátate y tu hermana ocupará tu lugar.

Soportar la vida en el campamento se volvió más fácil, o puede que simplemente me acostumbrara. Los guardias seguían pegándome por las infracciones más leves: por no hacer la reverencia con la suficiente inclinación o rapidez, o por demorarme en mi trabajo. Y yo no dejaba de ver hombres haciendo cola delante de la habitación de Yun Hong. Por lo menos ellas recibían raciones más grandes que el resto de prisioneros. Un médico las examinaba cada quince días para asegurarse de que estaban limpias. El doctor Kanazawa acudía al comedor de los agentes después de cada reconocimiento y se sentaba solo, sin dirigir una palabra a nadie.

—Esas chicas son las que tienen más suerte —me confesó un día, después de mirar a su alrededor para asegurarse de que éramos los únicos que estábamos en el comedor—. Las *jugan ianfu* de las grandes ciudades atienden a cincuenta o sesenta soldados al día. *Hai, hai,* nuestras chicas tienen suerte.

Pensé que lo decía sobre todo para convencerse a sí mismo. Más tarde me enteré de que una de sus tareas era practicar abortos.

Nuestros amos japoneses comían bien, así que era fácil robar sobras de la cocina y compartirlas con Yun Hong y las mujeres de mi cabaña. Me había convertido en una persona tan conocida en el campo que al cabo de un tiempo nadie se molestaba en detenerme y registrarme. Me volví descuidada.

Una noche, al dejar la cocina, el capitán Fumio apareció entre las sombras y me detuvo. Metió las manos debajo de mi ropa y me recorrió el cuerpo con los dedos. Sus uñas mal cortadas me arañaron los pezones. Me estremecí, como él quería.

—*Soh, soh, soh* —susurró cuando rozó con los dedos el par de patas de pollo que me había atado con una cuerda alrededor de la cintura y que llevaba ocultas entre los muslos.

En la cabaña de los interrogatorios un guardia me sujetó, obligándome a ver cómo Fumio colocaba las patas de pollo sobre la mesa que había delante de mí. Desenfundó el cuchillo de su cinturón y, con un rápido movimiento, cortó sus garras y amputó piel, carne y hueso. Otro me inmovilizó la mano sobre la mesa y me separó los dedos. Yo sollozaba y rogaba a Fumio que me dejara marchar. Volvió a levantar el cuchillo. Entonces comencé a forcejear como loca. Daba patadas a los guardias, les pisaba los pies con fuerza, pero no me soltaron.

—Puta china cabrona —exclamó Fumio en inglés antes de volver al japonés—. ¿Te crees muy lista robando nuestra comida? Deja que te enseñe uno de nuestros dichos: «Incluso los monos se caen de los árboles».

Yo grité y grité mientras él dejaba caer la hoja y me cortaba los dos últimos dedos de la mano. Los gritos parecían no tener fin. Unos segundos antes de desmayarme, me vi a mí misma caminando por un jardín de Kioto. Y entonces perdí el conocimiento y el dolor desapareció.

Mis heridas tardaron mucho tiempo en curarse. Yo deliraba en una constante agonía, pero Fumio me envió de vuelta al trabajo en la cocina antes de que terminara la semana. Las demás prisioneras hacían lo que podían para cuidarme. El doctor Kanazawa había suturado los muñones de mis dos dedos. A escondidas me dio algo de morfina de los reducidos suministros del campamento, estrictamente reservados para los japoneses. Me aparté de mis compañeras, pues prefería perderme en mis propios pensamientos. Para distraerme creé un jardín en mi mente, evocado nada más que por mi imaginación. Estuve semanas sin ver a Yun Hong y pedí al doctor Kanazawa que le dijera que tenía paludismo. Pero ella, de todas maneras, se enteró de lo que había ocurrido. Fumio se lo contó.

—Lo mataré —dijo ella cuando ya me había recuperado lo suficiente como para escabullirme e ir a verla. Sacó el brazo por los barrotes para agarrarme las manos, pero yo las dejé pegadas a mí—. Déjame ver —me pidió. Levanté la mano mutilada, envuelta con una venda—. ¡Oh, Ling…! —susurró—. Hijo de puta…

—Está cicatrizando.

Le hablé del jardín en el que me había visto justo antes de que Fumio me amputara los dedos.

—Crearemos nuestro propio jardín —propuso ella—. Será un lugar del que nadie podrá sacarnos.

Aquella noche, tumbada en mi camastro, pensé de nuevo en lo que me había dicho antes de marcharme: «Si alguna vez se te presenta la oportunidad de escapar, Ling, quiero que la aproveches. No, no me discutas. Prométeme que saldrás corriendo. No pienses. No mires atrás. Solo corre».

Se lo prometí. ¿Qué otra alternativa tenía?

El padre Kampfer enfermó de paludismo y Fumio me nombró intérprete. Un día, unos dos años y medio después de nuestra llegada al campo de internamiento, ordenaron a los prisioneros construir una cabaña. Cuando estuvo terminada, Fumio me mandó que me presentara allí. Había otro hombre con él, alguien a quien no había visto nunca. Por el respeto con que Fumio lo trataba, me di cuenta de que era importante. Tenía cuarenta y pocos años, llevaba el pelo rapado y su cara era delgada y estrecha. Vestía de blanco: pantalones y casaca con el cuello estilo mandarín. Enseguida me pregunté cómo mantenía la ropa tan impoluta en la jungla. Me dijo que se llamaba Tominaga Noburu y que necesitaba que alguien le tradujera unos documentos del inglés al japonés.

—El padre Kampfer solía hacerlo —se quejó.

—Él todavía seguiría vivo si sus hombres le hubieran dado las medicinas que necesitaba —contesté.

La mano de Fumio retrocedió con un movimiento que ya era conocido por todos nosotros. Tominaga lo detuvo con la mirada.

—Por favor, déjenos solos, capitán Fumio.

El capitán cerró la mano y la dejó caer. Hizo una reverencia a Tominaga y salió de la cabaña. Tominaga me señaló un par de sillas y fue hacia una hornilla portátil para preparar una olla de té. En la esquina, su mesa aparecía cubierta de diagramas, documentos y mapas. Un retrato de Hirohito vestido con uniforme militar miraba fijamente desde la pared. Colgado enfrente había un dibujo a carboncillo enmarcado.

—Un jardín *kore-sansui* —exclamé al recordar lo que Yun Hong me había contado hacía ya tanto tiempo.

—Un jardín de rocas seco, sí —confirmó Tominaga mirándome con la tetera olvidada en la mano.

—¿Dónde es? —pregunté.

Me miró la mano, que seguía vendada con una gasa manchada a pesar de que las heridas ya se estaban curando.

—¿Sabes algo acerca de nuestros jardines?

—Había un jardinero japonés que vivía en Malaya, en Cameron Highlands —dije—. No sé si seguirá allí. —Me quedé pensando unos segundos—. Nakamura… no sé qué más. Así se llamaba.

—¿Te refieres a Nakamura Aritomo? Fue uno de los jardineros del emperador.

—¿Lo conoces? —Me aferré a este hilo que me unía con mi vida anterior.

—Nakamura-*sensei* es un jardinero muy respetado —contestó Tominaga mientras se sentaba frente a mí en la silla de ratán—. ¿Cómo es que sabes de él?

Vacilé durante una fracción de segundo.

—El arte de colocar piedras siempre me ha fascinado.

—¿Qué te ha pasado?

Me señaló los muñones de la mano. Al no contestar, en su cara se dibujó un gesto de pesadumbre.

—Fumio —dijo.

Me acerqué la taza a la nariz. No había probado el té desde mi llegada al campamento. Había olvidado cómo olía. Cerré los ojos y me perdí en su fragancia.

Tominaga enseguida se dio cuenta de que mi nivel de japonés no era tan bueno como el del padre Kampfer, pero, en contra de lo que me temí, no me destituyó.

—Ahora eres una súbdita japonesa —me informó— y tendrías que tener un nombre japonés.

Insistió en que debía llamarme Kumomori. Pensé que era más inteligente no oponerme y, de hecho, creo que de algún modo aquello me vino bien: resultaba más fácil fingir que lo que hacía era obra de una persona diferente, una mujer que no tenía mi nombre.

Le encantaba hablar de jardinería conmigo. Descubrí que, en su tiempo libre, diseñaba jardines para sus amigos. Examinaba sus mapas sin cesar y hacía muchísimas anotaciones. Inspeccionaba la mina seis veces al día. Yo tenía que seguirle por los túneles e interpretar sus instrucciones para los prisioneros, alertados de su presencia por los guardias, que emitían una señal de aviso cuando nos aproximábamos. Todos, incluso los vigilantes, tenían que hacer una reverencia y mirar al suelo. Desde que comencé a trabajar en el comedor, yo no había vuelto al interior de la mina. Me quedé asombrada al ver cuánto la habían ampliado y la profundidad que tenía ahora. Remachados sobre las paredes de la cueva, una serie de estantes metálicos sostenían cajas de acero.

Los meses pasaban. Los monzones iban y venían y yo envidiaba su libertad. Siempre que hablaba con Yun Hong le pedía que me contara más cosas sobre los jardines japoneses para utilizar ese conocimiento en mis conversaciones con Tominaga. Le rogué que la sacara de allí, pero él se negó.

—No puedo liberar a una y dejar a las otras. No está bien.

—¿Y sí lo está dejar que la violen una y otra vez? No me importa lo que esté bien o mal, Tominaga-*san*. —Ante su silencio seguí adelante—: Lo único que quiero es que mi Yun Hong no sufra. —Me pregunté si él también la habría forzado. A pesar de que sabía que mi hermana nunca me perdonaría, le dije—: Ocuparé su lugar, pero sáquela de esa cabaña.

—Me resultas demasiado útil, Kumomori —dijo Tominaga.

Por el campamento empezó a correr el rumor de que Japón estaba perdiendo la guerra. Los guardias notaban el cambio de actitud de los prisioneros y los golpeaban con mayor brutalidad. No, «los golpeaban» no; «nos golpeaban». A nosotros. En ocasiones lo olvidaba pero, por muy amable que Tominaga fuera conmigo, por exenta que estuviera yo de la crueldad de los guardias gracias a mi amistad con él, seguía siendo una prisionera, una esclava de los japoneses. Cuando hablé a Yun Hong de la derrota inminente, se quedó callada.

—Nos tendrán que liberar dentro de poco —la animé mientras me preguntaba por qué no compartía mi júbilo. Seremos libres para volver a casa.

—¿Y qué dirá la gente de mí?

—Nadie sabrá lo que ocurrió aquí. Te lo prometo.

—Al final se sabrá. Alguien lo contará. —Apartó la mirada—. Y tú sabes que será así.

—Cuando salgamos de este lugar no volveremos a hablar de esto. Jamás nadie se enterará —repetí.

—Aunque no volvamos a hablar de esto, estará en nuestros ojos cada vez que te mire.

Unas risas groseras y unas voces masculinas llegaron desde la parte delantera.

—Será mejor que te vayas.

Se alejó de la ventana y la penumbra se cerró tras ella.

En ese tiempo seguían trayendo cajas todas las semanas. Por entonces ya éramos menos de cien. El último grupo de prisioneros de guerra había llegado hacía cuatro meses al campamento; desde entonces, nadie más. Cada quince días Tominaga se marchaba del campo en una furgoneta de la Cruz Roja. Cuando volvía al cabo de unos días, se mostraba malhumorado y distraído.

Yo nunca le preguntaba dónde había ido ni cuál era su papel en la guerra. Parecía feliz cuando discutía conmigo sobre sus teorías de jardinería. A veces dibujaba algo con un palo en el suelo de arena para ilustrar una idea o un concepto que me costaba comprender. Yo no dejaba de preguntarle sobre los detalles más insignificantes. Me interesaba lo que decía, pero sobre todo pretendía prolongar el tiempo que pasaba con él para retrasar el inevitable regreso a la realidad de mi encierro.

—Cuando acabe la guerra tienes que ir a visitar el jardín de Nakamura Aritomo —me dijo un día.

—¿Va a terminar pronto la guerra?

Me miró un instante y se dio la vuelta para contemplar las dos cascadas que brotaban de las montañas, por encima del campo. Había perdido tanto peso que sus ojos parecían alargados y deformes, como si se le fundieran en la cara.

Cuando Tominaga se ausentó durante tres semanas, el periodo más largo desde que lo conocía, imaginé que no lo volvería a ver. Pero una tarde, un guardia me susurró que había vuelto. Pensé que me haría llamar, como siempre, pero, al caer la noche, como seguía sin saber nada de él, salí de mi cabaña a escondidas y fui hacia la suya. Cuando llegué estaba oscura. Lo vi a poca distancia de allí, caminaba entre los árboles y alumbraba el camino con una lámpara de parafina. En silencio, lo seguí hacia la choza de las *jugan ianfu*. Me escondí detrás de un árbol y lo observé. Los hombres que estaban esperando fuera se pusieron firmes y le hicieron una reverencia cuando él pasó por delante de ellos para entrar.

Me puse furiosa con él, pero más aún conmigo misma. ¿Qué esperaba? Era igual que los demás.

A la mañana siguiente me hizo llamar después de que hubiéramos cantado el *Kimigayo* y de la inclinación preceptiva en dirección a Japón y el emperador. Los guardias, nerviosos y tensos, se movían constantemente por el campamento. Fumio gritaba sus órdenes a algunos de ellos; apreté el paso para evitar encontrarme con él. Tominaga se paseaba de un lado para otro delante de su cabaña. Al verme se detuvo.

—Ven conmigo —dijo.

Me negué a mirarlo. Me cogió de la mano y me arrastró detrás de su cabaña, donde estaba aparcada su furgoneta de la Cruz Roja. Se sacó del bolsillo una tira de tela negra de algodón y la estiró con ambas manos.

—¡Ponte esto!

Me quedé mirándolo fijamente y me pregunté a cuál de las mujeres habría usado la noche anterior. A pesar de nuestra amistad, me aterroricé al pensar que me dispararía cuando me hubiera vendado los ojos. Puede que, precisamente debido a esa amistad, me estuviera concediendo un favor, un acto de misericordia.

—Me reservé a tu hermana anoche —apuntó—. Le expliqué que te iba a sacar. Mi inglés no es muy bueno pero entendió lo que le decía. —Rebuscó en su bolsillo de nuevo y sacó un trozo de papel, doblado en un pequeño cuadrado—. Me pidió que te diera esto. —Me puso la nota en la palma de la mano—. No tenemos mucho tiempo, Kumomori.

Reconocí la caligrafía pulcra y elegante de Yun Hong al desdoblarlo. «Acuérdate de tu promesa: no pienses, no mires atrás, corre».

Levanté la vista desde el papel a Tominaga y luego miré hacia atrás, hacia la hilera de cabañas escondidas entre los árboles. Con la oscuridad previa al amanecer resultaba difícil distinguirlas.

Dio un paso hacia mí y dejé que me tapara los ojos. Sentí cómo me ataba las muñecas con un cordel. Me agarró del codo para ayudarme a subir a la parte de atrás de la furgoneta.

—No hagas ningún ruido —me pidió antes de cerrar las puertas.

Oí que se montaba en el asiento del conductor y un segundo después el motor se puso en marcha. La furgoneta se sacudió y comenzó a moverse. Se paró en la entrada para hablar con los guardas. Contuve la respiración y agucé el oído para enterarme de lo que decían. Y entonces nos pusimos de nuevo en camino. Era la primera vez que dejaba el campamento desde que nos habían llevado allí a Yun Hong y a mí, casi tres años antes. «Volveré para sacarte —le juré en silencio—. Encontraré el campo otra vez. Volveré a por ti».

La carretera, si es que aquello se podía calificar así, era mala. Las curvas cerradas me hacían chocar contra los laterales de la furgoneta una y otra vez. Las ramas arañaban el techo. Habían pasado al menos cuarenta y cinco minutos o una hora cuando el vehículo giró con brusquedad y se paró de repente. Oí que él se bajaba, caminaba hacia la parte de atrás y abría las puertas. Me ayudó a salir, me quitó la venda de los ojos y me desató las manos.

Estábamos en un pequeño claro. La luna se hundía tras las montañas. Respiré lenta y profundamente. Me tendió una mochila con una botella de agua y unos trozos de tapioca cocida envueltos en hojas de pandinas. Señaló un camino que bajaba por la colina entre los árboles y me habló:

—Al final llegarás a un río. Síguelo para salir de la jungla. Vete. Olvida todo lo que has visto.

—¿Dónde estamos? Dime dónde está el campamento.

Me hizo una profunda reverencia.

—La guerra ha terminado. En pocos días el emperador anunciará nuestra rendición.

Me mareé de la alegría y el alivio.

—Eso significa que nos liberarán.

—No van a soltar a ninguno de los prisioneros, Yun Ling.

El hecho de oírle pronunciar mi nombre me confundió. Durante un instante no sabía a quién se dirigía. Entonces comprendí lo que me había dicho.

—¡Llévame al campamento! —Me giré hacia la furgoneta—. ¡Llévame!

Me dio la vuelta y me abofeteó dos veces. Me empujó y caí de bruces en el suelo. Le oí montarse en el vehículo. El motor se encendió, la furgoneta dio marcha atrás y se fue.

El silencio regresó a la jungla. Me puse de pie, cogí la mochila y comencé a correr en su dirección. Me resbalaba con el musgo y me tropezaba con las piedras y las raíces. Tenía que pararme con frecuencia para tomar aliento. Al final reduje la marcha y me puse a caminar. Me perdí dos veces y desperdicié mucho tiempo intentando retomar el camino. No tenía ni idea de si aún estaba siguiendo la dirección correcta. Quería darme por vencida, pero continué andando. Tenía que volver al campamento.

El sol ya estaba alto cuando llegué al borde de un barranco. El cielo aparecía claro hacia el este, pero por detrás de mí las nubes de tormenta se cernían sobre las montañas. Me bebí el último sorbo de agua de la cantimplora y la tiré. Mis ojos rastrearon los valles para localizar las dos cascadas que había visto tantas veces desde el campo de prisioneros. Tomándolas como referencia, busqué la mina y la encontré un poco más tarde, bajo un precipicio de piedra caliza. La esperanza me hizo renacer.

Trepé por la ladera de una roca para poder ver mejor. Los prisioneros estaban congregados a la entrada, rodeados por los guardias. Intenté distinguir a Yun Hong entre la multitud, pero me encontraba demasiado arriba. Un hombre con una toga gris y un sombrero con forma extraña caminó hacia el exterior de la mina, agitando con la mano algo que desprendía humo. Incienso, comprendí un momento después.

Desde el interior apareció una figura, que fue creciendo a medida que ascendía la cuesta del túnel. Vestía de blanco. Supe que se trataba de Tominaga, aunque no podía distinguirlo con claridad. Se paró delante de los prisioneros e hizo algo que nunca nadie les había hecho —nos había hecho— con anterioridad: con los brazos pegados al cuerpo se inclinó en una profunda reverencia.

Tras incorporarse de nuevo, dio una señal a los guardias, que comenzaron a conducir a los prisioneros hacia la jungla como si fueran un rebaño; iban en dirección opuesta a nuestro campamento. Finalmente solo quedó Tominaga de pie, fuera de la mina. Tenía que darme prisa, tenía que bajar y averiguar dónde se llevaban a los presos antes de que su rastro se perdiera. Pero algo me obligó a permanecer allí, observando a Tominaga.

Se alejó de la entrada hasta que estuvo casi en el margen de la jungla. Entonces se paró. Con el viento llegó una sucesión de débiles detonaciones. Y más tarde, silencio. Un momento después, comenzó a brotar polvo y humo de la mina, pero Tominaga se quedó allí de pie y dejó que la nube de las profundidades de la tierra lo envolviera por completo. Cuando el viento arrastró el polvo, él seguía en el mismo lugar, inmóvil, en idéntica posición. Se dio la vuelta y se adentró en la jungla sin volver la vista atrás.

Entonces la colina situada sobre la mina se desmoronó y arrastró todo lo que en ella había: árboles, rocas, tierra.

Cuando por fin bajé al valle, estaba lloviendo. No tenía ni idea de cuánto tiempo había pasado, quizás dos horas, puede que cuatro. No era capaz de encontrar el campamento y entonces me di cuenta de que estaba dentro de él. Habían retirado la valla. Las cabañas habían desaparecido y el huerto de verduras de los prisioneros estaba cubierto de tierra. Incluso se habían llevado los escombros. No quedaba ni rastro.

Salí corriendo hacia la mina, ya solo reconocible por el desprendimiento reciente que taponaba la entrada y por los tallos nuevos y los árboles que sobresalían entre la tierra removida. Miré la jungla a mi alrededor buscando el sendero que habían tomado los prisioneros.

Desde algún lugar de las montañas, un trueno retumbó. Volvió a sonar y el suelo tembló ligeramente, entonces me di cuenta de que no se trataba de un trueno. Llegó una tercera explosión que resonó en las cumbres. Intenté localizar su procedencia. Era imposible. Vislumbré huellas de pisadas que conducían hacia la jungla y se adentraban en ella. La lluvia empezaba a caer con más fuerza y me cegaba, a la vez que convertía el sendero en un río de lodo. No sabía cuánto tiempo llevaba caminando, pero finalmente tuve que parar y cobijarme bajo unas ramas.

Cuando volví a abrir los ojos, la mañana ya estaba avanzada. La tormenta había acabado, pero el agua seguía goteando desde las ramas y las hojas. Me levanté tiritando y me aproximé al borde de un tajo. Las ligeras brumas matutinas se elevaban desde las copas de los árboles. La jungla parecía extenderse hasta el infinito y yo sabía que, si me adentraba más, solo conseguiría perderme. Emprendí el camino de vuelta hacia la mina. Durante la noche la lluvia había continuado arrastrando escombros desde la montaña. Las rodillas me fallaron y me desplomé en el suelo. Mi llanto era lo único que rompía el silencio.

Al final me puse de pie. Ya era hora de marcharse. Cuando regresé a la zona donde los guardias habían reunido a los prisioneros, memoricé las formas y colores de las montañas y las cimas calizas, y juré a Yun Hong que volvería a buscarla para liberar su espíritu de allá donde la hubieran confinado.

Volví cojeando hasta el campamento y desanduve el camino que había recorrido el día anterior con la esperanza de encontrar un modo de salir de allí. Las ramas y espinas me arañaban la cara y los brazos hasta hacerme sangrar. Durante todo el tiempo tuve la sensación de que un animal salvaje me iba a la zaga. Quizás un tigre que seguía mi rastro. O puede que un demonio de la jungla me acechara obligándome a caminar en círculos confusos. Tenía fiebre. Me dolían los huesos. A partir de un momento fui consciente de que ya no podría ir más lejos. Me tumbé en un hueco formado por las enormes raíces de una higuera y cerré los ojos. Sentí que la distancia que me separaba de aquel ser que había estado persiguiéndome disminuía. La maleza crujió y después se sacudió con más fuerza. Abrí los ojos. Oí a la criatura acercarse y los helechos que tenía enfrente se abrieron.

Un muchacho aborigen de unos quince o dieciséis años se puso delante de mí. Solo llevaba un taparrabos y tenía una cerbatana cerca de la boca. Sin quitarme la vista de encima ni un segundo, metió la mano en un pequeño tubo de bambú que le colgaba de la cintura y sacó un dardo de unos diez centímetros de largo. Lo introdujo en la cerbatana y tapó la boquilla con un trocito de tela. Luego se llevó la boquilla a los labios. En el fondo de mi mente latía la idea de dardos con la punta envenenada, pero estaba demasiado cansada como para que me importara.

El chico me apuntó, infló sus mejillas, sopló y me clavó uno en el pecho.

Los gritos y las risas lejanas de unos niños me despertaron. Aunque tenía la mirada borrosa, comprobé que me habían vendado las heridas de los brazos, que olían a algún extraño mejunje. Estaba tumbada bajo una manta gruesa en un rincón de una habitación alargada. Oía voces, como si hubiera mucha gente a mi alrededor. Bajo los tablones del suelo los cerdos gruñían y las gallinas picoteaban la tierra.

A pesar de mis preguntas, los *orang asli* se negaron a decirme de qué tribu eran. En la casa comunal vivían veinte o treinta familias, cada una con su espacio propio completamente abierto. Dejaron que me quedara con ellos una semana. Puede que fuera más tiempo; no recuerdo mucho de aquel periodo. Perdía y recobraba la conciencia. En algunos momentos, cuando estaba lúcida, me preguntaba si me habrían drogado. Constantemente se acercaban personas que se agachaban a mirarme embobadas, pero siempre guardaban silencio. El malayo que yo hablaba no difería mucho del suyo, pero supongo que les parecía más seguro fingir que no me entendían. Solo en una ocasión el jefe de la tribu se dirigió a mí para explicarme que aquel muchacho no había intentado matarme con el dardo, sino dejarme inconsciente para ir a buscar ayuda. Cuando me recuperé, lo mandó llamar para que me condujera de vuelta a la jungla. El chico me llevó a Ipoh, la ciudad más cercana. Intuí que le habían dado instrucciones para que tomara un camino largo y complicado que me dificultara cualquier intento de encontrarlos de nuevo. Imaginaba que no querían que volviera y ocasionara problemas.

Tardamos cuatro o cinco días en salir de la jungla y llegar a una carretera asfaltada. Señaló en una dirección y dijo:

—Ipoh.

Le pregunté cómo se llamaba pero solo me saludó con la mano, se dio la vuelta y desapareció entre la vegetación.

Un camionero que transportaba un cargamento de tapioca a la ciudad se detuvo y me llevó. Según me dijo, Japón se había rendido veinte días antes. La guerra se había acabado.

Capítulo veinte

Las religiosas del templo seguían cantando cuando concluí mi relato.

—La guerra se había acabado —repetí.

Debería haberme sentido mejor después de dejar salir todo lo que llevaba guardado dentro, pero no fue así.

—Permíteme que te vea la mano —dijo Aritomo—. Quítate el guante.

Él ya la había visto muchas veces al descubierto. No me moví. Asintió con la cabeza y me quité el guante izquierdo; quedaron a la vista los dos muñones. Me cogió la mano y me acarició las cicatrices con los dedos.

—Eres zurda —señaló.

—Fumio también se dio cuenta. Tuve que aprender a hacer algunas de las cosas más simples otra vez.

—El esbozo del jardín *kore-sansui* que viste en la cabaña de Tominaga Noburu —dijo Aritomo—, ¿cómo era?

Me quedé pensando un momento.

—Tenía tres piedras en una esquina y dos rocas bajas aplanadas y grises que se oponían a ellas en sentido diagonal. Detrás había un pino en miniatura con forma de campana de templo abollada.

—El jardín seco de montaña y agua en la residencia de verano de su abuelo, en el Lago Biwa —afirmó Aritomo—. Tres siglos de antigüedad y conocido en todo Japón. —Hizo una pausa—. Tominaga-*san* era un gran entendido en el arte de colocar piedras.

—Pero no tan experto como tú.

—Él creía serlo. Tominaga-*san* era primo de la emperatriz —continuó en voz tan baja que pensé que hablaba consigo mismo—. Nos conocíamos desde que éramos niños, con cinco o seis años.

—Fue con él con quien te peleaste por los diseños del jardín. —Debería haberme dado cuenta antes, pensé—. Tominaga fue la razón por la que el emperador te despidió. —Como Aritomo no contestaba, añadí—: Fue absurdo pelearse por un jardín.

—No fue solo por el jardín. Fue por las creencias de cada uno. Él siempre era inflexible en sus puntos de vista, en sus principios. En una ocasión le dije que sería un buen militar.

—No debía de ser tan rígido —apunté—. Desobedeció las órdenes. Me ayudó a escapar.

—Eso sí que fue impropio de él. Siempre era el que apoyaba con más fuerza la acción de nuestro Gobierno, mostraba una lealtad incondicional al emperador, a nuestros dirigentes.

—Nunca dijo nada malo de ti. De hecho, a menudo elogiaba los jardines que tú habías diseñado.

El rostro de Aritomo pareció envejecer de pronto.

—Pero lo que les hizo a los prisioneros… lo que os hizo a todos vosotros… —se quedó callado y a continuación preguntó—: ¿Nunca le habías contado esto a nadie?

—Intenté hablarlo con mi padre una vez. Pero él no quiso oír nada al respecto. Lo mismo ocurrió con mi hermano.

—¿Y con tus amigos?

—Estaba separada del mundo que conocí antes de mi cautiverio. No había ningún rastro tras de mí. Sentía que me movía en un escenario que me resultaba familiar y, al mismo tiempo, irreconocible —dije—. A veces tengo tanto miedo… Tengo miedo a sentirme así durante el resto de mi vida.

—Sigues allí, en el campo de internamiento —apuntó Aritomo—. No lo has superado.

—Sí, hay una parte de mí que sigue allí atrapada, enterrada viva con Yun Hong y los demás prisioneros —reconocí. Las palabras salían despacio de mi boca—. Una parte de mí que tengo que dejar atrás. —Callé. Aritomo no me presionó para que continuara—. Quizás, si pudiera regresar a aquel lugar me liberaría y volvería a sentirme completa de nuevo.

—Por lo que sabes —dijo mirando a lo lejos—, el campamento y la mina podrían estar justo en aquellas montañas.

—No estaba tan alto. Y había humedad y calor. —Respiré profundamente—. El aire no tenía esta… esta pureza.

—¿Intentaste localizarlo?

—Después de recuperarme, fue lo único que hice. Quería averiguar dónde habían matado a Yun Hong. Quería liberarla, a ella y a todos los que murieron allí. Dar a todos un entierro como es debido. Pero nadie sabía nada; ni los japoneses ni ninguno de los prisioneros de guerra o los soldados con los que hablé. —Al rascarme los muñones me di cuenta de que no me había vuelto a poner los guantes. Me sorprendió no sentir vergüenza o incomodidad por ello—. Visité un gran número de *kampongs* de *orang asli,* describía el poblado en el que estuve cuando me rescataron, pero nadie sabía nada de los aborígenes que me habían salvado la vida.

—¿Qué crees que había dentro de aquellas cajas escondidas en la mina?

—Pensábamos que eran armas y munición —respondí—. Pero más tarde, cuando empezamos a oír rumores de que Japón estaba perdiendo la guerra, me pareció extraño que no las hubieran utilizado.

—Unos cuantos meses antes de que llegaran nuestros soldados —dijo Aritomo—, Tominaga vino a verme.

Me incliné hacia adelante y lo miré.

—¿Vino aquí? ¿Qué quería?

—Me entregó la rueda hidráulica en nombre del emperador. —Aritomo observó las líneas de sus manos—. Si te sirve de consuelo, por mínimo que sea, te aseguro que Tominaga no violó a tu hermana. Prefería a los hombres. Desde siempre. Creo que fue a verla porque pensó que tú no te irías sin ella.

—Pero me fui sin ella. La abandoné.

—Ese era su deseo. Cumpliste la promesa que le hiciste.

Nos quedamos sentados en el banco, escuchando las voces de las ancianas religiosas abandonadas en aquel templo que pronto quedaría relegado al olvido. Puede que estuvieran invocando la presencia de las nubes, unas nubes capaces de arrastrarlas cuando por fin llegara el momento de dejar este mundo.

Cuatro días después de volver de la excursión al Templo de las Nubes me sentía inquieta, incapaz de concentrarme en el trabajo en Yugiri. Tras sincerarme con Aritomo, tenía la sensación de haber incumplido la promesa que le había hecho a mi hermana de mantener en secreto su dolor.

Aritomo había agudizado su atención; lo notaba en su manera de alzar un poco la cara por la mañana cuando empezábamos la práctica de *kyudo,* como si estudiara el aire o esperara oír algo entre los árboles. Comenzó a llover con más fuerza y durante periodos cada vez más largos, a veces durante horas enteras, pero cuando la lluvia amainaba, él nos presionaba para que nos esforzáramos más en el jardín, regañándonos si tardábamos demasiado en completar las tareas encomendadas.

Nos pidió que podáramos los pinos del perímetro. Al ser la más ligera, me amarraron una cuerda con un arnés y me izaron unos nueve metros por encima del suelo. Las agujas de los pinos me arañaban las mejillas y los brazos y, con el viento creciente, me costaba entender las instrucciones que Aritomo me daba desde abajo. Llevaba allí arriba unos diez minutos cuando vi que hacía señales a los trabajadores para que me bajaran. Al girarme en el arnés para mirar detrás de mí, observé que el cielo se había puesto negro.

Salimos corriendo hacia su casa y llegamos justo a tiempo. En la *engawa,* uno al lado del otro, observamos cómo el mundo se disolvía en agua. Las montañas, la jungla, el jardín, todo desparecía bajo la lluvia.

Una penumbra sobrenatural rodeó la casa. Los relámpagos parpadeaban en las habitaciones e iluminaban los biombos de papel de arroz como espíritus que traspasaran los mundos. Él se dirigió a su estudio y encendió la lámpara del escritorio. Me llamó la atención que no se inclinara ante el retrato de su emperador; de hecho, la fotografía, como pude comprobar enseguida, ya no colgaba de la pared.

—El monzón ha empezado —señaló—. Durante los próximos meses no habrá mucho trabajo.

—No va a llover todo el tiempo —dije como si nada, tratando de ocultar la preocupación porque me dijera que mi aprendizaje con él había llegado a su fin. Yo sabía que todavía no estaba preparada para crear mi propio jardín.

—Escucha eso. —Sobre nosotros, la lluvia, mecida por el viento, golpeaba las tejas con ferocidad. El jardín, la casa, el espacio que nos separaba, todo se convirtió en una melodía escondida tras el ruido estático.

—¿Quieres que me vaya de Yugiri? —pregunté.

—No —respondió—. Quiero hacerte un tatuaje.

¿Lo había oído bien con el estruendo de la lluvia?

—¿Un tatuaje? ¿Cómo el que le hiciste a Magnus?

—No lo entiendes. —Encogió y estiró los dedos varias veces—. Será un *horimono* de verdad que te cubrirá la mitad del cuerpo.

—Estás loco, Aritomo. —Permanecí mirándolo—. ¿Te has parado a pensar en lo que sería mi vida si alguien se entera de que llevo encima una cosa así?

—Si te importara lo que piensan los demás, nunca habrías venido a verme.

—Pero dijiste que habías dejado de tatuar.

—En los últimos tiempos me han dado ganas de volver a hacerlo. —Arqueó los dedos. No me había dado cuenta de que sus articulaciones estuvieran tan inflamadas —. El dolor es cada vez peor. Quiero hacer un *horimono,* Yun Ling. Nunca tuve oportunidad. O no encontré a la persona adecuada.

Se dirigió a la jaula para pájaros de bambú, vacía, y atisbó entre los barrotes. Vi su cara dividida en franjas alargadas y estrechas. Con un golpe de muñeca hizo girar la jaula y su rostro se distorsionó.

—No me interesa hacer un tatuaje pequeño. Pero un *horimono*...

La velocidad de giro de la jaula disminuyó, pero los barrotes siguieron dibujando sombras en las paredes. Tenía la sensación de estar dentro de una linterna mágica, de ver girar el mundo sobre una pantalla de papel de arroz.

—Que te hagan un *horimono* es un gran honor —continuó Aritomo—. En Japón te pedirían cartas de presentación y el *horoshi* te haría una entrevista exhaustiva antes de decidir si quiere trabajar contigo.

Detuvo el giro de la jaula y sonó un suave crujido de bambú. Las paredes parecieron seguir rotando unos cuantos segundos más. Él se apartó de la jaula.

—¿Qué tipo de dibujos tienes en mente?

—El *horoshi* y el cliente tratan ese asunto antes de tomar una decisión.

—¿Cómo lo deciden?

—Algunos *horoshi* guardan dibujos o fotos de los tatuajes que han hecho anteriormente.

—Déjame verlos.

—Nunca los he conservado; no me apetecía tenerlos por ahí. Y, de todos modos, no he hecho nunca un *horimono.* —Se quedó pensando unos instantes. Luego se puso de rodillas delante de una cómoda que ocupaba una esquina del estudio. Sacó la caja de xilografías que me había enseñado anteriormente y las esparció sobre la mesa—. La mayoría de los maestros del tatuaje son artistas del grabado; la técnica es prácticamente la misma —dijo—. Muchas veces los *horoshi* se inspiran en el *Suikoden.*

—¿Cuál es el procedimiento?

Colocó un *ukiyo-e* sobre la mesa. Me explicó que el proceso empezaba con el *suji,* el dibujo del contorno con un pincel, y movió los dedos alrededor del grabado como una libélula que roza la superficie de un estanque. Se tatuaba ese contorno antes del siguiente paso, el *bokashi,* que consiste en rellenar el dibujo con colores.

—Hay dos maneras de ejecutar el *bokashi.* Donde quiero poner los colores oscuros harán falta más agujas. La tinta penetra en la piel de manera uniforme y las agujas de sostienen así. —Juntó los dedos como si intentara proyectar la sombra de una cabeza de pájaro. Me picoteó la muñeca con un movimiento vertical—. El efecto de sombreado, como este que ves aquí —señaló los pétalos de camelia de la esquina del *ukiyo-e*—, es más difícil. Hay que insertar la tinta a diferentes niveles de profundidad sobre la piel. Hacen falta menos agujas y se trabaja en ángulo oblicuo. —Su pausada explicación tuvo un efecto calmante—. El *horimono* puede estar enmarcado —prosiguió— o puede difuminarse con la piel circundante para formar un *abekono mikiri,* un diseño tipo «amanecer».

—Amanecer —susurré. Me vino a la mente una frontera sin límites visibles, un cielo delimitado solo por una barrera de luz—. ¿Algún efecto secundario?

—Bueno... antiguamente, cuando se usaba cadmio en la tinta roja, los clientes podían tener fiebre y dolor. Algunas personas se quejaban de que la piel tatuada dejaba de transpirar y de que sentían frío incluso en los días más calurosos.

—Como un reptil. ¿Cuánto tiempo tardarías en terminar los tatuajes?

—La mayoría de la gente solo soporta una sesión de una hora a la semana. —Hizo una pausa para calcular mentalmente—. Un *horimono* como el que tengo en la cabeza llevaría unas... de veinte a treinta semanas. Medio año. Puede que menos.

—Lo pensaré —dije eligiendo con cuidado las palabras—, siempre que los tatuajes... el *horimono*... —me corregí a mí misma, prefería el término japonés, que no tenía las mismas connotaciones—, siempre que el *horimono* solo me cubra la espalda.

Reflexionó durante unos segundos.

—Deja que vea tu cuerpo.

—Cierra las contraventanas.

—Solo un loco estaría fuera con esta tormenta.

Seguí mirándolo y, después de un momento, me obedeció. De vez en cuando el ruido de la lluvia se apaciguaba cuando cambiaba el viento, pero a los pocos segundos reanudaba el ritmo irregular que parecía marcar mi respiración.

Aritomo me desabotonó la blusa despacio, la deslizó por mis hombros y me dio la vuelta. Cuando me desabrochó el sujetador, me froté los brazos para quitarme el frío. Habíamos estado desnudos muchas veces uno en presencia del otro, pero en ese momento, allí, de pie, en su estudio, me sentí incómoda. Colgó mi ropa del respaldo de una silla y encendió otra lámpara que dirigió hacia mí. Aunque me protegí los ojos, el calor sobre la piel desnuda me sentaba bien.

Dio una vuelta a mi alrededor y me giré con él, como un satélite orbitando en torno a su planeta.

—Quédate quieta —pidió—. Y mantente erguida.

Eché hacia atrás los hombros y levanté el pecho y la barbilla. Al principio me tocó con suavidad, pero luego empezó a apretarme la espalda con los dedos. Me estremecí y se detuvo, pero le hice una señal para que continuara. Sus manos se demoraron en las cicatrices que me habían dejado las palizas recibidas en el campamento. Sentía cómo acariciaba las marcas con la punta de los dedos.

—Te pintaré desde aquí —trazó una curva por mi espalda desde los hombros y se detuvo justo antes de llegar a las nalgas— hasta aquí. El horimono no se verá con la ropa.

—Y el dolor… ¿es soportable?

—Has aguantado cosas mucho peores.

Me separé de él y me vestí con rapidez. Me ajusté el cuello de la camisa y me retoqué el pelo.

—¿Nunca has hecho algo así a nadie? ¿Ni siquiera a tu mujer?

—Serás la única, Yun Ling.

Las hojas de los *ukiyo-e* crujieron cuando las recogí, como si los demonios estampados en el papel lucharan por escapar de su prisión infernal. Los volví a dejar en su sitio.

—Estos no los quiero.

—No te dicen nada —admitió.

—¿Qué me sugieres entonces?

Se quedó en silencio un rato.

—El *horimono* puede ser una extensión del *Sakuteiki.* Plasmaré las ideas que he ido acumulando a lo largo de los años, las cosas que deberías recordar a la hora de diseñar un jardín.

Aquella posibilidad empezó a tomar cuerpo en mi mente como un arbusto sin podar que, al recortarlo, se transforma en una figura reconocible.

—Cosas que nunca descubriré en ningún libro ni con ningún otro jardinero.

—Eso es.

—Está bien. —Parecía tan fácil aceptar que me tatuara… Me pregunté qué vestidos no podría volver a usar.

—No es extraño que la gente cambie de opinión y abandone antes de que el *horimono* esté concluido —me advirtió Aritomo—. Quiero estar seguro de que lo podré terminar.

Me acerqué a la ventana y abrí los postigos. El aire frío y húmedo me golpeó la cara. De momento, la tormenta había amainado; las nubes, por encima de las montañas, eran remolinos de gris y plata. Me sentí como un buscador de perlas en el fondo del océano que allá arriba, muy por encima de donde está, ve romper las olas silenciosas contra las rocas de la orilla.

Capítulo veintiuno

Había una hilera de coches aparcados frente al hotel Smokehouse cuando Aritomo y yo llegamos, justo después del mediodía. Después de la oscuridad del vestíbulo, la luz de la terraza casi resultaba dolorosa. Me cubrí los ojos con la mano y eché un vistazo a mi alrededor. Habían dispuesto unos toldos por si llovía, pero el cielo estaba despejado. El cuarteto euroasiático de Errol Monteiro, de Penang, tocaba sobre un pequeño escenario decorado en tono blanco. Conocía a la mayoría de los invitados. Algunos nos miraban y apartaban la vista al instante. Seguramente todo Cameron Highlands ya se había enterado de que vivía con Aritomo. Magnus se separó de un grupo de gente y vino hacia nosotros con grandes zancadas.

—Viejo amigo —dijo Aritomo sonriendo, y le hizo una reverencia.

—*Ja,* setenta y tres años ya. —Magnus hizo una mueca—. ¿Te puedes creer que la primera vez que nos vimos todavía no había cumplido los sesenta?

Ambos se miraron, quizás pensando en el momento en que se conocieron en un jardín de Kioto. Su amistad resultaba de lo más inverosímil, pensé, y eso que, como mencionó Emily en el Festival de Mitad de Otoño, su relación se había debilitado con la guerra.

—Feliz cumpleaños, Magnus —dije mientras le entregaba una caja envuelta con papel marrón y atada con una cinta—. De parte de los dos.

—Ah, *baie dankie.* —La sacudió con suavidad—. De recién casados, Emily siempre me regañaba si abría algún regalo antes de que se hubieran marchado todos los invitados. Decía que era de mala educación, algo que solo hacían los *ang moh.*

Me fijé en la mesa repleta de paquetes cuidadosamente envueltos situada detrás de él.

—Es una buena costumbre china —señalé—. Te ahorra fingir que te gusta el regalo cuando lo abres.

—Bueno, ¿y qué es? —preguntó acercándoselo a la oreja y agitándolo.

—Un *vaya danqui.* —Me eché a reír—. Os dejo que habléis.

El grupo estaba tocando una alegre versión de *Tuxedo Junction.* Mientras me abría paso entre la gente, cogí una copa de champán de un camarero que pasó cerca y saludé a los invitados que conocía. El ruido y las risas se superponían a la música, el ambiente era desenfadado, optimista. Las medidas de Templer parecían dar resultado, pues la cantidad de ataques de los CT se había reducido más o menos a la mitad. El número de zonas calificadas como «blancas» superaba al de zonas «negras» y el toque de queda se había levantado en la mayoría del territorio.

—¿Lo has oído? —Toombs me detuvo, elevando la voz por encima de la música—. ¡Han matado a otro CT! ¡A Manap el Japo!

—Ya me he enterado —dije. Una patrulla *gurkha* había matado de un disparo al comandante del Décimo Regimiento unos días antes. De madre malaya y padre japonés, la cabeza de Manap tenía un precio de setenta y cinco mil dólares.

Junto a un rambután en flor y a poca distancia de la gente, encontré un lugar tranquilo a la sombra donde poder disfrutar de mi copa. Durante el trayecto en coche hasta allí, Aritomo se había mostrado bastante apagado. Ya había transcurrido más de una semana desde que accedí a que me hiciera el tatuaje. Él no había vuelto a mencionar el *horimono* y yo tampoco había sacado el tema. Al mirar a los invitados del otro lado del césped que se reían y charlaban, imaginé su desconcierto si llegaran a saber que pronto un tatuaje me cubriría toda la espalda. Intenté adivinar qué habría dicho Yun Hong y me di cuenta de que ya no recordaba su cara ni el sonido de su voz. Hice memoria de la última vez que estuvimos juntas, en el campamento, y poco a poco su rostro fue tomando forma en mi imaginación. Había ido a verla a su ventana para llevarle un mango maduro entero. No había tenido oportunidad de visitarla durante más de tres semanas, y su cara pálida entre las sombras me impresionó. No quiso decirme qué iba mal, pero insistí hasta que finalmente admitió que se había quedado embarazada. El doctor Kanazawa había practicado el aborto dos días antes. Aquella fue la última vez que la vi y que hablé con ella. Poco después, Tominaga me sacó de allí.

Me sequé las lágrimas y observé que Frederik venía hacia mí.

—Estás aquí —gritó.

—Magnus no me dijo que ibas a venir. —Fingí ligereza en la voz.

—Acabo de llegar hace un momento.

Llevaba casi un año sin verlo. Estaba más moreno y tenía un aspecto más rudo del que recordaba. Señalé unos cortes que tenía en las mejillas.

—¿Qué te ha pasado?

—Me tendieron una emboscada.

Lo examiné de un vistazo rápido.

—Espero que no hay sido grave.

—No, unos rasguños. Nada tan serio como lo tuyo. —Me examinó la cara y, mientras deslizaba la vista por mi cuerpo, se detuvo en el muslo; luego me miró de nuevo a la cara—. Me enteré de lo del asalto. No pude venir a verte. Ha sido una locura. ¿Te llegó mi postal?

—Sí. Y los lirios. Eran muy bonitos. —Quise mostrarle mi gratitud por preocuparse tanto y tuve una idea—. ¿Cuánto tiempo vas a quedarte?

—Estaré aquí dos días.

—Ya casi he terminado el trabajo en Yugiri. Si estás libre mañana temprano, puedo enseñarte el jardín.

—Ya lo vi. Aquella mañana… cuando te recogí para llevarte a Majuba. El día que nos conocimos. —Le molestó que pudiera haberlo olvidado.

—Sí, sí. Pero entonces el jardín todavía no estaba terminado.

—No sé si estaría terminado, pero todo parecía manipulado, artificial.

—Entonces es que no has comprendido lo que significa.

—Los jardines como el suyo están diseñados para manipular tus emociones. Lo encuentro deshonesto.

—¿De verdad? —repliqué—. Se puede decir lo mismo de cualquier obra de arte, de cualquier composición literaria o musical. —Había trabajado mucho en el jardín y me desagradaba oír que alguien lo menospreciaba—. Si no fueras tan estúpido verías que tus emociones no se manipulan: se despiertan hacia algo más elevado, hacia algo atemporal. Se pretende que con cada paso que des en Yugiri abras tu mente, que alcances un estado contemplativo.

—He oído que ahora estás viviendo con el *japo*.

Era obvia la razón de su irritación.

—Duermo con él, si es eso lo que estás intentando preguntarme.

—Sí, es eso.

Me alejé unos cuantos pasos y me giré hacia un grupo de invitados que estaban en el césped.

—Oí su nombre por primera vez cuando tenía diecisiete años. Hace casi media vida —dije mientras mi enfado se disipaba y era sustituido por la tristeza de haber perdido tantas cosas.

—Es solo un nombre —replicó.

—Era más que eso.

Emily y Magnus se dirigieron a la plataforma entre vítores y aplausos. La banda interrumpió la pieza y comenzó a tocar las primeras notas de *Cumpleaños feliz*. La ovación se hizo mayor. Frederik me miró y luego se alejó hacia la multitud.

Justo por encima de mí, una telaraña rasgada y abandonada colgaba de una ramita. Pensé en la historia de Aritomo sobre el asesino que trepó por el filamento de una telaraña para escapar del infierno.

Levanté el brazo para sacudirla, pero me detuve justo antes de tocarla.

Durante la cena estuve callada y Aritomo tampoco habló mucho. Cuando salimos del comedor, la mayor parte de la comida se había quedado en el plato sin tocar.

Una vez sola en la habitación, me quité la blusa y el sujetador y me bajé la falda. Me puse un batín de seda y salí descalza al pasillo.

La casa estaba oscura; la débil iluminación del cuarto situado al fondo del corredor me atrajo. En medio de la luz dispersa ante la puerta abierta, me detuve para mirar a mi alrededor. El agua caía de los aleros, las piedras del patio brillaban ligeramente y me acordé de la excursión por la cueva de los vencejos. El extremo del pasillo que acababa de recorrer parecía muy lejano. Me apreté el cinturón del batín y entré en la habitación.

Aritomo estaba sentado en la posición *seiza*. Un brasero de carbón caldeaba la estancia. Sobre el tatami había una sábana de algodón extendida, blanca y suave. En un incensario dorado, una barrita de incienso de sándalo desprendía una línea de humo. Me coloqué frente a Aritomo sentada de la misma manera; estaba acostumbrada y ya no sentía que los tobillos y las espinillas se me fueran a desencajar. Colocamos las manos sobre el tatami, nos miramos e hicimos una reverencia.

Sirvió sake tibio y me lo ofreció. Negué con la cabeza, pero él insistió.

—La ocupación americana de Japón terminó hace dos días. —Levantó su copa hacia mí, hice lo mismo a regañadientes y me lo tragué de un sorbo. El licor me quemó la garganta e hizo que se me saltaran las lágrimas.

Me puse de pie. Me desaté el batín despacio y lo dejé caer. El frío repentino me acarició la piel, aunque el sake me estaba haciendo entrar en calor. Me observó durante un momento. Cogió una gran toalla blanca para ponérmela alrededor de la cintura. Me dijo que me tumbara boca abajo sobre la sábana, dobló mi ropa con cuidado y la colocó en el tatami. Entonces se puso de rodillas a mi lado; junto a él, una bandeja de utensilios colocados en línea. Sus movimientos eran decididos y seguros, como cuando trabajaba en su jardín. Esparció con los dedos un poco de agua en un tintero de piedra y deshizo en su interior una barra de tinta. Al aspirar el olor ahumado de la tinta fresca recién elaborada, tuve la sensación de encontrarme en el estudio de un erudito que practicaba caligrafía.

Me secó la espalda con una toalla de manos y a continuación mojó un pincel en el tintero; después, le dio forma en el borde del recipiente mientras escurría el exceso de tinta. Comenzó a dibujar sobre la piel del hombro izquierdo con pinceladas ligeras y rápidas. Cuando terminó, me pidió que me incorporara. Me dio un gran espejo para que pudiera ver esa zona.

El contorno negro de las flores se deshacía en filigranas sobre mi piel: camelias, flores de loto y crisantemos. Sujeté el espejo. Mientras me observaba la espalda, encendió una vela y la colocó entre nosotros. Abrió una cajita de madera y levantó la bandeja del compartimento superior, que escondía otro por debajo. En él había una hilera de agujas que brilló con la luz. Escogió cuatro o cinco, cortó un trozo de hilo de una bobina y ató las agujas a un palo de madera. Después de hacerme una señal para que me volviera a tumbar sobre la sábana, pasó varias veces las agujas por encima de la llama de la vela. Las sombras proyectadas en los biombos de papel titilaron y, durante un momento, sentí como si me hubieran metido en un *wayang kulit* y me hubiera convertido en el personaje de una de esas obras de teatro que los malayos representan con marionetas de cuero frente a la luz de una lámpara de parafina.

Frotó las agujas contra el pincel de caligrafía mojado en tinta, que agarraba con dos dedos de la mano izquierda, hasta que estuvieron negras. Luego me estiró la piel del hombro y las clavó.

Aunque ya me había advertido, no pude evitarlo. Grité con el primer pinchazo de un millón y clavé las uñas en la sábana que tenía debajo.

—Quieta —me exigió.

Intenté levantarme, pero él hizo fuerza con la palma de la mano y repitió las incisiones. Reprimí los alaridos de dolor. Aunque cerré los ojos con fuerza para evitar las lágrimas, continuaban brotando. El cuerpo se me encogía cada vez que me clavaba una aguja y sentía que la piel se desgarraba línea a línea, punzada a punzada.

—Deja de moverte.

Me secó la espalda otra vez y me di la vuelta para mirar. La toalla blanca estaba llena de manchurrones rojos y húmedos.

—En el campamento había un ingeniero japonés, Morokuma, que coleccionaba tatuajes —mi voz sonó ronca y carraspeé—. Los prisioneros que tenían tatuajes se los mostraban a cambio de cigarrillos. —Aritomo volvió a clavar las agujas en mi piel y reprimí un grito—. Él los fotografiaba. Después, cuando se quedó sin carrete, los dibujaba en un bloc. En una ocasión me pidió que le tradujera las palabras del tatuaje de un hombre. Cometí el error de hacerlo correctamente.

Las manos de Aritomo dejaron de moverse por mi espalda.

—¿Qué pasó?

—Era un hacendado del caucho. Tim Osborne. Tenía tatuado en el brazo «Dios salve a la reina» encima de una bayoneta. Morokuma lo copió en su libro. Luego informó al comandante del campo. Tim tenía cincuenta y siete años, pero aun así le dieron una paliza. —Me detuve un momento—. Le cortaron el trozo de piel tatuada del brazo y lo quemaron delante de todos nosotros. Murió dos días después.

Fuera, una brisa pasajera golpeó las barras metálicas del carrillón de viento que colgaba bajo los aleros. La llama de la vela se estremeció y las paredes se inclinaron a nuestro alrededor. Sentí otra vez el olor a piel quemada por un instante.

Aritomo trabajó en silencio durante más o menos una hora. El tremendo dolor no dio paso al adormecimiento, como yo esperaba: cada uno de los pinchazos siguientes me dolió tanto como el primero. Por fin, se sentó sobre los talones y respiró profundamente. Dejó los utensilios en la bandeja y comenzó a limpiarme la espalda con suaves toques aquí y allá. Aunque lo hacía con cuidado, la tela era abrasiva.

—Ya es suficiente por hoy —concluyó.

Me levanté tambaleándome y caminé por la habitación agitando los brazos y piernas para desentumecerlos. Aritomo tenía los dedos, las palmas de las manos y las muñecas manchados de tinta negra. Sus dedos estaban rígidos y me di cuenta de que le dolían.

—¿Estás bien? —le pregunté.

—Se me pasará dentro de unos minutos —dijo.

Cogí el espejo, lo coloqué de lado por encima de mi espalda y, al ver el reflejo, se me escapó un grito.

—¡Es espantoso! —exclamé.

Él me había limpiado la mezcla de tinta derramada y las manchas de sangre, pero mi piel, escocida y magullada, empezaba a hincharse. Una malla de líneas entrelazadas me cubría la espalda y, mientras miraba, un montón de gotitas de sangre brotaban de las heridas y se acumulaban antes de deslizarse por la curva de mi columna formando una estela carmesí viscosa. No se parecía en nada a los tatuajes que yo había visto ni tenía nada que ver con sus xilografías, y me pregunté si no me habría engañado sobre sus aptitudes para tatuar.

—Tendrá ese aspecto hasta que no esté terminado. —Me apartó la mano—. No te lo toques. Deja que se cure.

Me ayudó a ponerme una bata ligera de algodón. La tela se me quedaba pegada a la piel y me escocía.

—Pensé que habría más sangre —dije.

—Solo los *horoshi* poco cualificados provocan demasiado dolor o hacen que brote una cantidad de sangre innecesaria.

Permaneció mirándome un momento, aunque yo sabía que estaba pensando en otra cosa.

—¿Qué pasa?

—Había olvidado lo adictivo que puede llegar a ser, no solo para la persona tatuada, sino también para el artista.

—Yo no lo describiría como adictivo.

—Cambiarás de opinión después de varias sesiones.

El corredor estaba oscuro cuando salí. Me sentía desorientada mientras seguía a Aritomo hacia el baño, situado al fondo de la casa. Había hecho que calentaran el agua de la bañera vertical de madera de cedro; el vapor y un olor a limpio inundaban el ambiente. Aritomo comprobó la temperatura del agua y, cogiéndome de la mano, me ayudó a introducirme en la bañera.

—Quédate ahí hasta que el agua se enfríe —dijo—. La piel se te curará antes. Siéntate derecha, no te reclines.

Lo agarré de los brazos cuando estaba a punto de irse.

—Métete conmigo.

Levantó las manos.

—Déjame que recoja primero.

Me sumergí un poco más y la rigidez de mi cuerpo se disolvió junto con la tinta y la sangre de mi piel, que se arremolinaban en el agua.

Capítulo veintidós

Con la llegada del monzón, Aritomo se despidió de los trabajadores y les dio instrucciones de que no volvieran hasta que la estación lluviosa hubiera terminado. Solo quedábamos nosotros dos para cuidar el jardín. En los intervalos en que no llovía, yo podaba y recogía los restos que había dejado atrás la tormenta. Trabajando codo con codo con él, encontré reconfortante nuestro aislamiento del mundo exterior.

Me tatuaba por la noche, mientras la lluvia golpeaba el tejado. Después de completar el contorno de la flor de crisantemo del hombro, descendió por la espalda. En la habitación tenía un espejo de cuerpo entero. Las líneas negras y delgadas de los tatuajes pronto cubrieron mi cuerpo como si fueran curvas de nivel. Trabajaba del mismo modo que en su jardín, grabando sus dibujos sobre mi piel sin haberlos plasmado primero en papel. Tenía que esperar a que se formaran y se cayeran las postillas antes de seguir adelante. Mi espalda estaba constantemente herida. Más de una vez tuvo que advertirme de que no me rascara los tatuajes por miedo a dañarlos antes de que la piel hubiera cicatrizado.

Después de cada sesión, me sumergía en la bañera de madera y reposaba la barbilla sobre la superficie del agua mientras el vapor hacía que me sudara la cara. Cuando llegaba al baño, después de alguna sesión particularmente larga, observaba mi espalda en el espejo. Aritomo había comenzado a sombrear los tatuajes con tonalidades grises y azules que parecían nubes de humo sopladas contra mi piel.

Cuando comprobó que toleraba el dolor, comenzó a trabajar en el *horimono* durante sesiones mucho más largas, hasta bien entrada la noche, hasta que pensaba que la lámpara de nuestra habitación era la única luz que permanecía encendida en las montañas.

La temperatura en las tierras altas a veces bajaba de los diez grados tras la puesta de sol y, a pesar de que las lluvias del monzón refrescaban las noches, Aritomo y yo solíamos sentarnos en la veranda después de cenar con las persianas de bambú enrolladas hasta los aleros. No encendíamos nunca las luces, pues preferíamos sentir el jardín.

Mientras los pájaros *tok-tok* golpeteaban, el hervidor que estaba en el brasero junto a la mesa comenzó a humear. Aritomo añadió con una cuchara unas cuantas hojas de té dentro de una tetera de cerámica. Cogió el recipiente y miró dentro.

—Todavía queda suficiente como para preparar el último.

—¿La fragancia del árbol solitario? ¿No te queda más en la cocina?

—No.

Cerró el hervidor, lo apartó y llenó la tetera con agua hirviendo. Hizo girar el agua en el interior y, al arrojarla al césped por el borde de la veranda, una nube de vapor quedó flotando en el aire. Volvió a llenar la tetera y me sirvió una taza.

—¿Por qué haces siempre eso? —pregunté. Yo lo consideraba un desperdicio, y más en ese momento.

—Para quitar la suciedad de las hojas, claro —contestó—. Tenemos un dicho: «La primera infusión solo es apta para los enemigos».

—La primera vez que vine aquí también lo hiciste —dije sonriendo.

—No sabía qué eras —señaló sin sonreír.

—¿Y ahora sí lo sabes?

—Se te está enfriando el té.

Con cada trago, mezclada con las hojas de té, sentía que absorbía cierta tristeza. Cuando se vació la tetera dije:

—Quiero que añadamos una sesión más. Podrían ser tres, quizás cuatro veces a la semana.

—Te has vuelto adicta. No hay de qué avergonzarse, siempre pasa.

Su advertencia resultó cierta. Yo había empezado a prever lo que dibujaba en mi cuerpo e incluso disfrutaba del dolor porque, durante las horas en que las agujas iban dejando su rastro por mi piel, se atenuaba el clamor de mi mente. Me preocupaba lo que ocurriría con el pinchazo final, cuando el último poro se rellenara y fuera sellado con tinta.

—El *horimono* va avanzando más rápido de lo que había planeado —dijo Aritomo—. Empezaré a colorearlo dentro de un día o dos. Con suerte, terminaremos antes de que se acabe el monzón.

—Parece como si te corriera prisa.

—La Emergencia está llegando a su fin. Hoy se ha establecido otra «área blanca».

—Casi pareces decepcionado.

—De algún modo, la vida se ha detenido durante la Emergencia —dijo—. Muchas veces siento que estoy en un barco y que me dirijo a un destino en la otra parte del mundo. Me imagino a mí mismo en medio del espacio en blanco, entre dos puntos del calibrador de un cartógrafo.

—Ese espacio en blanco solo existe en los mapas, Aritomo.

—En los mapas y también en los recuerdos. —Echó una bocanada de aire dentro del hueco que formó con las manos—. Una de las curiosidades del tatuaje es que el *hari* no solo hace brotar sangre, sino también pensamientos escondidos en el interior de la persona. —Levantó la mirada hacia mí—. ¿Qué hacías realmente en el campo de prisioneros?

—Lo que fuera necesario para seguir viva.

—¿Eso incluía trabajar para los japoneses?

La noche se había vuelto más fría. Transcurrió un rato de silencio antes de que me sintiera capaz de contestar.

—Le pasaba información a Fumio. Le decía quién estaba planeando escapar. Le contaba quién construía una radio y dónde la escondía. Seguía recibiendo palizas, pero menos. Conseguía medicinas. Yun Hong lo averiguó. Me suplicó que dejara de hacerlo, pero yo me negué.

Un búho planeó por delante de la veranda como un recuerdo perdido.

—La dejé —dije—. Dejé a Yun Hong allí.

Aritomo estiró el brazo y abrió la pequeña puerta del brasero. Se apoyó en los codos, sopló dentro e hizo que una nube de chispas volara en la oscuridad.

Al principio creí que los disparos eran recuerdos que intentaban traspasar mis sueños, pero cuando abrí los ojos continuaron los ruidos de las detonaciones con un ritmo irregular. Me incorporé en la cama. La luz cálida de la habitación me indicó que eran alrededor de las siete de la mañana. A través de las puertas correderas medio abiertas vi que Aritomo estaba debajo de la *engawa* y miraba hacia la plantación Majuba. Me vestí y salí junto a él. Las nubes estaban cargadas de lluvia y un fuerte viento enfurecía las hojas de los árboles. Antes de que me diera tiempo a hablar, cuatro hombres con uniformes de color caqui aparecieron por la esquina. El que iba delante nos apuntó con el rifle.

Aritomo se puso delante de mí para protegerme. El hombre le asestó un golpe en la mejilla con la culata del rifle que le hizo voltear la cabeza.

Destrozaron la casa, volcaron los armarios y rompieron la vajilla de la cocina. Esperaba que no le hubieran hecho daño a Ah Cheong, pero entonces recordé que era domingo. Una vez que estuvieron seguros de haber encontrado toda la comida y el dinero que había en la casa, los CT nos llevaron a la fuerza a Majuba por el camino que tantas veces yo había recorrido. La jungla bullía con los sonidos de los insectos. Enseguida divisé entre los árboles las laderas cubiertas de té, tan familiares para mí. Un momento después, salimos de la jungla y continuamos por la finca. Las puertas metálicas que daban a los barracones de los trabajadores estaban abiertas y ellos, arrodillados en el césped junto a sus familias, vigilados por CT armados. Los miembros de la Guardia Ciudadana Malaya permanecían inmóviles, tumbados boca abajo. Más abajo del carril de tierra, unos CT se llevaban sacos de arroz y cajas de comida enlatada de la tienda cooperativa. Por delante de la clínica, vimos que otros llenaban unos sacos de yute con medicamentos y vendas.

Habían forzado el portón de seguridad de la Residencia Majuba. Las paredes y la puerta delantera de la casa estaban acribilladas a balazos, las contraventanas, destrozadas y las strelitzias hechas jirones en el césped. En el interior, cristales, yeso y trozos de madera cubrían el suelo amarillo que crujía bajo nuestros pies.

La luz se colaba a través de las contraventanas rotas y la tela metálica desvencijada. El olor de la pólvora corroía el aire mezclado con otro hedor: Brolloks y Bittergal estaban echados uno junto a otro en el suelo del recibidor, rodeados de un charco de sangre que manaba de las heridas de su vientre y pringados con sus propias heces. En el comedor encontramos a Magnus y Emily arrodillados en el suelo. Cuando llegamos, levantaron la vista; Magnus tenía una herida en la cara y le chorreaba sangre. Unas manos nos empujaron para que nos colocáramos junto a ellos. Desde la cocina, al final del pasillo, me llegaron los sollozos de los sirvientes.

—Soy el comandante Yap —dijo un hombre de rostro suave y aspecto erudito. Me pregunté si habría sido profesor antes de tomar las armas contra el Gobierno.

—¿Qué demonios queréis? —preguntó Magnus. Un CT le golpeó con fuerza en la sien con la culata del rifle. Él se tambaleó, pero se mantuvo erguido. El CT estaba a punto de atizarle otra vez cuando Emily gritó:

—¡Para! ¡Para!

—Vosotras dos, *chau-chibai*[1] —dijo Yap, mirándonos a Emily y a mí—. Una casada con un *ang moh* y la otra follándose a un puto *japo*.

Emitió un chasquido con los dedos. Una CT trajo a un hombre arrastrándolo por el pelo y le dio una patada para que se pusiera de rodillas; tenía la cara hinchada y embadurnada de sangre y suciedad.

Yap se volvió hacia Aritomo.

—Uno de los tuyos. Este de aquí, Inoki, ha luchado con nosotros desde que su país perdió la guerra. Pero ahora quiere entregarse, quiere volver a casa. —Se agachó y acercó la cara a la de Aritomo—. En la jungla se oyen muchas cosas raras. Muchas cosas raras. Inoki nos habló del oro que vosotros los *japos* robasteis. Dice que está escondido en las colinas de por aquí. Así que le estamos dando la oportunidad de averiguar dónde exactamente.

—Las cosas deben de ir muy mal para que hayáis empezado a creer en cuentos de hadas —señaló Aritomo.

[1] Insulto en el dialecto hokkien, que literalmente quiere decir «vagina maloliente ». *(N. del T.).*

Inoki avanzó de rodillas hacia Aritomo y le habló en japonés:

—Los rumores, Nakamura-*san,* tienes que haberlos oído. —Sus palabras salían a borbotones en un torrente de miedo e histeria—. Si sabes algo sobre eso, díselo a esta gente, por favor.

Aritomo apartó la mirada y levantó la cabeza hacia Yap.

—Soy jardinero, no soldado.

—Oro de Yamashita. —El pánico y quizás el deseo de demostrar a los CT que hacía cuanto podía, hizo que Inoki volviera a hablar en inglés—. Eso oímos. Muchas veces. El oro, Nakamura-*san,* el oro que el general Yamashita robó. El oro de Yamashita. ¿Sí? ¿Sí?

—Son todo estupideces —respondió Aritomo—. Nada más que rumores.

Yap apuntó a Inoki con la pistola; el japonés redobló el ímpetu de sus gestos y tiró de la pechera de la camisa de Aritomo. Aritomo no se movió y mantuvo la mirada a Yap. Mis ojos saltaban de uno a otro, luego a Inoki y otra vez a Yap. La expresión del comandante de los CT era reposada. Disparó a Inoki en la cabeza. Emily gritó. Sangre, carne y trozos de hueso salpicaron las sillas y el suelo del comedor. Sentí que algo cálido y húmedo se me pegaba a la cara, pero resistí el impulso de quitármelo. El llanto de los sirvientes se volvió histérico en la cocina. Bajo el zumbido de mis oídos, escuché que un hombre les gritaba y a continuación el sonido de bofetones. Sus lloros se convirtieron entonces en gemidos.

Yap me apuntó con la pistola.

—Sé en qué zona escondieron los japoneses el oro. Os llevaré hasta allí.

Todos nosotros miramos a Magnus. Emily soltó un grito apagado mientras le agarraba del brazo.

—No seas estúpido, Magnus —dijo Aritomo.

—¿Dónde está? —preguntó Yap.

—En Blue Valley. Unos cuantos kilómetros al norte del río.

—¿Cómo lo sabes?

—Se lo oí al coronel Cayaschi. Solía ir a cazar con él. Me habló del oro. Incluso me señaló la colina donde está. Allí también enterraron un alijo de armas. No sé si será el oro de Yamashita o no.

—¿Y tú nunca has ido a buscarlo? —quiso saber Yap.

—Por Dios… ¡Ese tipo estaba como una cuba! Y no paraba de decir tonterías.

—Magnus… —interrumpió Aritomo.

Un hombre entró corriendo en la cocina y susurró algo a Yap. Yap lo escuchó, frunció el ceño y volvió a hablar:

—¡Tú! —Sacudió la pistola señalando a Magnus—. Levántate, viejo.

Magnus se puso en pie con dificultad. Emily se aferró a él, gimiendo y agitando la cabeza como una loca. La agarré del brazo, pero ella lo sacudió para apartarme y me dio un codazo en la cara. Magnus la abrazó, le murmuró algo y ella se derrumbó en sus brazos. Él la beso y la apartó con suavidad. Miró a Aritomo y luego a mí. Emily se quedó allí, con los brazos colgando mientras los terroristas se marchaban de la casa con Magnus.

Emily salió corriendo por la puerta delantera y Aritomo y yo fuimos tras ella. El sonido renqueante de las sirenas llegó desde el camino de entrada unos quince minutos después de que los CT se hubieran ido.

—¡Se han llevado a Magnus! —gritó, antes incluso de que los policías salieran de las furgonetas—. A Blue Valley, ahí es donde lo han llevado.

Empecé a sentir espasmos en uno de los músculos de la pierna. Un momento más tarde estaba temblando. Aritomo me llevó a la casa y me obligó a sentarme en una silla del recibidor.

—Respira —dijo mientras me frotaba la espalda con caricias fuertes y prolongadas.

Dejé de temblar pasados unos minutos. Sacó su pañuelo y me secó la cara.

—Magnus… ¿estaba diciendo la verdad sobre el oro? —pregunté.

—Hayashi era un borracho, eso es verdad. Y fue con Magnus a cazar una o dos veces. Pero borracho o no, de haber estado al tanto del paradero del oro, nunca se lo habría revelado a Magnus. Magnus y sus amigos han rastreado Blue Valley durante años.

La policía entró en la casa y reconocí al subinspector Lee. Según me explicó, uno de los trabajadores, al ver que un grupo de terroristas entraba en Majuba, echó a correr hacia la carretera principal y un camión lo llevó hasta Tanah Rata. La policía quiso saber quién estaba en la casa durante el ataque. Los CT habían apuñalado de muerte a dos de los subgerentes y a un recolector de té. Saquearon el *bungalow* de Harper, pero él había pasado la noche con la esposa del dueño de una mina de estaño en Tanah Rata. Encontraron al centinela *gurkha* atado con alambre de espino a un árbol, con su *kukri* clavado en el pecho.

El pánico de Emily se acrecentaba a medida que pasaban las horas.

—¿Por qué seguís todos aquí? —le gritó a Lee—. ¿Qué estáis haciendo para encontrar a mi marido?

—Las patrullas de KOYLI en la jungla están peinando las colinas que rodean Majuba y Blue Valley —respondió Lee, refiriéndose a la Infantería Ligera Real de Yorkshire—. Hacemos todo lo que podemos, señora Pretorius.

Cuando la policía se fue, Emily cerró la puerta y se dio la vuelta para mirarnos a Aritomo y a mí.

—Magnus me dijo que habéis estado pagando a los CT para que se mantuvieran lejos de Yugiri —dijo—. No, ¡no finjáis que no sabéis de lo que hablo! ¿Me oís? ¡Ni se os ocurra!

—Majuba estaba incluida en el trato —apuntó Aritomo—. Ahora han cambiado las reglas, Emily. Se ha roto el acuerdo.

Dio un paso para acercarse a Aritomo.

—Quiero… —su voz se quebró. Se agarró al respaldo de una silla y levantó la barbilla hacia Aritomo—. Quiero que vuelva mi marido —dijo despacio—. Les pagaré lo que quieran. Pero decidles que me devuelvan a Magnus.

En el límite occidental de Yugiri observé cómo Aritomo subía por la ladera cubierta de helechos y se perdía entre las sombras veteadas de la jungla. Yo quería acompañarlo pero se negó. Me senté a esperar en la raíz de un árbol.

Al cabo de unas dos horas, volvió con la camisa oscurecida por las manchas de sudor y los brazos y la cara ensangrentados por los arañazos. Me puse de pie y esperé a que comenzara a hablar, quería que me dijera que Magnus estaba a salvo y de camino a casa.

—Se han ido —dijo—. El campamento estaba abandonado.

Me sumí en la desesperación.

—Vas a tener que contar a Emily que no lo has encontrado.

De regreso a Majuba pasamos por delante de Yugiri. En el césped se acumulaban muebles y jarrones rotos, libros hechos pedazos. ¿Había sido esa misma mañana cuando los CT habían entrado en la casa? Me llamó la atención algo medio enterrado entre los escombros y lo recogí. Habían arrancado del marco el dibujo a tinta de Lao Tzu y lo habían roto por la mitad. Aritomo lo cogió de mi mano y lo observó.

—Cuando Yap me apuntó con la pistola, ¿qué habrías dicho si Magnus no hubiera hablado? —le pregunté sin apartar la vista del papel estropeado.

Se produjo lo que me pareció un largo silencio antes de que Aritomo contestara.

—Le habría dicho lo mismo que dije: que el oro de Yamashita es solo un rumor.

Vi que también se estaba fijando en el dibujo. Puede que incluso miráramos hacia el mismo punto.

Su respuesta me decepcionó, pero acepté que era la única posible. Estábamos en medio de una guerra y no había lugar para la lógica y la razón.

—El Cuerpo Especial me dijo que Magnus había estado pagando a los CT para que se mantuvieran alejados de Majuba.

Cerró los ojos con fuerza y se los frotó con los dedos índice y pulgar.

—Magnus es un hombre honorable, Yun Ling. Siempre lo ha sido. Se negó incluso a considerar la idea cuando se la planteé.

—Pero tú sí pagaste a esos cabrones.

—No podía permitir que nadie interrumpiera mi trabajo en el jardín —dijo—. No podía.

—Ningún jardín vale eso.

—Así también estarías protegida —añadió—. Podrían haberte matado cuando vinieron a por ti aquella noche. Quédate aquí arreglando todo esto. Tengo que ir a ver a Emily. —Me tendió el dibujo rajado—: Déjalo en mi escritorio.

Las patrullas de KOYLI no encontraron rastro alguno de Magnus ni de los terroristas. Enviaron más destacamentos a la jungla, guiados por rastreadores ibanos[2] de Sarawak. Hacendados y amigos formaron equipos de búsqueda, pero sus esfuerzos se vieron obstaculizados por las lluvias. Cada vez que el tiempo se despejaba un momento, varios aviones Dakota sobrevolaban las montañas rozando las copas de los árboles, con altavoces acoplados en las alas, proclamando en mandarín y en malayo ofertas de amnistía y recompensa a cambio del regreso de Magnus sano y salvo.

Localicé a Frederik y le di la noticia por teléfono.

—Intentaré obtener permiso e ir para allá —dijo.

Colgué el teléfono y lo volví a descolgar para llamar a mi padre.

—¿Estás bien? —me preguntó—. He intentado llamarte.

—¿Te has enterado de lo que ha pasado?

—Tu hermano me lo ha contado esta mañana.

—¿Puede hacer algo Hock para encontrar a Magnus? Estoy segura de que tiene informantes y contactos entre los CT.

—Le preguntaré. Templer está poniendo toda la carne en el asador para acabar con ellos. —Se quedó callado un momento—. Por cierto, me voy a Londres con la delegación de la Merdeka. Nos marchamos mañana.

—¿Cuánto tiempo vas a quedarte allí?

—Un mes. Puede que más. Depende de cómo vayan las reuniones. Parecen prometedoras. No se lo cuentes todavía a nadie, pero podríamos ver la independencia dentro de cinco años.

—¿Quién se queda cuidando a madre?

—Los criados. Y Hock, claro.

—¿Ha habido alguna mejoría?

—No. Sigue igual. ¿Te has trasladado a la Residencia Majuba? —parecía esperanzado.

—Le hago compañía a Emily.

—Ya. Dile que todos rezamos por el regreso de Magnus.

Después de colgar, me di cuenta de que no me había pedido que volviera de Cameron Highlands. Por alguna razón, esa omisión me decepcionó.

[2] Pueblo del este de Borneo. *(N. del T.)*.

Sacaron de la casa a los perros y los colocaron fuera, envueltos con una lámina de caucho, pero Emily no permitió que los enterraran. El olor era espantoso y, Ah Yan, el criado de más edad y el más supersticioso, me suplicó que hiciera algo.

—Magnus querrá hacerlo él mismo cuando vuelva —dijo Emily cuando hablé con ella.

La miré.

—Claro, Emily.

El hedor se volvió insoportable. Cuando Frederik vino de Kuala Lumpur hice que me ayudara a trasladar a Brolloks y Bittergal a la terraza inferior. En una esquina alejada, al amparo de unos árboles que nos ocultaban desde la casa, cavamos dos hoyos y los enterramos.

—Siempre he querido preguntar a Magnus de dónde sacó sus nombres —dije mientras aplastaba la tierra con la pala.

—¿Los de los perros? Son de un cuento. Mi padre me lo contaba cuando era pequeño. Brolloks y Bittergal eran dos monstruos del Karoo que comían niños. Los usaba para asustarme cuando me portaba mal. —Tocó el túmulo de tierra con el pie—. Pobres chuchos.

Comenzó a llover otra vez.

—Vamos dentro.

Nos estábamos secando frente al fuego del salón cuando oímos el teléfono en el estudio. Alguien contestó. Miré a Frederik y salimos al pasillo. La puerta del estudio se abrió unos minutos más tarde. Emily nos miró como si no tuviera ni idea de quiénes éramos ni de lo que estábamos haciendo en su casa. Poco a poco el desconcierto de sus ojos se despejó.

—Lo han encontrado —nos informó.

Al tomar la curva del sendero, vi a Aritomo arrodillado junto a un seto de cañas de Indias. Me detuve y lo observé. Arrancaba y retiraba la vegetación con mano experta, sus dedos eran tan diestros como los labios de un ciervo extrayendo las hojas jóvenes de una rama. Recordé la primera vez que lo vi en la galería de tiro con arco. Pensé que era el alma del jardín. Sin él, todo aquello acabaría finalmente convertido en ruinas.

Levantó la vista y se puso de pie con dificultad. Le ofrecí mi mano, preocupada porque parecía mucho más viejo.

—Magnus está muerto —dije.

Su cara y todo su cuerpo parecieron hundirse. Dejó caer las plantas estrujadas y se sacudió los restos de hojas y pétalos de las manos.

Le conté que un propietario chino de una plantación de verduras que volvía de Ipoh vio un cuerpo tumbado en la hierba junto a la carretera. No detuvo el camión, sino que condujo directamente hasta la comisaría de policía en Tanah Rata. Se me saltaron las lágrimas mientras hablaba, pero mantuve los ojos abiertos. Aritomo me abrazó. Nos quedamos así durante un buen rato, entre los tallos de las flores que acababa de arrancar.

El funeral tuvo lugar el sábado por la tarde. Los hacendados y sus familias, los trabajadores, la gente de las tierras altas y del resto del país que lo conocieron se congregaron en el césped de la terraza donde Magnus solía celebrar sus *braais.* Los mensajes de condolencia llegaron de toda Malaya, también el del alto comisionado y su mujer. Mi padre envió un telegrama desde Londres pidiéndome que le diera a Emily el *pek khim,* el sobre blanco con dinero para la familia del fallecido. Durante el funeral estuve sentada al lado de Aritomo. Una o dos veces alargué la mano para acariciarle el brazo, pero él tenía la mirada perdida y el cuerpo rígido. Reprimí las lágrimas cuando tocaron el *Und ob die wolke* para Magnus por última vez. «Y si las nubes…».

Lo enterraron en el jardín trasero de la Residencia Majuba, junto a la tumba de su hija. Aritomo desapareció durante el velatorio. Por el rabillo del ojo lo vi alejarse, pero no lo seguí.

Aquella misma tarde regresó a la Residencia Majuba con una gran caja de cartón y con los ojos cargados por el cansancio. Dentro había tres farolillos de papel, más grandes que los que hizo para Emily en el Festival de Mitad de Otoño y con la parte superior sellada. Me explicó lo que tenía que hacer, se dio la vuelta y regresó a casa con paso lento.

En mitad de la cena, Emily se levantó de la mesa y salió del comedor. Hice ademán de ir tras ella, pero negó la cabeza mientras las lágrimas le brotaban de los ojos y le caían por las mejillas. Frederik me tocó el brazo y yo me volví a sentar.

Más tarde la encontramos sentada al piano con los hombros arqueados. Movía los dedos por encima de las teclas, como si intentara recordar las notas de la pieza que estaba tocando. Cuando entramos nos miró y bajó la vista hacia el teclado otra vez.

—Nos gustaría que vieras una cosa —dije, pero no dio muestras de haberme oído. Apretaba las teclas con notas discordantes en medio del silencio.

—Solo será un momento, Emily —pidió Frederik—. Por favor.

Se levantó despacio, salimos con ella a la terraza trasera y caminamos a lo largo de la balaustrada. El olor del rocío era intenso y limpio. No había luna. Las luces de los *bungalows* y de las casas daban cierta forma a las cumbres y a los valles que se extendían por debajo de nosotros. Encendí los faroles que Aritomo me había dado y las velas iluminaron los pliegues del papel de arroz. Escogí uno de ellos y, mientras lo levantaba, derramó su resplandor sobre nuestros rostros.

Los valles quedaron salpicados con más lucecitas que brillaban en la oscuridad, agrupadas como semillas luminosas en algunos lugares, solitarias o alejadas en otros, tantas que era imposible contarlas.

—¿Qué sucede? —preguntó Emily.

—Son farolillos, como estos —dije—. Los ha hecho Aritomo. Para Magnus.

El farolillo tiraba de mi mano y se lo di a ella. Frederik cogió otro. Agarré el último y miré mi reloj. A las ocho en punto dije:

—Vamos, Emily.

Cerró un instante los ojos y dejó ir su farolillo. Se sostuvo en el aire unos segundos y luego comenzó a ascender mientras se balanceaba como una medusa fosforescente. A lo largo de los valles la luz de innumerables farolillos fue veteando la oscuridad. Frederik y yo soltamos los nuestros a la vez y sentí su mano cerca de la mía. Por encima de los árboles oscuros y deformes de Yugiri, se elevó una burbuja de luz que voló a la deriva arrastrada por el viento. Emily asintió con la cabeza ligeramente, como señal de agradecimiento y las lágrimas brillaron en sus mejillas.

Algunos de los farolillos llegaron pronto a las nubes y parpadearon como relámpagos lejanos. Otros navegaron lejos, muy lejos, conducidos por el viento hacia las montañas. Formulé en silencio el deseo de que nunca descendieran a la tierra.

Capítulo veintitrés

Durante estos últimos cuatro días las palabras se han negado a venir a mí cuando las invoco y lo único que puedo hacer es mirar el papel. Cuando por fin brotan de mi bolígrafo, soy incapaz de darles sentido. Solo cuando trabajo de noche me libero de estas fases de ceguera verbal. Así que escribo todo lo que puedo antes de quedarme dormida.

Llevo sentada en el escritorio desde medianoche, sumida en las páginas donde he anotado los acontecimientos del campo de internamiento, haciendo cambios en la elección de las palabras y en la estructura de las frases. Tengo puesta la rebeca, pero en el estudio hace frío y me duelen los dedos.

Me levanto y camino por la habitación mientras me masajeo el cuello. Mi cuerpo está dolorido, pero es un tipo de dolor maravilloso, resultado del esfuerzo físico: he empezado a practicar *kyudo* otra vez. Después de varias sesiones, siento que las viejas enseñanzas que aprendí están volviendo a mí.

Al regresar al escritorio, paso unas cuantas páginas y releo lo que he redactado. «Incluso los monos se caen de los árboles». Sí, estoy totalmente convencida de que eso fue lo que Fumio me dijo antes de cortarme los dedos.

La memoria es como la luz del sol en un valle nublado: va cambiando con el movimiento de las nubes. De vez en cuando la luz iluminará un punto determinado durante un instante, antes de que el viento cierre el hueco y el mundo vuelva a ensombrecerse.

Hay momentos en los que, al rememorar lo sucedido, no soy capaz de seguir escribiendo. Sin embargo, lo que más me molesta es no tener la certeza de estar reproduciendo con exactitud lo que ha ocurrido. Me he pasado la mayor parte de mi vida intentando olvidar y ahora lo único que quiero es recordar. No me acuerdo de cómo era mi hermana; ni siquiera tengo una foto suya. Y la conversación con Aritomo junto al estanque Usugumo aquella noche de la lluvia de meteoros, ¿ocurrió el mismo día de la visita de Templer o tuvo lugar otra noche distinta? El tiempo desgasta mi memoria. El tiempo y esta enfermedad, esta intrusa en mi cerebro.

La campana de la puerta principal lleva un rato sonando. Estoy en el estudio reorganizando los libros de las estanterías. Llamo a Ah Cheong y luego me acuerdo de que se ha tomado el día libre. Aguardo con el deseo de que, quienquiera que sea, se dé por vencido y se vaya. El cartel de la entrada no disuade a nadie. La semana pasada el número de personas que vinieron a Yugiri aumentó y todas ellas esperaban que se les permitiera entrar. Un equipo de rodaje local que está grabando un documental sobre la vida de Aritomo intentó verme, pero yo me negué.

Mientras coloco un montón de libros sobre el suelo me doy un masaje para aliviar el dolor lumbar y miro a mi alrededor. Fue en esta habitación donde Aritomo pidió hacerme los tatuajes. La jaula de bambú sigue aquí y los mismos cuadros cubren la misma pared. Hay un espacio descolorido en el lugar donde estaba colgado el cuadro de mi hermana antes de que él me lo diera.

Se oyen unas voces, cada vez más fuertes, provenientes del exterior. Salgo del estudio y me dirijo a la puerta principal. Vimalya está hablando con dos mujeres chinas justo debajo de la veranda. Una de ellas tiene la cabeza afeitada y va vestida con una túnica gris desteñida. Puede que sea un poco más joven que yo; me resulta difícil calcular su edad. A su lado hay otra. Vimalya mira hacia arriba cuando salgo.

—Estaban en la puerta de entrada cuando he llegado.

—Gracias, Vimalya.

—Ah, otra cosa, jueza Teoh… ¿Puede recomendarme libros sobre jardinería japonesa?

—Te prestaré algunos.

Se marcha y me vuelvo hacia las mujeres. La religiosa me habla en inglés:

—Me llamo Chin Lai Kew. —Las tres cicatrices redondas de su frente forman una línea vertical; fueron grabadas con una varita de incienso cuando juró los votos—. La señora Wong ha sido muy amable al traerme hoy aquí.

—Emily me habló de ti —dije—. Pasad y sentaos.

—No hace falta-*lah*. —La religiosa se gira hacia su acompañante y se dirige a ella en mandarín—: ¿Podrías esperarme junto al estanque? No quiero abusar del tiempo de la jueza Teoh. —Cuando la mujer se marcha, me dice—: Nos conocemos de antes, ya sabes, del Templo de las Nubes.

—No me acuerdo.

—El señor Aritomo me pidió que rezara unas oraciones por su amigo. Tú estabas ese día con él.

Como si un papel frotara las inscripciones de una lápida antigua, poco a poco va tomando forma el recuerdo de su cara en aquella mañana de hace casi cuarenta años, de manera borrosa y confusa.

—Eras…

—¿Muy joven por entonces? —La religiosa sonríe y deja ver un hueco entre sus dientes—. Tú también lo eras. Pero no nos sentíamos jóvenes en absoluto, ¿verdad?

Una pulsera de cuentas de jade emite un suave repiqueteo en su muñeca cuando la toca.

—Fui *jugan ianfu*.

Miro hacia la casa, no estoy segura de querer oír lo que tiene que decirme.

—Éramos doce; fuimos capturadas por todo el país —continúa la religiosa—. Yo tenía trece años, era la más pequeña. La mayor tenía diecinueve o veinte. Los soldados nos tenían retenidas en el convento de Tanah Rata, que se había convertido en su base. Estuve allí dos meses. Después me dejaron marchar. Simplemente. Volví a mi casa de Ipoh, pero todos sabían lo que los japoneses me habían hecho. ¿Qué hombre iba a quererme como esposa? Mi padre se avergonzaba tanto de mí que me vendió a un burdel. Yo me escapé. Me trasladé a otra ciudad, pero de todos modos la gente lo sabía. Siempre se sabía. Un día, oí hablar a una mujer acerca de un templo en Cameron Highlands que había acogido a unas cuantas mujeres como yo. Fui hasta allí y ya nunca me marché.

Al recordar el aspecto abandonado de aquel conjunto de edificaciones dispersas, pregunto:

—El templo... ¿sigue existiendo?

—Lo cuidamos lo mejor que podemos —responde. Entonces se queda callada durante unos instantes antes de explicarme la razón de su visita—. Unos cuantos años antes de que el señor Aritomo se marchara, averigüé que durante la ocupación visitó al comandante de la región para que liberaran a todas las *jugan ianfu* de Tanah Rata. El comandante accedió a que dejaran marchar a cuatro de las chicas más jóvenes.

Aritomo nunca me lo contó.

—Quise contártelo cuando él desapareció —dice la religiosa—, pero ya te habías ido. Y nunca volviste.

—Me alegro de que decidieras venir a verme.

—Tenía otra razón.

—Quieres visitar el jardín.

—¿El jardín? —Durante un instante parece perpleja—. ¡Oh, no! No-*lah*. No. Es que el señor Aritomo me contó una vez que tenía un dibujo de Lao Tzu. Me gustaría verlo, si todavía está aquí.

—Aquí sigue. Como tu templo.

La llevo al interior de la casa y le muestro el dibujo a tinta que hizo el padre de Aritomo. La religiosa se queda de pie frente al viejo sabio. En mitad del papel hay un desgarrón, pero se ha reparado con tanta habilidad que es casi imperceptible.

—«Cuando el trabajo está terminado, es hora de marcharse» —dice con voz suave—. «Ese es el Camino del Tao».

He leído varias veces el *Tao Te Ching* y esas palabras me resultan familiares.

—El trabajo de Aritomo no estaba terminado cuando se marchó.

La religiosa se vuelve hacia mí y sonríe, no a mí, sino al mundo.

—Ahhhh... ¿Estás segura de eso?

Mientras ordeno el estudio, después de haber conducido a Chin Lai Kew y a su acompañante hasta la entrada, pienso en lo que me acaba de contar. Hay tantas cosas que no sé de Aritomo, tantas cosas que nunca sabré.

Al sacar un grupo de libros de una estantería, descubro una caja detrás de ellos. La abro y encuentro un par de nidos de vencejo que con el tiempo han adquirido un color amarillo meloso. Son los nidos que Aritomo me dio. Cojo uno de ellos; tiene un tacto quebradizo. No recuerdo haberlos guardado en esta caja cuando volvimos de la cueva, nunca hice una sopa con ellos, como él me sugirió.

—¿Jueza Teoh? —Tatsuji aparece en la puerta.

Cierro la caja y la vuelvo a poner en la estantería; luego le hago una señal con el dedo para que entre.

—He terminado de examinar todos los *ukiyo-e* —dice.

—Utilízalos todos —le sugiero—. Tienes mi permiso.

Es más de lo que él esperaba. Me hace una reverencia.

—Mi abogado te enviará el contrato.

—Hay un trabajo más de Aritomo que me gustaría que evaluaras, Tatsuji. —Me pregunto si debería seguir adelante; no es tarde para cambiar de opinión, pero esta es la razón por la que quería verle, la razón de haberle llamado para que viniera a Yugiri—. Aritomo sí que era tatuador.

—Así que yo tenía razón todo este tiempo. Era un *horoshi*. —Su sonrisa se acentúa—. ¿Tienes alguna fotografía de los tatuajes que hizo?

—Nunca tomaba fotografías.

—¿Y bocetos?

Sacudo la cabeza.

—¿Te dejó muestras de sus tatuajes?

—Solo una.

El entendimiento filtra una lóbrega agitación en su rostro.

—¿Te tatuó a ti?

Asiento y Tatsuji cierra los ojos por un momento. ¿Estará dándo las gracias al dios de los tatuajes? No me sorprendería nada que tal deidad existiera.

—¿Dónde lo tienes? ¿En el brazo? ¿En el hombro?

—En la espalda.

—¿Dónde exactamente? —pregunta, cada vez más impaciente. Sigo mirándolo y de repente se refleja la comprensión en su cara.

—*So, so, so.* No se trata de un tatuaje, sino de un *horimono.* —Durante un momento se queda sin habla—. Eso sería uno de los descubrimientos más importantes en el mundo del arte japonés —dice por fin—. Imagínate: el jardinero del emperador Hirohito, creador de material artístico tabú. Sobre la piel de una mujer china, nada menos.

—No se hará mención alguna a esto si quieres usar los *ukiyo-e* de Aritomo.

—¿Entonces por qué me lo cuentas?

—Quiero que el *horimono* se conserve después de mi muerte. Quiero que tú te encargues de ello.

—Eso es fácil.

—¿Cómo se hace?

—Se redactará un contrato en el que me legues tu piel cuando fallezcas, bajo pago inmediato, si quieres —me explica Tatsuji al tiempo que traza un elegante círculo en el aire con la mano—. Podemos discutir los detalles más tarde. Pero antes... —choca las manos en una palmada silenciosa— antes, tengo que determinar la calidad y la textura del trabajo en tu piel. Lo haremos en presencia de una ayudante, por supuesto. Podemos concertar una cita en Tokio.

—No. Lo haremos aquí. Justo aquí. En esta habitación. Solo te lo enseñaré a ti, a nadie más —digo—. No tienes por qué sentir apuro, Tatsuji. Somos adultos. Ya hemos visto muchos cuerpos desnudos.

—Preferiría que hubiera otra persona delante, para que no haya dudas de... eh... —Se frota la corbata.

—¿A tu edad? Seguro que no. ¿O acaso me honra la posibilidad de que cambies tus preferencias por mí? —Le lanzo una mirada atrevida y voluptuosa mientras me regocijo observando su embarazo—. Está bien, Tatsuji. Buscaré a alguien. Alguien que haga de carabina. —Me echo a reír y eso me hace sentirme bien—. «Carabina». Vaya palabra más anticuada, ¿no te parece?

—Cuando investigué a Aritomo-*sensei* me desconcertaron algunas cosas —dice.

—¿Qué tipo de cosas? —Mi sentido del humor se desvanece y lo reemplaza una actitud de cautela—. ¿Contradicciones?

—No. Más bien lo contrario. Todo lo que descubría de su vida parecía natural, es más... prefabricado. Era como... a ver, era como pasear por un jardín diseñado por un maestro *niwashi*. Fíjate en su enemistad con Tominaga Noburu, por ejemplo —añade—. Habían sido buenos amigos desde que eran pequeños.

—Es muy frecuente que los amigos de la infancia se peleen cuando crecen.

Tatsuji se queda pensando un momento. Me dice que espere y regresa un momento más tarde con su cartera. La abre y saca una bolsita negra. Afloja el cordón que la ata y extrae un objeto metálico brillante. Durante un segundo me imagino que está liberando un anzuelo enganchado en la boca de un pez. Deja caer el objeto en mi mano. Es un broche de plata del tamaño de una moneda de diez centavos, una exquisita pieza de artesanía y más valiosa de lo que aparenta.

—¿Una flor? —digo mientras le doy la vuelta.

—Un crisantemo. Durante la guerra del Pacífico, el emperador repartió estos broches entre un grupo selecto de personas.

—¿Para qué? —Me siento en una de las sillas de palisandro.

—¿Has oído hablar alguna vez del Lirio Dorado?

El broche destella sobre los pliegues de mi guante.

—No.

—Es el título de uno de los poemas de nuestro emperador —me explica—. *Kin no Yuri.* ¿No es un bonito nombre para uno de los peores delitos cometidos por mi país en esa guerra? Fue en 1937, después de que atacáramos Nankín. Los oficiales de palacio comenzaron a preocuparse porque el ejército estaba desviando los fondos provenientes saqueados durante la contienda. Para asegurarse de que el Cuartel General Imperial recibía su parte del botín, concibieron un plan que recibió ese nombre, Lirio Dorado.

La operación no estaba bajo el control del ejército, según me explica Tatsuji, sino que la dirigía el príncipe Chichibu Yasuhito, el hermano del emperador. Chichibu contó con la ayuda de algunos príncipes.

—Bajo las órdenes de esos príncipes trabajaban contables, asesores financieros y expertos en arte y antigüedades, muchos de los cuales estaban vinculados al trono mediante lazos de sangre o por matrimonio —continúa Tatsuji—. El Lirio Dorado enviaba a sus espías por toda Asia para que recopilaran información sobre los tesoros que se robaban. Se anotaba todo aquello que fuera valioso y la información se registraba escrupulosamente.

—Como si elaboraran un catálogo para una casa de subastas —digo.

—*Hai.* Una casa de subastas muy exclusiva. —Se pone de pie—. Cuando el Ejército Imperial extendió su avance por China… Malaya y Singapur… Corea, Filipinas, Birmania… Java y Sumatra, los miembros del Lirio Dorado siguieron desempeñando su tarea. Sabían dónde buscar y robaban todo lo que se les ponía por delante: estatuas de Buda de jade y oro de templos antiguos, todo tipo de piezas de valor histórico y cultural, antigüedades de los museos, así como las joyas y el oro que atesoraban las chinas ricas que no se fiaban de los bancos. Se vaciaron colecciones reales y tesoros nacionales; se arrebataron lingotes y obras de arte de valor incalculable, esculturas, cerámica y papel moneda.

—¿Y se lo llevaron todo a Japón?

Los ojos de Tatsuji se clavaron en un punto lejano en el tiempo.

—El Lirio Dorado sabía que era peligroso transportar todo aquello hasta Japón una vez comenzada la guerra. Asimismo, la organización temía perder el acceso a esos tesoros en caso de que el país fuera ocupado por fuerzas extranjeras en el futuro. Era más seguro esconder el botín en Filipinas. Enviaron espías para que exploraran posibles escondites en Mindanao y Luzón. Cuando el ejército tomo el control de esas islas, la actividad del Lirio Dorado se trasladó.

—¿El Lirio Dorado operó aquí, en Malaya?

—Hubo fábricas en Penang e Ipoh que fundieron oro y plata robados a familias y bancos —dice Tatsuji—; pudo haber estado detrás, en efecto.

—Entonces, ¿esos tesoros saqueados en Malaya se enviaron a Filipinas?

—Sí.

—Pero sería muy arriesgado transportarlos por mar.

—Hicieron pasar sus navíos por buques-hospital autorizados —prosigue Tatsuji—. Los aviones aliados y los barcos de guerra que se topaban con ellos se fijaban en las banderas, verificaban los números de registro y los dejaban en paz.

La indignación me inmoviliza.

—Miles de civiles fueron evacuados de Singapur en un convoy de barcos bajo bandera de la Cruz Roja. Vuestros aviones los hundieron. A los supervivientes los ametrallaron o los dejaron morir ahogados. Recogieron a las mujeres, las violaron y las volvieron a arrojar al mar —recuerdo.

Tatsuji aparta la mirada.

—Según el plan previsto —dice—, una vez que las cosas se hubieran calmado, una vez que hubiéramos ganado la guerra, los escondites de Filipinas se abrirían y los tesoros serían trasladados en barco hasta Tokio.

—Pero perdisteis la guerra.

—*Hai.* Ocurrió lo inimaginable. Así que todo lo que robó el Lirio Dorado podría seguir allí.

Le devuelvo el broche a Tatsuji.

—¿De dónde lo sacaste?

—Cuando estuvimos en Kampong Penyu, Teruzen me contó que una de sus obligaciones consistía en transportar en avión a los miembros de la familia imperial y organizar la protección aérea para sus navíos. Se negó a revelar nada más cuando le insistí. —Mira fijamente el broche del crisantemo—. Aquella última mañana, después de que emprendiera su vuelo final, regresé a nuestra cabaña. Encontré el broche entre mis cosas —se queda en silencio un instante y enseguida continúa—: He estado investigando al *Kin no yuri* durante años solo para comprender lo que Teruzen hacía.

—¿Formaba parte de ese… Lirio Dorado? —finjo mi desconocimiento del término.

—Hace un año localicé a un ingeniero que había trabajado para ellos —continúa Tatsuji—. Tenía más de noventa años y deseaba contar su historia antes de morir. Lo habían enviado a Luzón para supervisar a los grupos de prisioneros de guerra que trabajaban en las cuevas subterráneas de las montañas. Cientos de esclavos excavaban túneles y cámaras día y noche. Una vez que estuvieron repletas de tesoros, un sacerdote sintoísta celebró una ceremonia de bendición del lugar. Expertos ceramistas de Japón sellaron las entradas de las cámaras empleando una mezcla de arcilla de porcelana y rocas que tiñeron para mimetizarla con la geología local. Plantaron por toda la zona matorrales y árboles de crecimiento rápido para que no desentonaran con el paisaje; los que mejor funcionaban, según decían, eran los papayos y los guayabos.

—¿Y qué pasó con…? ¿Qué pasó con los prisioneros?

—Los llevaron a otro lugar cercano, una mina abandonada que había sido preparada con meses de antelación. Dispararon a los que se resistieron. Cuando todos estuvieron dentro, accionaron los explosivos para sellar la entrada.

—Y los sepultaron vivos —susurro.

—Los buscadores de tesoros han intentado localizar esos emplazamientos en Filipinas durante años. Puede que ya hayan vaciado algunos de ellos y que el botín ya haya sido enviado a Japón.

—¿Los buscadores de tesoros?

Mi escepticismo parece divertirle.

—Dijeron a los periodistas que buscaban los lingotes de oro que el general Yamashita ocultó cuando evacuó Luzón. Informaron a las autoridades filipinas de que estaban recogiendo los huesos de los soldados caídos para enterrarlos adecuadamente en Japón —añade—. Aquellas cámaras estaban equipadas con bombas de quinientos kilos y frascos de cristal con cianuro enterrados en la arena; si alguien hubiera encontrado alguno de esos escondites… Cualquiera que hubiera intentado abrirlos, cualquiera que no tuviera los mapas adecuados…

Me escapo de las arenas movedizas de los recuerdos.

—Si de verdad hubiera ocurrido todo eso, alguien lo habría contado ya —digo—. Quizás alguno de los japoneses que trabajaron en esas cámaras subterráneas… como ese ingeniero del que me has hablado, o algún guardia.

—El personal japonés también fue sepultado vivo, junto con los prisioneros —me explica Tatsuji—. El hombre con el que hablé tuvo suerte, le habían vendado los ojos cuando lo llevaron al campamento. Pero se pasó la vida aterrorizado preguntándose si no habría sido un error permitirle huir.

—¿Y qué tiene que ver Aritomo con todo eso?

—Yo solo tenía interés en sus *ukiyo-e,* pero cuanto más averiguo sobre él, más convencido estoy de que participó de algún modo en el Lirio Dorado. No tengo pruebas —añade deprisa—, es solo una sospecha íntima.

—Era jardinero, Tatsuji —mantengo un tono firme para que no se dé cuenta de cuánto me han conmocionado sus palabras.

—Podría haber venido aquí para inspeccionar la topografía. Tenía los conocimientos necesarios sobre paisajismo y horticultura. Recuerda que había que camuflar los enclaves u ocultarlos. ¿Y quién mejor para ello que un maestro del *shakkei?*

—Pero para formar parte de algo así... —mi voz, e incluso mi fuerza, se debilitan.

—Íbamos hacia una guerra, jueza Teoh. Todos tuvimos que desempeñar un papel para servir al emperador.

—¿Incluso su amigo, Tominaga Noburu?

—Él era el encargado del Lirio Dorado en el sudeste asiático. Testigos presenciales a los que entrevisté (antiguos soldados y miembros de la administración militar) lo sitúan en Malaya y Singapur entre los años 1938 y 1945.

—Pero Aritomo se quedó aquí mucho tiempo después de que la guerra acabara. Nunca volvió a casa.

—¿Has olvidado cómo era la situación en Malaya en aquella época? —dice Tatsuji—. Según lo que he leído en *La jungla roja,* hubo mucho desorden y desconcierto inmediatamente después de la rendición: las guerrillas comunistas se vengaban de los colaboracionistas, los chinos y los malayos se mataban entre ellos y los soldados británicos regresaban. Quizás el Lirio Dorado pensó que no era el momento idóneo para trasladar los tesoros, pero alguien tenía que quedarse aquí para asegurarse de que nadie los tocara.

—Y se quedó aquí, en su jardín, esperando a que las cosas se tranquilizaran. —Ordeno las piezas en mi cabeza con el propósito de descubrir un resultado coherente en este mosaico—. Pero entonces los comunistas empezaron su guerra.

—Si formaba parte del plan, tenía que saber dónde estaba escondido el botín, al menos en Malaya.

Me asusta pensar en las miles de personas que de manera inevitable pedirían hablar conmigo si se llegara a saber que Aritomo estuvo involucrado en algo así.

—Si lo sabía —apunto con firmeza— se llevó el secreto consigo a la tumba.

—No es un tipo de información que se pudiera revelar a cualquiera —reconoce Tatsuji.

—No me contó nada.

Tatsuji se ríe de mí, de manera bastante cruel.

—¿Un hombre con su educación y con tanta experiencia? —dice—. Estaría obligado a llevar a cabo su tarea como es debido. Hasta el final.

El nuevo salón de té de Majuba se encuentra en la cima de una colina empinada a la que llego resoplando después de una larga caminata. Faltan varios minutos para la hora del almuerzo, pero todas las mesas está ocupadas por turistas ancianos con chaquetas impermeables y gruesas botas de senderismo. Al echar una ojeada al restaurante, localizo a Frederik que me hace señas desde la terraza exterior.

—Te las has apañado para conseguir la mejor mesa del local —observo mientras me coloca una silla detrás.

—Ser el propietario de este sitio ayuda —contesta—. Hasta hace un año era un *bungalow,* el de Geoff Harper. ¿Te acuerdas de él?

Ocupamos una mesa al final de una terraza larga y estrecha que se extiende sobre el valle como un embarcadero; está rodeada de una protección acristalada a la altura del pecho que ofrece unas vistas vertiginosas de las montañas y de las laderas cubiertas de té. Por encima de nosotros, las glicinias se escurren desde la pérgola y dulcifican el aire. Cierro los ojos un instante mientras sigo dando vueltas a lo que Tatsuji me contó esta mañana sobre el Lirio Dorado. Parece una historia absurda, pero yo sé que no lo es.

Frederik me llena la taza de té y me la ofrece.

—Es de nuestra nueva selección. Todavía lo estamos probando.

Me acerco la taza a la nariz e inhalo el vapor. Doy un sorbo y mantengo el líquido en la boca para dejar que su sabor brote en mi lengua.

—Hace años que no pruebo un té de Majuba.

Parece sentirse insultado.

—¿No te gustan?

—No es eso. —Pienso en cómo explicárselo de la mejor manera—. El té de aquí… tiene su propio sabor… Me trae demasiados recuerdos.

—Siempre que tengo que viajar —dice Frederik—, llevo encima una caja de mi té.

—Magnus me habló una vez de un templo de China que había visitado…

—En el monte Li Wu —me interrumpe Frederik esbozando una sonrisa—. Fui hace unos años. Está todo allí, todo lo que él contaba: los monjes que recogen las hojas al amanecer, el sabor especial del té. Sigue siendo el té más caro del mundo.

Más abajo, en el valle, los pañuelos de colores brillantes con los que cubren su cabeza los recolectores son como pétalos de flores diseminados en un césped.

Señala a la gente que hay a nuestro alrededor.

—Muchos de ellos están aquí por el aniversario de la muerte de Aritomo.

—Lo sé. Han estado acosándome. Una periodista quería grabarme para un documental sobre él. Otro intentó presionarme para que le concediera una entrevista para un canal de noticias.

—Deberías hablar con ellos, hablarles de Aritomo. Tú eres quien mejor lo conoció.

—¿Tú crees?

Nos traen la comida y comemos en silencio.

—Tatsuji ya ha terminado su trabajo con los grabados —digo después de que se lleven los platos. Analizo los hechos mientras hablo despacio y le cuento a Frederik lo del Lirio Dorado. Cuando termino de hablar, se produce un largo silencio.

—¿Crees que Aritomo tuvo algo que ver? —pregunta por fin.

—No lo sé. Pero después de lo que Tatsuji me ha contado, estoy segura de que me enviaron a uno de los campos de trabajos forzados del Lirio Dorado. Muchas de las cosas que me ha dicho coinciden con lo que vi allí.

—¿Aritomo sabía lo que te hicieron los *japos?*

—Yo se lo conté.

—Pero a mí nunca me has dicho nada. —En su voz detecto un dolor antiguo que todavía sigue hiriendo después de todos estos años—. Nunca llegué a comprender de verdad por qué te fuiste de Yugiri.

—No podía vivir aquí, Frederik. Ni siquiera pude construir el jardín para mi hermana; todo me recordaba a Aritomo. Yo solo servía para las leyes.

—Y no lo has hecho mal.

—Curioso, ¿verdad? Nunca pensé en entrar en la judicatura cuando volví a ejercer. Pero tenía todas las credenciales que la nueva nación independiente buscaba: no soy europea y había sido bastante crítica con nuestros colonizadores y con la manera en que nos vendieron.

—Nunca te recuperaste del todo tras haber estado prisionera.

—¿Conoces a alguien que lo haya conseguido?

—Perdona. He dicho una estupidez.

Por detrás de Frederik aparece ante mis ojos un globo aerostático de color rojo intenso y con forma de lágrima invertida. Frederik sigue mi mirada y se da la vuelta para mirar hacia atrás por encima de su hombro.

—Un tipo de Kuala Lumpur lo trajo hace una semana —me aclara—. Da paseos a los turistas. Me han dicho que la zona alrededor de Yugiri es una ruta muy frecuentada.

El globo gira despacio sobre nosotros. En uno de los laterales aparecen escritas las palabras «Plantación de té Majuba» y el logo de la finca: un bosquejo de la casa de estilo Cape Dutch. Al verlo, suelto un gruñido de fingida indignación.

—¡Oh, venga! ¡Es una gran publicidad! —se justifica Frederik.

—Si se atreven a sobrevolar Yugiri les pego un tiro.

Se echa a reír y varias personas de alrededor nos miran.

—¿Te acuerdas de esa historia sobre el Festival de Mitad del Otoño que Emily contaba todos los años? —dice mientras se seca las lágrimas de los ojos—. Sobre Hou Yi, que derribaba los soles con el arco y las flechas… Y su esposa, que se tomó la pastilla mágica y se hizo inmortal…

—Pobre Hou Yi, anhelando a la esposa que se fue a la luna —digo—. Tendría que haber hecho algo por olvidarla.

—A lo mejor no podía —contesta Frederik—. A lo mejor no quería.

Aquella misma tarde, a las cinco en punto, me pongo la ropa de caminar: una camisa de manga larga, unos pantalones holgados de algodón y unas botas. Ah Cheong ya me está esperando en la puerta principal. El mayordomo, al darse cuenta de que he adquirido el hábito de pasear por la tarde como hacía Aritomo, siempre acude con el bastón cuando oye que me preparo. Nunca he aceptado el bastón, pero eso no le disuade de seguir ofreciéndomelo.

Hay trece recorridos establecidos que se extienden desde los tres pueblos de Cameron Highlands y que varían en longitud y dificultad. Además, existen otros muchos senderos que no aparecen en los mapas y que solo conocen los guardas forestales y los que llevan toda la vida en las tierras altas. Uno de ellos transcurre por los márgenes de la propiedad. Para completar la ruta necesito menos de una hora y, en esta época del año, es poco probable que me vaya a encontrar con nadie.

Mi pesadumbre interna se va disipando mientras camino. Por encima de mí, unas hojas proyectan sombras sobre otras. El olor del mantillo se atenúa con la fragancia de las orquídeas silvestres. De los banianos brotan raíces aéreas; las más antiguas se han endurecido con los años y forman estalactitas que sostienen las ramas combadas. Salvo por la senda que discurre bajo mis pies, no hay señal alguna de que alguien haya estado aquí antes que yo, y al cabo de unos minutos siento que me absorbe el corazón húmedo y decadente de la selva tropical.

El camino es abrupto, no es un recorrido fácil. Me detengo a recuperar el aliento en una cresta que se asoma a los valles. Una vieja sensación de rabia vuelve a quemarme: si mi salud no se hubiera resentido durante mi internamiento, ahora sería una mujer más fuerte. Cuando el neurocirujano me informó del diagnóstico, le pregunté si las penurias que había padecido tenían algo que ver con mi estado, como una semilla sembrada cuarenta años atrás que poco a poco hubiera ido extendiendo sus raíces envenenadas por mi cuerpo, de manera cada vez más profunda.

—No lo sabemos con seguridad —me explicó—, pero es poco probable.

Una parte de mí no puede evitar seguir preguntándoselo. Afasia. Qué nombre tan bonito, pienso mientras me siento en el tocón de una caoba. Me recuerda a alguna especie de flor, la camelia, quizás. No, se parece más a la rafflesia, que atrae montones de moscas cuando florece con su olor a carne podrida.

Mis pensamientos vuelven a las teorías de Tatsuji sobre el Lirio Dorado. Si él estaba en lo cierto y Tominaga Noburu era el cabecilla de la organización en el sudeste asiático, no me cabe duda de que el campamento en el que me recluyeron formaba parte de todo aquello. Pero ¿qué papel desempeñaba Aritomo? ¿Tiene razón Tatsuji al creer que lo enviaron aquí para realizar el trabajo preliminar del Lirio Dorado?

Se apodera de mí una furia repentina contra Aritomo. Clavo los dedos a ambos lados del tronco de caoba. Al cabo de un momento, la rabia remite.

Me pongo de pie y sacudo la suciedad de la parte trasera de mis pantalones. Está oscureciendo. Entre las brumas bajas que se extienden sobre las colinas se alza un resplandor naranja, como si los árboles se quemaran. Los murciélagos salen en tropel de los cientos de cuevas que perforan estas laderas. Observo cómo se sumergen en las brumas decididos, confiando en los ecos y los silencios que guían su vuelo.

¿Somos nosotros iguales a ellos —me pregunto— y navegamos por la vida mientras interpretamos los silencios entre las palabras pronunciadas, mientras analizamos el reflejo del eco de nuestros recuerdos con el fin de escrutar el terreno, con el fin de dar sentido al mundo que nos rodea?

Capítulo veinticuatro

Un jardín está compuesto por varios relojes, me dijo Aritomo en una ocasión. Algunos de ellos van más deprisa y otros se mueven tan despacio que ni siquiera nos percatamos. Es algo que solo llegué a comprender después de ser su aprendiz. Cada uno de los árboles y las plantas de Yugiri crecía, florecía y moría a su propio ritmo, aunque todo estuviera envuelto en una sensación de atemporalidad. Los árboles provenientes de un entorno más frío —robles, arces y cedros— se adaptaron a las lluvias y nieblas constantes, al ritmo del tiempo sin estaciones de las montañas. Su cambio de coloración quedó interrumpido. Solo el arce que crecía junto a la casa recordaba la sucesión de estaciones en los círculos concéntricos de su memoria; las hojas se volvieron completamente rojas y se desprendían de las ramas para amontonarse por diferentes puntos del jardín. A veces me las encontraba pegadas a las rocas mojadas de la orilla del estanque Usugumo como estrellas de mar varadas por efecto de la marea.

Cada vez que dejaba Yugiri para ir a Tanah Rata, me desconcertaba reconocer el tiempo que había pasado. Cuando llegué a Cameron Highlands dejé el mundo atrás pensando que mi estancia junto a Aritomo duraría un periodo corto, pero un día caí en la cuenta de que ya llevaba casi un año como su aprendiz y lo comenté con él.

—Fue Magnus quien me contó por primera vez la historia del Jardín del Edén. Me costó mucho imaginármelo —me dijo—. Un jardín donde nada muere ni se deteriora, donde nadie envejece y nunca cambia de estación. Qué triste.

—¿Qué tiene de triste?

—Pienso en las estaciones como retales de seda finísima y traslúcida de diferentes colores. Por separado son bonitos; pero superpuestos, aunque solo sea en sus extremos, forman algo especial. El pequeño lapso de tiempo en el que el principio de una estación coincide con el final de otra es algo parecido.

Se quedó en silencio unos instantes. A continuación preguntó:

—¿Qué le ocurrió al Jardín del Edén después de la expulsión del hombre y la mujer? ¿Todo se vino abajo? ¿El Árbol de la Vida y el Árbol del Conocimiento? ¿O todo sigue allí, inalterado, a la espera?

Intenté recordar lo que las monjas de mi colegio me habían enseñado.

—No lo sé. Es solo una historia.

Me miró.

—Cuando desterraron de su hogar al primer hombre y a la primera mujer, también liberaron el Tiempo sobre el mundo.

Cuando una mañana Kannadasan y sus hombres aparecieron en Yugiri, me di cuenta de que el monzón había acabado. Había mucho que arreglar: ramas de árboles arrancadas por las tormentas, y hojas y escombros arrastrados desde las montañas que, al obstruir el arroyo, habían inundado las orillas. Me sentía feliz por volver a canalizar mi atención y mi energía en el jardín. Enseguida comenzamos a ocuparnos de tareas menores como limpiar los senderos, hacer pequeños ajustes en la alineación de las rocas, recortar las ramas o atender a cualquier detalle que, según Aritomo, rompiera la armonía.

Por la tarde, él tomaba el bastón que le daba Ah Cheong y caminábamos por las laderas situadas detrás del jardín. Yo disfrutaba de esos momentos en los que llamaba mi atención sobre cosas en las que yo nunca habría reparado por mí misma.

—La naturaleza es la mejor maestra —me decía.

Comenzaron a llegar peticiones de altos funcionarios y militares de alto rango para visitar Yugiri. Para mi sorpresa, Aritomo accedió a la mayor parte de ellas, a pesar de que siempre me pedía que dirigiera yo los paseos y me encargara de mostrar el lugar a los visitantes. Por entonces mi conocimiento sobre diseño de jardines era suficiente, pero sabía que me faltaban muchos más años de estudio con Aritomo.

Una tarde que me encontraba rastrillando el césped delantero de su casa noté que se acercaba. Durante unos minutos me observó en silencio. Continué con mi tarea, ya no me ponía nerviosa cuando examinaba mi trabajo.

—¿Cómo es Yugiri en comparación con tus otros jardines? —pregunté.

—Los demás probablemente se hayan estropeado en manos inexpertas y toscas —respondió—. Este de aquí —miró alrededor— es el único que sigue siendo mío de verdad.

—Puedes diseñar más jardines aquí, en Malaya, y adaptar los principios del arte de colocar piedras a nuestro clima —le propuse—. Trabajaríamos juntos, tú y yo. Podríamos empezar por el jardín que quiero para Yun Hong.

—Hoy me ha llegado una carta de Sekigawa —dijo—. El Departamento le ha pedido que venga a verme.

Metí las hojas en un saco de yute y dejé el rastrillo en el suelo.

—¿Qué vas a decirle?

Me miró con la firmeza del sol al contemplar su propio reflejo en el mar.

—Le diré que mi hogar está aquí, en estas montañas.

Durante un rato permanecimos mirándonos el uno al otro. Después, levanté el saco y se lo di.

—El jardín ahora está perfecto.

Mientras lo agarraba, metió una mano en su interior y extrajo un puñado de hojas marrones mustias. Dio unos cuantos pasos sobre el césped y las esparció como si fuera una ráfaga de viento. Cuando cayó la última hoja de su mano, me devolvió el saco y retrocedió para ver lo que había hecho.

Aquella noche, cuando me tatuó, sus manos estuvieron más lentas, más pesadas. En un par de ocasiones, apoyó los dedos sobre mi espalda como una libélula que se posa en una hoja. Era más de media noche cuando paró y se sentó sobre los talones. Fuera, las ranas croaban en la hierba. Un momento después sentí que me tocaba el hombro con suavidad.

—Ya está listo —me anunció.

Tardé un momento en enfocar la vista. Me retiré del tatami y me puse de pie. Miré por encima de mi hombro y me examiné el cuerpo en el espejo, buscando el último tatuaje que había coloreado: la forma redondeada de la Residencia Majuba, como un arca flotando sobre olas de té. El *horimono* se difuminaba por la piel desnuda del cuello, de la parte superior de los brazos y los costados y por encima de las nalgas.

Giré el cuerpo hasta que pude ver la espalda entera en el espejo. Parecía como si llevara una camisa de batik demasiado ajustada. Moví un hombro y todas las figuras se alargaron. De repente me asusté.

—Ahora tienes una nueva piel. —Dio una vuelta a mi alrededor, como hiciera un año antes cuando sus dedos examinaron mi piel en blanco.

—Pero no está completo... Queda ese trozo de ahí. —Me toqué un rectángulo del tamaño de dos cajas de cigarrillos sobre la cadera izquierda. Aquel vacío resultaba poco natural, inquietante.

—Un *horoshi* siempre deja una zona del *horimono* vacía para simbolizar que nunca está concluido, que nunca es perfecto —me explicó Aritomo mientras se secaba las manos con una toalla.

—Como las hojas que esparciste sobre el césped —dije.

Aunque el jardín de Yugiri estuviera terminado, siempre había trabajo de mantenimiento. Aritomo delegaba la mayoría de esas tareas en mí, me decía lo que quería que hicieran los empleados y detallaba la razón de cada una de sus instrucciones.

Una tarde, al pasar frente a la galería de tiro con arco después de que los trabajadores se hubieran marchado, lo vi vestido con la ropa de *kyudo.* Era la primera vez desde que lo conocía que practicaba a esa hora; también había algo extraño en su manera de estar de pie que me hizo detenerme y observarlo. Mi asombro aumentó cuando simuló colocar una flecha en el arco. Tiró de la cuerda y soltó. No tenía flecha, pero aún así creí oír el vago sonido del papel al rasgarse, como si una ráfaga enérgica hubiera perforado la diana.

Se quedó inmóvil con el brazo estirado y la mirada a la altura del arco. Por fin lo bajó para completar el movimiento. Seguía mirando la diana y entonces asintió con la cabeza en un gesto de satisfacción.

Caminé por el borde de grava hasta colocarme debajo.

—¿Has dado en el blanco?

Volvió a mirar la diana.

—Pues sí.

—No habrá sido tan difícil sin flecha —dije ocultando mi confusión tras un tono ligeramente burlón.

—Te equivocas. Hacen falta años de práctica. Cuando empecé, siempre fallaba —me respondió—. Y sí que hay flecha.

—No había flecha —repliqué mientras me contenía para no darme la vuelta y mirar la diana para asegurarme.

—Sí que había. —Se tocó la sien—. Aquí dentro.

A partir de entonces, empezó a pasar más tiempo en el *shajo* disparando flechas invisibles. Y todas las noches me pedía que le dejara ver el *horimono.* Me tumbaba sobre las sábanas y él estudiaba mi piel acariciando con los dedos los dibujos que había pintado en mi espalda: el templo en las montañas, la cueva de los vencejos, el arquero derribando el sol. Al cabo de unos minutos, yo me daba la vuelta y tiraba de él hacia mí.

Era el final de la tarde y solo quedábamos Aritomo y yo en el jardín. El silencio brotó desde las profundidades de la tierra. Me quedé completamente quieta, esperando que ese velo de serenidad nunca se alejara del mundo. Entonces las nubes comenzaron a moverse de nuevo y las brumas se hundieron derramándose por las faldas de las montañas.

Limpié mis herramientas y las colgué en el cobertizo. Pasé por delante del *shajo.* Estaba vacío. En la puerta principal de la casa me encontré con Ah Cheong, que sostenía el bastón de madera de chingalé. Kerneels estaba sentado en un escalón y se lamía una pata. En ese momento salió Aritomo. Dudó por un momento antes de agarrar el bastón.

Dimos un paseo por el borde del estanque Usugumo y el gato nos persiguió con la cola levantada. Aritomo se paró y miró el agua. En la zona menos profunda, la garza real descansaba sobre una pata atrapada en su reflejo. Detrás de nosotros oí el ligero repiqueteo de la grava mientras Ah Cheong sacaba la bicicleta del jardín y una de las ruedas chirriaba.

La senda que Aritomo tomaba normalmente para subir a las colinas discurría por el perímetro occidental del jardín. Al principio del camino, oculto tras un espeso muro de helechos y hierbas silvestres, Aritomo se detuvo. Se agachó y acarició la cabeza de Kerneels.

—Creo que —dijo al levantarse— me gustaría estar solo esta tarde.

Me tendió el bastón. Nos miramos y finalmente lo cogí.

—Lo dejaré en tu estudio —me ofrecí.

Asintió y pasó por delante de mí mientras me acariciaba con suavidad la mano. Observé cómo subía por la ladera. El aire se teñía de verde con la luz que reflejaban los helechos. Cuando llegó a lo alto de la pendiente, se giró para mirar su jardín. Tal vez estaba sonriendo, pero los rayos de sol tras él me impidieron verlo. Me llevé la mano al pecho. ¿Le estaba saludando? ¿O estaba llamándole para que volviera?

La probabilidad de encontrar a Aritomo disminuía notablemente a partir de las primeras veinticuatro horas desde su desaparición, según me advirtió el subinspector Lee cuando fui a la estación de Tanah Rata a la mañana siguiente. Me interrogó sobre su estado mental y me preguntó qué ropa llevaba. Me pidió una fotografía suya y fue entonces cuando caí en la cuenta de que no tenía ninguna.

La policía utilizó Yugiri como base de operaciones. Sobre una de las paredes del estudio de Aritomo habían colgado unos mapas del ejército. Ah Cheong estuvo ocupado preparando la comida para los hombres que entraban y salían a todas horas.

—He encontrado esto en su escritorio —le di a Lee un frasco—, son sus pastillas para la tensión.

Me sorprendió la gran cantidad de gente que se unió a los equipos de búsqueda. Cuando se lo comenté a Lee, me dijo:

—Aritomo evitó que fueran torturados por la Kempeitai y que los enviaran al ferrocarril de Birmania.

Nuestras esperanzas se fueron disipando a medida que los días pasaban sin que los equipos encontraran rastro alguno.

—Las lluvias no nos han ayudado… Los perros no pueden seguir ninguna pista de su olor —dijo el subinspector Lee—, y los rastreadores ibanos no han tenido éxito.

Al principio, los periódicos locales ignoraron la desaparición de Aritomo; al fin y al cabo, era un excursionista más perdido en la jungla. Pero después de que un periodista japonés que escribía sobre los comunistas de las montañas publicara un reportaje en un periódico de Tokio, los reporteros comenzaron a congregarse en Tanah Rata. Dieron mucha importancia al hecho de que yo hubiera sido la última persona que había visto a Aritomo. Sacaron a la luz mi experiencia como prisionera de los japoneses, así como mi relación con él. Mi padre me ordenó abandonar inmediatamente Cameron Highlands antes de que la imagen de nuestra familia quedara dañada de manera irreparable, pero yo lo ignoré.

Una semana después de que comenzara la búsqueda de Aritomo, apareció Sekigawa. Yo estaba en la veranda pasando las hojas de mi cuaderno cuando lo trajo Ah Cheong. Recordé que hacía alrededor de un año nos habíamos encontrado en ese mismo punto, justo antes de que Aritomo comenzara mi *horimono.*

—Hágame saber si hay algún modo en que pueda ayudar —dijo—. Estaré en el hotel Smokehouse todo el tiempo que sea necesario.

—¿Para qué deseaba ver a Aritomo?

—Preferiría hablarlo con él en persona —contestó—. Estoy seguro de que pronto lo encontrarán.

—Claro que sí.

La mirada de Sekigawa recorrió el jardín que se extendía delante de la veranda y luego regresó al interior de la casa.

—¿Ha dejado alguna nota, alguna carta para mí o para otra persona?

—Él no sabía que se perdería en la jungla, señor Sekigawa —dije—. De todas maneras, como ha dicho usted, pronto lo encontrarán.

No estuvo mucho tiempo. Cuando se marchó, volví a abrir el cuaderno y pasé la página donde había colocado el delgado sobre azul. Kerneels vino y se frotó contra mí. Tomé el sobre y miré la carta que el criminal de guerra japonés había escrito a su hijo. La puse sobre la mesa y apunté en mi cabeza: le pediría a Ah Cheong que la enviara a la mañana siguiente.

El té se me había enfriado. Lo tiré por la veranda y me serví otro. Mientras seguía sentada en la posición *seiza,* me giré hacia el jardín y los árboles, hacia las montañas y las nubes. Levanté la taza, incliné la cabeza una vez y bebí.

Capítulo veinticinco

Entro en el estudio a última hora de la tarde. Llevo todo el día pensando en este momento y sé que no puedo aplazarlo más. Frederik pronto estará aquí. Pero aún dudo. Mis ojos se deslizan por las estanterías, hacia el recipiente de té de peltre. Al cogerlo, un círculo oscuro se queda marcado sobre la balda. Quito el polvo de la lata y la agito con suavidad. Algo cruje dentro. La tapa sale con dificultad; por fin consigo abrirla y, al ceder, emite un sonido suave. Miro en el interior y veo que en el fondo hay algunas hojas de té, suficientes como para llenar una cucharilla o dos. Me acerco la lata a la nariz. Todavía queda un leve rastro, como de leña mojada: es más el recuerdo del aroma que el propio olor.

—¿Yun Ling? —Frederik está en la puerta—. No había nadie que me acompañara.

Dejo el recipiente sobre el escritorio.

—Le dije a Ah Cheong que se fuera a casa temprano. Pasa.

Me pongo de rodillas frente al arcón de madera de sándalo que está en la esquina de la habitación y hurgo en el interior hasta que golpeo con los nudillos el objeto que busco. Lo llevo al escritorio y, con un abridor de cartas, levanto la cubierta. Recuerdo cómo Aritomo hizo lo mismo en una ocasión. Soy el eco de un sonido que se emitió hace toda una vida.

—Póntelos. —Le doy un par de guantes blancos, que se han vuelto amarillentos por el paso del tiempo. Son demasiado pequeños para sus dedos regordetes, pero de todas manera se los enfunda. Saco la copia del *Suikoden* de la caja y la coloco en la mesa.

—¿Te acuerdas de que Tatsuji habló sobre el libro que cambió el arte del tatuaje?

—*A la orilla del agua.*

Le cuento a Frederik que la novela, escrita durante el siglo XIV, cuenta la historia de Sung Chiang y sus ciento siete seguidores, que en el siglo XII se sublevaron contra el Gobierno chino corrupto. La historia de un grupo de forajidos en lucha contra la represión y la tiranía sintonizaba bien con los japoneses que vivían bajo el régimen de Tokugawa. Su popularidad aumentó a partir de la mitad del siglo XVIII y se difundió en innumerables ediciones.

—La más conocida de todas fue ilustrado por Hokusai.—Levanté el libro—. Este de aquí contiene sus grabados originales.

—¿Y lo has tenido aquí todo este tiempo? Debe de valer una fortuna.

Mientras va pasando las páginas lentamente se detiene en los grabados y, de vez en cuando, vuelve atrás para observar alguno que ya ha visto antes. Las líneas que Hokusai talló en la madera y que luego presionó contra el papel parecen tan intrincadas como las de la huella dactilar de una anciana.

—Es impresionante que una novela hiciera ascender el tatuaje desde lo vulgar hasta el reino de las artes —dice Frederik cuando llega a la última página.

—Este libro transformó el tatuaje, sí; antes de que apareciera se consideraba una práctica rudimentaria sin calidad alguna.

Le explico que la ironía es aún más sorprendente, sobre todo teniendo en cuenta que el principal estigma en su contra venía de los chinos, quienes, desde el siglo I, habían visto el tatuaje como un hábito propio de tribus bárbaras. Las consideraciones de los chinos se extendieron por Japón desde el siglo V en adelante, cuando se sancionaba a los criminales tatuándolos. Asesinos y violadores, rebeldes y ladrones, todos quedaban sellados de manera permanente con barras horizontales y pequeños círculos en los brazos y la cara. Era una forma de castigo que los hacía fácilmente identificables y los apartaba de manera eficaz de su familia y de la sociedad. La costumbre también se impuso entre los «intocables» de la sociedad japonesa: los curtidores, los que transportaban excrementos y aquellos que se ocupaban de los cadáveres.

Para camuflar estas marcas, los delincuentes más ingeniosos idearon otros tatuajes que cubrían las señales originales. A finales del siglo XVII, algunas parejas —por ejemplo una prostituta y su patrón o un monje y su amante— empleaban tales ornamentos como testimonio de su amor. Esos tatuajes no estaban compuestos por dibujos, sino por ideogramas chinos que expresaban el nombre del amante o un voto hecho a Buda. Fue solo un siglo más tarde cuando se popularizaron los diseños pictóricos, si bien se eliminó la práctica del tatuaje, sobre todo durante el régimen de Tokugawa, cuando se castigaba con severidad cualquier expresión de individualismo. Las restricciones se aplicaban a todo aquello que se considerara subversivo: teatros y fuegos artificiales o libros sobre el «mundo flotante».

—En esa sociedad tan hostil no había lugar para la experimentación técnica —observa Frederik.

—El tatuaje se relegó a la clandestinidad y de manera gradual fue desapareciendo, pero luego hubo un resurgimiento atribuido a la popularidad del *Suikoden*. Los clientes comenzaron a buscar maestros tatuadores que plasmaran los dibujos de Hokusai sobre sus cuerpos.

Aparecieron algunos artistas del tatuaje con diseños propios basados en el trabajo del citado Hokusai. Pronto los miembros de determinados gremios y asociaciones comenzaron a hacerse tatuajes de cuerpo entero para mostrar su pertenencia a determinado colectivo. Primero fueron los bomberos; luego se hicieron tatuar los escritores y artistas. También los actores de *kabuki* y los integrantes de la *yakuza*. Incluso los miembros de la aristocracia tenían tatuajes. El Gobierno de Tokugawa veía con horror ese resurgimiento y volvió a declarar ilegal la práctica.

—Las prohibiciones relacionadas con los tatuajes no se aplicaban a los occidentales —continúo—. A Jorge V un conocido maestro japonés le tatuó un dragón en el antebrazo.

—El rey Jorge con un tatuaje *japo*… —Frederik sacude la cabeza—. A Magnus le habría encantado.

—Magnus no fue el único a quien Aritomo tatuó —dije en voz baja—; estoy segura de que lo hizo otras veces…

Lo miro a los ojos.

—¿A ti? —Me lanza una sonrisa de escepticismo.

—Quería que Tatsuji viera mi tatuaje. Por eso lo invité.

—Así que no se trataba de los grabados.

—También. —Cierro el libro y lo coloco de nuevo en la caja—. Pero tengo que arreglarlo todo para que se conserve antes de… —Trago saliva.

—Todo esto es repugnante. Tú no eres un animal para que te despellejen después de morir.

—Un tatuaje realizado por el jardinero del emperador es una obra de arte poco común. Debería conservarse.

—¡Pero si tú odias a los putos *japos!*

—Eso es otro tema que no tiene nada que ver.

—Bueno, pues si quieres conservarlo, que te lo fotografíen.

—Eso sería como hacerle una foto a un Rembrandt y luego destruir el original —digo—. Tatsuji cree que se sentiría más cómodo si hubiera otra persona con nosotros cuando se lo enseñe. —Respiro profundamente—. Quiero que estés presente.

Se queda callado.

—¿Cómo de grande es ese… ese tatuaje?

—Quiero que lo veas —insisto.

Frederik me vio desnuda hace décadas y ahora siento una especie de inquietud ante la perspectiva de mostrarle mi cuerpo envejecido.

Lo he pillado desprevenido.

—¿Qué? ¿Aquí? ¿Ahora?

—Cuando llegue Tatsuji. —Miro el reloj—. Debería estar aquí en breve.

—No quiero ver lo que te hizo —dice mientras da un paso hacia atrás.

—No tengo nadie más a quien pedírselo, Frederik. Nadie.

La habitación que cedí a Tatsuji para trabajar era la misma en la que Aritomo me tatuó noche tras noche. Por un momento recreo el leve olor a tinta y sangre adherido a las paredes con el incienso de sándalo que siempre quemaba en nuestras sesiones.

—Cierra las contraventanas. —Estas palabras me resultan familiares; entonces recuerdo que una vez las pronuncié aquí, en esta misma estancia. ¿O acaso son solo un eco que rebota en el túnel del tiempo?

Frederik me mira durante un rato sin moverse. Entonces, tira de las contraventanas y echa los pestillos. Tatsuji enciende la lámpara del escritorio.

Mientras me observo a mí misma frente al espejo que he colocado esta mañana, me quito la chaqueta y la doblo con cuidado sobre el respaldo de una silla. Forcejeo con los botones de nácar de mi blusa de seda y Frederik se acerca para ayudarme, pero sacudo la cabeza. Me quito el sujetador, me tapo el pecho con la blusa arrugada y giro la espalda hacia el espejo para mirarme por encima del hombro derecho.

De mi piel irradia un brillo que parece hacer retroceder las sombras y ensanchar el espacio más allá de las paredes. Incluso después de todo este tiempo, contemplarlo me provoca una punzada de ansiedad, una inquietud mezclada con orgullo. Conozco bien cada una de las líneas rectas y curvas del dibujo, pero me acuerdo de las veces en que algo nuevo me llamaba la atención, algo que Aritomo había intercalado de manera ingeniosa entre los motivos.

Frederik muestra una expresión de parálisis en el rostro, una mezcla de nerviosismo, asombro y... sí, también una pizca del miedo que yo sentía hace un momento.

—Son... grotescos —dice con voz ronca—. Horribles.

En mi espalda hay una garza real. Un templo aparece entre las nubes. Unos dibujos exquisitos de flores y árboles que solo pueden verse en los bosques ecuatoriales trepan por la cadera. Símbolos arcanos e inexplicables aparecen pegados a los tatuajes, símbolos que nunca he sido capaz de descifrar: triángulos, círculos y hexágonos, de trazos primitivos como los de la escritura china antigua grabada con fuego sobre caparazones de tortuga.

Tatsuji me mira fijamente, estático como un árbol que espera a que el viento agite sus hojas.

—¿Quieres que coja un resfriado, Tatsuji?

Da un respingo y se disculpa. Hace oscilar la pantalla de la lámpara para enfocarme y se inclina sobre mi espalda sosteniendo una lupa. Se me pasa por la cabeza que la luz a través del cristal va a quemarme. Me obligo a detener estos estúpidos pensamientos y giro el cuello para ver lo que está haciendo.

Su sombra cubre partes del *horimono* y los tatuajes vuelven a aparecer cuando se mueve, como arrecifes de coral que recobran sus colores en el momento en que las nubes dejan de tapar el sol. Me roza con el borde metálico de la lupa y me estremezco.

—Perdón —dice entre dientes—. Levanta los brazos, por favor.

Obedezco mirando al frente. Las motas de polvo que flotan entre las capas de luz y sombra son como camarones a la deriva, y pienso en las ballenas que vi de pequeña, en la playa bajo la plantación de durianes del viejo señor Ong.

—Extraordinario —murmura Tatsuji interrumpiendo mis cavilaciones—. El estilo es japonés, pero los dibujos no. Este *horimono* casi podría considerarse una obra complementaria a sus *ukiyo-e*. ¿Elegiste tú los motivos?

—Acordamos utilizar el *Sakuteiki* como fuente. Pero al final dejé que la elección fuera suya.

—Reconozco la casa de Majuba —dice, y Frederik asiente con un murmullo—. Pero ¿qué es esto de aquí? Me toca una zona en el hueco de la espalda. No necesito girarme para ver de qué se trata.

—El campamento en el que estuve prisionera —respondo.

—¿Y esto? —Los dedos de Tatsuji se desplazan dos centímetros hacia la izquierda, hacia lo que sé que es un cuadrado del tamaño de un sello de correos, casi totalmente negro—. ¿Qué son estas líneas blancas?

—Una lluvia de meteoros —digo en parte para mí misma.

Sus dedos palpan un punto cerca de mi cadera. Allí hay un arquero que acaba de disparar una flecha hacia el sol, colocado en un cuadrado de cielo completamente blanco.

—La leyenda de Hou Yi —comento mirando a Frederik—. Es una leyenda china.

—La conozco. Es la historia en la que Hou Yi deja un sol brillando —replica Tatsuji—. Pero aquí parece como si el arquero hubiera derribado el último sol del cielo. Y no va vestido con ropa china, sino japonesa. Fíjate en el *hakama*.

—Y el sol… se parece a vuestra bandera, Tatsuji —apunta Frederik.

Los dedos de Tatsuji se deslizan de nuevo por mi piel y rozan el templo. El recuerdo de la ascensión a la montaña aquella mañana con Aritomo vuelve a mí. Me alegro de saber, por lo que la religiosa me dijo, que el templo sigue en pie, que continúa enviando bocanadas de incienso hacia las nubes.

—No lo terminó —señala Frederik—. Hay un rectángulo sin tatuar.

—Un *horimono* tiene que tener una zona vacía —explica Tatsuji.

Suelta la lupa. Frederik recoge mi ropa de la silla y me la da. Ambos se dirigen hacia el extremo opuesto de la habitación.

En el espejo veo las marcas de edad en mi cara, líneas que nunca han aparecido en mi espalda. Me doy la vuelta y observo por encima del hombro el reflejo de los tatuajes. El atardecer ha absorbido la última luz del estudio, pero los contornos y los colores de mi piel siguen brillando. Una de las figuras del *horimono* parece moverse, pero es solo una ilusión óptica.

La tarde siguiente, Tatsuji viene a Yugiri para hablar conmigo. Nos sentamos en la *engawa*. Ha traído el contrato relativo a los *ukiyo-e*. Le echo un vistazo: los términos son los que habíamos acordado, no encuentro nada que objetar. De todos modos, le pido que me conceda un par de días para estudiarlo.

—He pasado la mañana en el jardín —dice.

—Te he visto.

Desdobla una hoja grande de papel cuadriculado y la extiende sobre la mesa. El papel está cubierto con su pulcra caligrafía y con diagramas.

—He hecho un esbozo del plano de Yugiri que contiene los principales puntos de interés: la casa, la rueda hidráulica, el estanque, los símbolos taoístas sobre la hierba cortada, el Atlas de Piedra.

Es la primera vez que veo Yugiri de esa manera y me tomo un tiempo para estudiarlo.

—A Aritomo-*sensei* le gustaba utilizar los principios del «paisaje prestado» en sus diseños de jardines —dice Tatsuji—. Así, todo aquel que se encontrara en su jardín siempre estaba mirando hacia el exterior. Llevo muchos días estudiando sus *ukiyo-e*. Eso me ha hecho preguntarme qué vería sí contemplara el jardín de ese modo: colocándome fuera y mirando hacia el interior.

—¿Y qué has visto?

—He señalado los faroles de piedra, las estatuas, la colección de rocas y los diversos emplazamientos donde Aritomo colocaba las panorámicas más características —explica mientras señala con el dedo los distintos puntos sobre el papel—. Todos están situados en los giros o curvas de un sendero.

—Lo diseñó de ese modo para que el jardín pareciera más grande de lo que es en realidad.

—Soy consciente de eso. He paseado por toda esta extensión muchas veces, pero no tenía una idea clara de cómo se posicionaba realmente cada uno de esos objetos en relación con los demás. Hasta ahora.

Se saca una pluma estilográfica del bolsillo, rodea el símbolo de un farol y dibuja una línea que lo une con los demás objetos y con los lugares donde se sitúan las panorámicas del jardín, hasta que llega al último punto: un Buda de piedra sobre una base de helechos. Aparece un rectángulo enmarcado dentro de los límites de Yugiri.

Me siento y lo observo.

—Si el dibujo a escala concuerda con tu *horimono,* sospecho que esto —Tatsuji señala la figura que ha formado sobre el papel cuadriculado— coincidiría con la zona sin tatuar de tu espalda. Las líneas de tu *horimono* probablemente correspondan con las marcas y caminos de Yugiri que hay aquí, en el papel.

Me pongo las gafas de leer y estudio el papel cuadriculado. Desde que Tatsuji vino a verme, hace casi dos semanas, no he dejado de pensar en todo lo que me contó. Ha hecho que me replantee lo que sé de Aritomo y que mire desde otro punto de vista todo lo que dijo e hizo. Y eso no me lo esperaba.

La noche siguiente tengo una cena con Frederik y Emily en la Residencia Majuba. Emily se encuentra animada y despierta, y se queda charlando con nosotros en el salón después de cenar. Ya es tarde cuando me pide que la acompañe a su dormitorio. Miro la habitación e intento recordarla en la época en que yo dormía aquí. Las paredes ya no son blancas, sino de color azul claro. Sobre la mesita de noche hay una foto de Magnus en un marco de plata decorado con una pluma moteada de gallina de Guinea, como un santuario rodeado de suplicantes botes de medicinas.

Emily emite un gemido de dolor cuando se mete en la cama. Cierra los ojos durante tanto tiempo que pienso que se ha quedado dormida. Estoy a punto de escabullirme sin hacer ruido cuando los abre de nuevo; están más brillantes de lo que han estado en toda la noche. Se incorpora y me señala una estantería sin mirarla.

—Esa caja —dice—. Cógela.

—¿Esta?

—Sí. Ábrela.

Dentro hay un farolillo de papel de arroz sobre un lecho de papel de seda. El farolillo está viejo, el grabado de unos helechos que hay sobre la pantalla se quiebra cuando se lo doy. Todavía tiene dentro una vela medio consumida.

—Creía que Aritomo los había destruido todos —digo.

—Oh, este lo guardé. Es de una de mis fiestas del Chong Qiu, mucho antes de que lo conocieras —dice mirando fijamente el farolillo—. ¿Te acuerdas de los que hizo para Magnus? Menuda vista aquella, cuando los soltamos por el cielo aquella noche. Los viejos todavía siguen recordándolo, ¿sabes? —Deja escapar un suspiro desde lo más profundo de su ser—. Mi memoria es como la luna esta noche, llena y brillante, tan brillante que puedes ver todas sus cicatrices.

Gira lentamente el farolillo sobre la palma de su mano y luego me lo devuelve. Estoy a punto de volverlo a colocar en su sitio pero ella me detiene.

—No, no. Es para ti. Quiero que te lo quedes.

—Gracias —digo.

Frederik se queda mirando el farolillo cuando regreso al salón. Me ofrece un whisky y me pregunta:

—¿Qué tal Vimalya? ¿Estás contenta con ella?

—Es inteligente y escucha las instrucciones. Yugiri está comenzando a fascinarla.

Se sienta enfrente de mí.

—Tus tatuajes… ¿Los has tenido escondidos durante todos estos años?

—Quitando a los doctores y a mis neurocirujanos, nunca se los he enseñado a nadie más.

Me acuerdo de la cara que me puso mi médico la primera vez que vio el *horimono,* hace años. A lo largo de las décadas, he sufrido diversas enfermedades, pero siempre de poca gravedad, nunca he necesitado una operación. A veces me pregunto si el *horimono* tendrá de verdad poderes mágicos, como Aritomo afirmaba. Si así fuera, ya no estoy bajo su protección.

—¿Y tus… tus amantes? —me pregunta Frederik—. ¿Qué decían cuando veían tus tatuajes?

—Aritomo fue el último.

Oye lo que no he expresado con palabras.

—Oh, Yun Ling —dice en voz baja.

Pienso en los años de soledad, en el cuidado que tuve que prestar a mi indumentaria para que nadie viera nunca lo que había sobre mi piel.

—Aritomo me los dio y yo nunca quise que nadie más los viera. Y cuando comencé a ascender en la judicatura… el simple rumor de algo así habría arruinado mi carrera. —Me alejo de él—. Y, para ser sincera, después de Aritomo no he conocido a nadie que me interesara.

—¿Y son la razón de que no quieras ponerte en tratamiento? —pregunta Frederik—. Debes hacerlo. Tienes que hacerlo.

—Sea cual sea la intervención a la que me someta o la medicación que tome, nada me salvará —contesto. La perspectiva de quedarme encerrada en mi propia mente me aterroriza—. Tengo que asegurarme que el *horimono* se conserva.

Los ojos de Frederik recorren los límites de la estancia.

—Llega a un acuerdo con Tatsuji para conservar los tatuajes pero, por favor, haz que te traten. Hoy en día un tatuaje no es nada de lo que avergonzarse —dice—. Y, ¿qué más da que seas jueza? Ya estas jubilada. Si la gente quiere hablar, ¡que hablen! Ve a que te pongan un tratamiento y luego vuelve aquí para recuperarte, para vivir. En Tanah Rata hay una buena residencia a la que puedes ir, Yun Ling, con gente que puede cuidarte.

—¿Y pasar mis últimos días en un cementerio de elefantes? —le pregunto.

—Te puedes trasladar a la Residencia Majuba. —Intenta sonreír para que parezca irreverente e insignificante lo que va a decir a continuación, pero no lo consigue—. Yo cuidaré de ti.

—No he vuelto aquí esperando que me ofrezcas algo así, Frederik —digo.

Una lágrima cae por su mejilla. Extiendo el brazo y la seco con el dorso de los dedos.

—El *horimono* es una parte de lo que me ha pasado. Es lo que Aritomo me dio. Tengo el deber de asegurarme de que se conserve en buen estado.

Más tarde, mientras salgo de la Residencia Majuba con el farolillo de papel apagado en la mano, oigo el *larghetto* del concierto para piano de Chopin.

En algún momento de la noche Emily ha muerto, me informa Frederik al día siguiente. Se acostó y nunca se levantó. Se alejó de la orilla a la deriva con la música que Magnus tocaba para ella todas las noches.

Cuando salgo de la casa, Ah Cheong me espera. Me da la caja de cerillas y el paquete de varitas de incienso que le pedí que comprara. Me ofrece, como siempre, el bastón. Dudo y después lo cojo. Si se ha sorprendido o se siente resarcido por su paciencia, desde luego no lo aparenta.

—Es tarde —le digo—. Vete a casa.

Los árboles que ensombrecen el camino hasta Majuba zumban con las cigarras, como diapasones golpeados una y otra vez. El aire tiene el olor de la tierra apaciguada por la lluvia. En la Residencia Majuba, una criada me informa de que Frederik sigue en la oficina.

Doy la vuelta hacia la parte trasera. Me detengo al ver la pareja de estatuas, Mnemósine y su hermana gemela sin nombre. La diosa de la memoria no ha cambiado, pero, para mi consternación, el rostro de su hermana se muestra casi pulido y sus rasgos se han borrado. Quizás se deba a la diferente calidad de las piedras que utilizó el escultor, pero aun así me desconcierta.

Con el bastón en la mano, desciendo con cuidado los escalones de baldosas de pizarra que conducen a los jardines cultivados, con su apariencia formal. Este miedo a caerme es otro signo de la edad. Cómo lo odio.

El arco con la campana de los esclavos, blanco como la tiza, me atrae. Un estornino que está posado encima ladea la cabeza al verme. Levanto la vista hacia la campana y miro el iris negro de su badajo. Al estirarme para tocarla, noto el cuerpo agarrotado. Siento el frío del metal a través de los guantes y el óxido se queda pegado en la punta de mis dedos como escamas de piel disecada.

Los trabajadores de Vimalya han cavado para desenterrar las plantas exóticas, pero el jardín de rosas de Emily permanece allí como una oquedad en la tierra; Frederik ha decidido dejarlo intacto. En el estanque ornamental, la escultura de bronce de la niña sigue mirando fijamente al agua; su cara ahora está más erosionada. Paso por detrás de un grupo de buganvillas y bajo la pérgola de ramas. La zona donde se encuentran las tres lápidas está bien cuidada. Con una mueca por el dolor de piernas, me arrodillo ante la tumba más antigua, le enciendo tres varitas de incienso a la hija de Magnus y Emily y las clavo en el suelo. Sin cambiar de postura, me vuelvo hacia la de Emily y hago lo mismo. Me acerco a la última lápida y prendo otras tres varitas para Magnus. Por alguna razón, sé que a él no le importará que lo haga.

Al levantarme con la ayuda del bastón, me doy cuenta de que hay una piedra vertical y delgada más adelante, entre los árboles, oculta en las sombras. Es extraño que no la hubiera visto cuando enterramos a Emily. Me acerco más. Está cubierta de líquenes, pero lo que me sorprende es ver el nombre de Aritomo esculpido en una línea vertical de *kanji*, con una caligrafía que simula un riachuelo delgado y poco profundo fluyendo por la ladera yerma de una montaña. Nadie me ha hablado nunca de esta piedra, que no señala una tumba, sino un vacío.

Enciendo otras tres varas de incienso y las clavo delante, en el suelo húmedo; observo entonces cómo el humo se eleva entre los árboles.

La sombra de la torre de la campana se extiende sobre el césped mientras subo las escaleras de la casa. Las primeras estrellas de la tarde empiezan a parpadear cuando me siento en un banco de piedra. Miro hacia los valles y mis pensamientos vuelven hacia todo lo que Tatsuji me ha estado contando desde que llegó a Yugiri.

Frederik sale de la cocina un momento después.

—Ah, estás ahí. Vamos, vieja —me grita—. Vamos dentro. He encendido un fuego *lekker.*

En el salón, Frederik arroja más piñas a las llamas y le pregunto por la lápida con el nombre de Aritomo.

—Emily la puso allí hace unos años —contesta.

—Me lo tendrías que haber dicho.

Me mira.

—Lo hice.

—Yo… —me tiembla la voz y no sé qué iba a decir—. Siempre creí que ella culpaba a Aritomo de la muerte de Magnus.

—Creo que a medida que pasaron los años dejó de pensar así. Recuerdo que un día me dijo: «Me da igual que nunca hayan encontrado su cuerpo. No está bien que un hombre no tenga siquiera una tumba como es debido».

Despacio, le describo lo que Tatsuji me ha mostrado en su boceto de Yugiri. Cuando termino de hablar, lo único que se oye durante un rato son los crujidos del fuego en la chimenea.

—Si tiene razón, si se trata de un mapa, podría usarlo para encontrar el lugar donde enterraron a Yun Hong —digo—. Pero ¿qué conseguiría al final, suponiendo que hallara los escondites del Lirio Dorado en Malasia, suponiendo que todavía fuera capaz de comunicarme y de hacerme entender?

Durante todos estos años, desde que se perdió en las montañas, he sentido que Aritomo me abandonó. La única manera de paliar el dolor era distanciándome de todo lo que había aprendido de él. Ahora me pregunto si me dejó algo más que el jardín. ¿Tenía él, además, la respuesta a mi pregunta? ¿Habría yo descubierto con el tiempo la conexión entre el jardín y el *horimono* si no me hubiera alejado de Yugiri?

Aquella sensación de abandono va consumiéndose, como el agua que drena en el estanque, y me deja solo un sentimiento de lástima por Aritomo, por cómo había desaprovechado su vida, igual que se había desperdiciado la mía. Ya no quiero buscar el campo donde estuve prisionera ni la mina. Yun Hong lleva muerta cuarenta años. Localizar el lugar donde la enterraron no aliviaría mi culpa ni desharía lo que ya está hecho.

—No podemos dejar que nadie utilice el *horimono,* Frederik.

—Cambia el jardín —sugiere—. Destruye todo lo que Aritomo puso en él. Eso haría que el tatuaje no tuviera ninguna utilidad. Vimalya te ayudará. Puedo enviar también a mis hombres.

—Realmente odias el jardín, ¿verdad? —Le sonrío y por un instante se alivia el peso que tengo sobre el pecho.

—Quizás siempre simbolizó para mí la causa de que no correspondieras a mis sentimientos —contesta Frederik con ligereza, aunque siento una punzada al ver que lo dice en serio.

—Le prometí tres cosas a Yun Hong —digo—. Le prometí que, si tenía la oportunidad, escaparía del campamento; esa es la única promesa que he cumplido. Nunca he construido el jardín que imaginábamos juntas. Y nunca he liberado su espíritu de donde está enterrada.

Mientras pienso en lo que Tatsuji me contó sobre el Lirio Dorado y lo que les hicieron a los esclavos que trabajaron para él, veo en mi mente a Yun Hong y a los demás prisioneros, solidificados como esos miles de soldados de terracota que fueron descubiertos en la tumba de un emperador en el norte de China, enterrados bajo el polvo de dos mil años.

Frederik se pone de rodillas en la alfombra frente a mí y me coge de las manos. Reprimo el impulso de soltarme.

—En una ocasión me contaste que Aritomo le puso el nombre del poema favorito de tu hermana al templete que hay junto al estanque —dice.

—El Pabellón del Cielo —murmuro casi para mí.

—El jardín en su honor ya existe, Yun Ling. Lleva allí casi cuarenta años.

Lo miro. Me suelta las manos, pero yo las vuelvo a tomar entre las mías.

—Somos los únicos que quedamos de aquellos años marchitos —añade—. Las dos últimas hojas que siguen aferradas a la rama esperando caer. Aguardando que el viento nos impulse por el cielo.

Capítulo veintiséis

En su último día en Cameron Highlands, Tatsuji llega a Yugiri más pronto de lo acostumbrado y trae el material necesario para embalar las xilografías. Le doy el contrato firmado y le ayudo a cubrir cada uno de los *ukiyo-e* con una funda de plástico antes de que los coloque extendidos en el interior de una caja hermética.

—El trabajo en el jardín parece que marcha bien —dice cuando termina de guardar el último *ukiyo-e* y cierra la caja—. Al llegar esta mañana he visto el aspecto que debía de tener cuando Aritomo-*sensei* vivía.

—Todavía queda mucho por hacer. Pero se le devolverá su apariencia anterior —afirmo—. Tal como yo lo recuerdo.

—El *horimono*...

—Ya te avisaré.

Tatsuji saca de su cartera el libro de poemas de Yeats. Lo mira y me lo ofrece. Niego con un gesto pero él insiste:

—Por favor, quiero que te lo quedes.

Extiendo las manos y tomo el libro. Siento como si nos conociéramos desde hace tiempo, más de las dos semanas que lleva aquí. Me doy cuenta de que somos iguales. Las personas que amábamos nos dejaron y a partir de entonces hemos intentado seguir adelante con nuestras vidas. Pero lo único que no podemos hacer es olvidar.

Lo acompaño a la salida por delante del Pabellón del Cielo, junto a la orilla de estanque Usugumo. En la puerta me hace una profunda reverencia.

—Ven a visitarme a Kampong Penyu cuando mi casa esté terminada.

Le devuelvo la reverencia.

—Una casa en la playa y un tiempo eterno —digo sabiendo que no lo volveré a ver.

Durante mi práctica de tiro en el *shajo* la bruma cubre mis ojos por primera vez. Sin dar señal alguna, sin avisar, mi visión se vuelve opaca, como si alguien murmurara unas palabras dentro de una botella de cristal vacía. Aprieto los dedos contra el arco e intento combatir el miedo que se extiende por mis extremidades. Me dan ganas de llamar a Ah Cheong, de pedir ayuda, pero no quiero que nadie escuche el pánico de mi voz.

«Controla la respiración». Oigo la voz de Aritomo tan clara como si estuviera aquí de pie junto a mí.

Hago lo que él me enseñó, al principio sin lograr el objetivo. De manera gradual se prolonga el intervalo de tiempo entre inspiración y espiración y se ensanchan los valles que dividen cada cadena montañosa de la siguiente. El pánico disminuye despacio y empiezo a respirar otra vez de manera normal. Me seco el sudor de la frente con el puño de la camisa y apoyo en el suelo el extremo inferior del arco. Su sonido me tranquiliza.

«Completa el disparo».

Los árboles crujen con el viento. Las flechas de la aljaba que llevo a la espalda se agitan suavemente y oigo el traqueteo de los guijarros que se extienden por delante del *shajo;* parece como si alguien estuviera haciendo crujir sus nudillos. Sumida en mi ceguera, coloco la flecha contra la cuerda, tiro de ella y siento cómo se expanden mis costillas. Veo en mi mente la diana mientras espero a que amaine el viento. Una sensación de tranquilidad se apodera de mí y me doy cuenta de que podría quedarme en ese vacío para siempre.

Suelto la flecha y mi mente la guía a lo largo de su trayecto hasta el centro del *matto* con una exhalación prolongada. Por el canto de la cuerda al vibrar en el silencio, de forma intensa y limpia, sé que es el mejor disparo de mi vida.

Permanezco allí un buen rato. Hasta que el hueco de mis ojos comienza a llenarse con objetos indefinidos que se integran en las formas familiares de los árboles, las montañas y el lecho de grava que tengo enfrente. Levanto una mano por delante de mis ojos y vuelvo a verme a mí misma una vez más.

Dejo el arco en su soporte y regreso a la casa; queda atrás la flecha clavada en el centro de la diana.

El farolillo de papel de arroz que Emily me dio descansa sobre una estantería del estudio. Esa misma noche, cuando estoy a punto de sentarme en el escritorio, me detengo para mirarlo. Al buscar en los cajones, encuentro un papel, recorto un círculo, cubro con él la parte de arriba del farolillo y lo pego con la cinta adhesiva que Tatsuji dejó en su sala de trabajo.

El estanque es una pradera de estrellas. El croar de las ranas cesa cuando notan mi presencia y, al cabo de un momento, lo retoman. Enciendo la vela del farolillo y lo sostengo entre las manos. Cierro los ojos y veo a Aritomo. Bajo mis párpados aparece la cara de una mujer: reconozco a Yun Hong. No sonríe. No está enfadada, no está triste. Solo es un recuerdo.

El farolillo se vuelve menos pesado hasta que deja de pesar por completo. Lo suelto y siento que libero un pájaro que tenía agarrado. Esta noche no hay viento y el farolillo parpadea mientras se eleva poco a poco como una boya luminosa. Permanezco mirándolo hasta que desparece en algún lugar, más allá de las nubes.

Ya ha amanecido cuando redacto la última línea. He trabajado toda la noche reescribiendo, pero no me siento cansada en absoluto. Mientras sostengo el papel, mis pensamientos permanecen alejados en aquel claro de helechos donde vi a Aritomo por última vez, hace casi cuarenta años.

Algunas veces a lo largo de estos años me he culpado por no haberlo llamado: de haberlo hecho, quizás habría cambiado de opinión, habría salido a pasear más tarde o tal vez otro día, y puede que hubiera esquivado el encuentro con lo que le sucedió entonces. Incluso después de haber puesto por escrito lo acontecido durante aquellos años y de releerlo, sigo sin estar convencida del todo. Pero en el fondo sé que, con independencia de que fuera un accidente o fruto de un propósito, no habría podido decir o hacer nada para evitarlo.

Oigo el ruidito áspero de un geco en las vigas. Coloco la última hoja de papel junto a las demás páginas que he escrito, las amontono con un golpe sobre el escritorio y las ato con una cuerda.

Algo se conmueve en mi memoria y me quedo completamente quieta para que, lo que sea que esté emergiendo de su escondrijo, no se acobarde. Comienza a tomar forma despacio, como las siluetas de las nubes.

Me acuerdo ahora de que, durante mucho tiempo después de la desaparición de Aritomo, soñaba lo mismo una y otra vez, un sueño que acompañaba mis despertares como una tenue filigrana. Dejé de tenerlo cuando me fui de Yugiri y lo olvidé por completo.

En el sueño veo a Aritomo avanzar por un sendero de la selva tropical, apartando las ramas y las lianas que cuelgan de los árboles. De vez en cuando el sendero se estrecha y se pierde en el río. No está lejos de mí y tengo la sensación de perseguirlo en silencio, a hurtadillas. Aminora la marcha varias veces, como para permitirme que no lo pierda de vista. No mira atrás ni una sola vez. El sendero termina en un claro y él se detiene. Lentamente, se da la vuelta para colocarse frente a mí. Me mira sin decir nada. Es entonces cuando me doy cuenta de que llevo un arco, el suyo. Siento que el arco se estira y se tensa mientras me preparo para disparar en la postura que conozco a la perfección porque él me la ha enseñado. Levanto el pesado arco, tiro de la cuerda y apunto directamente hacia él mientras los brazos, el pecho y el abdomen me tiemblan por el esfuerzo. Él sigue sin moverse y sin hablar.

Suelto la cuerda. Y, a pesar de que no hay flecha, él cae. Aun así, cae.

Al salir del estudio paso por delante del dibujo a tinta de Lao Tzu. Su vacío brilla entre las sombras. Me paro y miro esta obra realizada por el padre de Aritomo.

Lao Tzu, el filósofo chino desencantado que se fue al oeste y de quien nunca se volvió a saber. Aritomo también dejó sus pensamientos y sus enseñanzas antes de irse: los había grabado en su jardín y los había pintado en mi cuerpo.

Mi decisión de restaurar el jardín es la correcta, la única posible. Me aseguraré de que Yugiri siga existiendo. Por mi hermana. Cuando el jardín esté listo, lo abriré al público. Pondré una placa junto al Pabellón del Cielo en la que se relatará la vida de Yun Hong. El jardín también será el recuerdo viviente de lo que hizo Aritomo. Le he dicho a Tatsuji que sus *ukiyo-e* tienen que volver a Yugiri. Los mostraré en una exposición permanente. Habrá que reparar la casa también. Y tengo que anotar a Vimalya todas las instrucciones que pueda. Debo buscar el *Sakuteiki* de Aritomo y dárselo a ella. Quedan muchas cosas por hacer. Estaré ocupada durante los próximos meses. Me recuerdo a mí misma que he de pedir a mi secretaria —mi antigua secretaria— que vaya a mi casa de Kuala Lumpur y me envíe la acuarela de Yun Hong. Se exhibirá para los visitantes que vengan a contemplar el jardín.

Es así cómo se recordará a Yun Hong a medida que yo la olvide, cuando, con el tiempo, se ausente de mi memoria.

El jardín tiene que seguir existiendo. Para que eso suceda hay que destruir el *horimono* tras mi muerte. No puedo encomendar esa responsabilidad a nadie, ni a Tatsuji ni a Frederik. Tendré que hacerlo yo misma.

La oscuridad del cielo disminuye cuando salgo hacia el estanque Usugumo. Un pájaro cruza el cielo de vuelta a las montañas. Me llega el recuerdo de la cueva donde Aritomo me llevó a ver los vencejos. Me pregunto si los aborígenes seguirán recogiendo los nidos allí, si la pértiga de bambú que utilizaban todavía se apoyará en las paredes; me pregunto si podré encontrar ese lugar de nuevo.

Quizás tuviera razón el viejo monje ciego con el que Aritomo habló mientras vagabundeaba durante su juventud: «No hay viento; la bandera no se mueve; lo que se agita es solo el corazón y la mente de los hombres». Pero creo que, lenta e inexorablemente, el corazón turbulento pronto encontrará la calma, la calma y la tranquilidad hacia la que lleva dirigiendo su latido toda una vida.

Aunque me esté perdiendo a mí misma, el jardín volverá a la vida otra vez. Trabajaré en él y visitaré a Frederik. Hablaremos, nos reiremos y lloraremos como solo pueden hacerlo los viejos amigos. Y por las tardes iré a pasear por las colinas. Ah Cheong me esperará en la puerta principal con el bastón de Aritomo. Lo cogeré, por supuesto. Pero sé que llegará un día en que le diré que no lo quiero.

Ante mí se extiende un viaje de miles de kilómetros y el recuerdo es la luz que tomaré prestada a la luna para iluminar mi camino.

Las flores de loto se están abriendo con los primeros rayos de sol. La lluvia de mañana descansa sobre el horizonte, pero más arriba, en el cielo, algo claro y pequeño desciende y, a medida que sucede, aumenta su tamaño. Veo que la garza traza un círculo sobre el estanque, una hoja cae en espiral sobre el agua y forma ondas silenciosas que se dispersan por el jardín.

Notas del autor

A excepción de las figuras históricas obvias, todos los personajes de la novela son fruto de mi imaginación. La visita de sir Gerald Templer y su esposa a la plantación de té Majuba es ficticia.

La Emergencia malaya terminó en julio de 1960, doce años después de su comienzo. Gracias a los esfuerzos comunes de las fuerzas de seguridad locales, de los civiles y de las tropas de la Commonwealth, Malaya fue uno de los pocos países que vencieron una insurgencia comunista. Noel Barber, en su libro *The War of the Running Dogs,* la denominó «la primera lucha del mundo contra el comunismo de guerrilla».

La experiencia del profesor Tatsuji como piloto kamikaze apareció publicada originariamente —con variaciones y mayor extensión— en la revista *Asian Literary Review* (otoño 2007, vol. 5).

Las versiones para cámara de los conciertos para piano n.º 1 y 2 de Chopin fueron grabadas en 1997 por el cuarteto Yggdrasil.

Los siguientes libros me han ayudado durante el proceso de escritura de *El jardín de las brumas:*

Noel Barber, *The War of the Running Dogs: Malaya 1948-1960.*

Anthony Short, *In Pursuit of Mountain Rats: The Communist Insurgency in Malaya.*

Gavan Daws, *Prisoners of the Japanese: POWS of World War 2 in the Pacific.*

Anton Gill, *The Journey Back from Hell.*

George Hicks, *The Comfort Women: Japan's Brutal Regime of Enforced Prostitution in the Second World War.*

Mordecai G. Sheftall, *Blossoms in the Wind: Human Legacies of the Kamikaze.*

Sakuteiki: Visions of the Japanese Garden (traducción moderna al inglés de Jiro Takei y Marc P. Keane).

Donald Richie y Ian Buruma, *The Japanese Tatoo.*

Sterling Seagrave y Peggy Seagrave, *Gold Warriors* (traducción al castellano de Teófilo de Lozoya Elzurdía: *Los guerreros del oro: el tesoro de Yamashita y la financiación de la guerra fría,* Editorial Crítica, 2005).

Estoy muy agradecido a Tristan Beauchamp Russell por describirme cómo fue la vida en su plantación de té de Cameron Highlands durante la Emergencia malaya.

El don de la lluvia

Tan Twan Eng

AMOK
EDICIONES

Otros libros de Tan Twan Eng publicados por AMOK

El don de la lluvia

Isla de Penang, Malasia. 1939.

Philip, un adolescente malasio mitad chino y mitad inglés pero alienado de ambos mundos, establece una profunda amistad con Endo, un diplomático japonés. Este le descubre la cultura japonesa y la disciplina y armonía del aikido, estableciéndose un vínculo de maestro y alumno basado en la lealtad mutua. La cruel ocupación japonesa de la isla revelará secretos que pondrán a prueba la lealtad de Philip hacia su mentor, su familia y su cultura.

Una fascinante historia de lealtades, amistad, engaños, honor, culpa y redención, en el marco histórico de la ocupación japonesa del sudeste asiático. Un viaje a través de las culturas china, colonial británica, malaya y japonesa, narrada con un maravilloso lenguaje visual.

La primera novela de Tan Twan Eng ha sido aclamada por crítica y público, y fue incluida en la lista de candidatos para el prestigioso Man Booker Prize.

Escanea para ver el *booktrailer* y más información.

Otros libros de AMOK

Ficción

El legado, Balli Kaur Jaswal

Singapur, un país obsesionado con el progreso, al precio que sea. La lucha desigual de tres generaciones de una familia por preservar o rebelarse contra la tradición.

Las insólitas aventuras de las hermanas Shergill
Balli Kaur Jaswal

Tres hermanas nacidas y educadas en Inglaterra, de origen punyabí, emprenden una peregrinación por la India como último deseo de su madre. Cada una arrastra un secreto, y ninguna quiere estar ahí.

El don de la lluvia, Tan Twan Eng

Una grandiosa novela de lealtades, amistad, engaños, honor, culpa y redención, en el marco histórico de la ocupación japonesa del sudeste asiático.

El jardín de las brumas, Tan Twan Eng

Tras la ocupación japonesa de Malasia, una superviviente de los campos de prisioneros y el antiguo jardinero del emperador emprenden un viaje a través de la memoria y los recuerdos. En ocasiones es necesario recordar para poder olvidar.

Estado de excepción, Jeremy Tiang

Seis personajes navegan bajo distintas perspectivas las turbulencias de un periodo de violencia, detenciones políticas y seísmos sociales entre Singapur y Malasia tras su traumática separación.

Ficción - Series

Serie *El inspector Singh investiga*, Shamini Flint

Un detective singapurense corpulento, sudoroso, desaliñado, adicto al *curry* y repudiado por sus jefes. Pero astuto. Muy astuto.

Un peculiar asesinato malayo - Tomo 1

Singh es enviado a Kuala Lumpur a investigar el asesinato del marido de una exmodelo singapurense. Se entremezclará la explotación salvaje de recursos, la política y el papel del islam moderno.

Una infame conspiración en Bali - Tomo 2

Singh acude a Bali tras un atentado terrorista islamista. La trama de investigación descubre otra trama paralela y explora la otra cara del turismo.

Una pandilla de villanos en Singapur - Tomo 3

Singh vuelve a Singapur, donde investiga un crimen de un abogado de un bufete internacional. La investigación pronto trascenderá el bufete y diseccionará la sociedad de la aparentemente inmaculada y modélica Singapur.

Serie *Doctor Siri Paiboun*, Colin Cotterill

Un médico septuagenario usa el humor sarcástico como arma subversiva para navegar el «paraíso comunista» de Laos en los años 70.

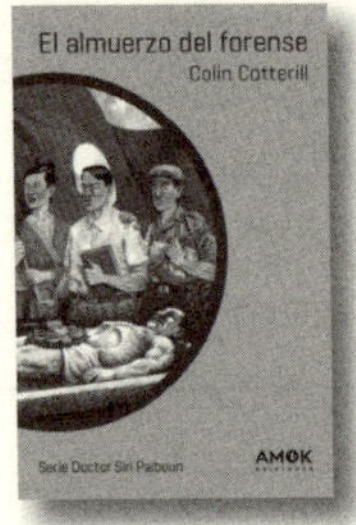

El almuerzo del forense - Tomo 1

El doctor Siri quiere retirarse, pero es nombrado forense jefe de Laos. Ni él ni su equipo están capacitados, sus jefes son ineptos, empiezan a aparecer cadáveres y descubre que habla con los muertos. ¿Qué puede salir mal?

Treinta y tres dientes - Tomo 2

El doctor Siri deberá hacer uso de sus habilidades forenses y chamánicas para descubrir qué criatura —humano, animal o espíritu— está detrás de una serie de cadáveres mutilados.

El guateque de los muertos - Tomo 3

Destinado a la remota provincia de Huaphan para resolver el complicado caso de un brazo momificado. El doctor Siri no solo resolverá el crimen, sino que le sobrará tiempo para bailar música disco en un guateque organizado por los muertos.

No ficción

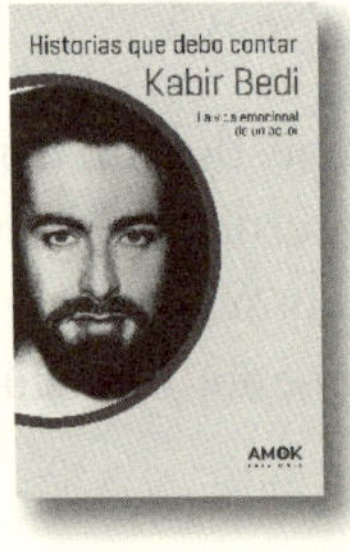

Historias que debo contar, Kabir Bedi

Kabir Bedi fue el inolvidable Sandokán en la serie de televisión que se convirtió en un fenómeno social en los años 70 en España e Italia. Nos cuenta su historia, de Bollywood a Hollywood pasando por Europa.

Extraños en el muelle, Tash Aw

Una vertiginosa historia personal de la Asia moderna, contada a través de la herencia cultural china y malaya del galardonado autor, Tash Aw, donde el futuro se acerca a toda velocidad y el pasado no lo deja marchar.

Cómic

Serie *Juez Bao*, Chongrui Nie y Patrick Marty

El Sherlock Holmes de la China imperial, una figura histórica venerada durante mil años como símbolo de la justicia y la astucia.

Juez Bao y el fénix de jade - Tomo 1

En un pequeño pueblo una madre llora desconsolada por su hijo, atrapado en un complicado triángulo amoroso y acusado de un asesinato que dice no haber cometido.

Juez Bao y el rey de los niños - Tomo 2

Se están perpetrando extraños asesinatos de mujeres jóvenes. Además, los comerciantes son extorsionados por una banda de ladrones de poca monta liderados por un misterioso enmascarado.

Juez Bao y la bella envenenada - Tomo 3

El juez Bao llega a una ciudad presa de la hambruna. Pese a la generosidad del emperador y el buen hacer del gobernador, el pueblo sufre. ¿Qué está ocurriendo? Una joven es envenenada y despojada de su bebé. ¿Guarda alguna relación?

El arte de Charlie Chan Hock Chye, Sonny Liew

Una historia de un artista, dentro de la historia del comic, dentro de la historia de Singapur. Una obra maestra y un clásico moderno, ganador de tres premios Eisner.

Una montaña lejana..., Chongrui Nie

Una novela gráfica de una belleza majestuosa. La juventud china bajo el absurdo de la Revolución Cultural y su intento de crear un hombre nuevo mediante la reeducación.

¿Qué es AMOK?

En malayo, AMOK significa un ataque de locura homicida, un brote de furia salvaje que induce al sujeto a un comportamiento asesino. También es una forma de cocinar el arroz muy rica. Te proponemos un recorrido sin locura homicida, pero sí con mucha pasión y sabor, por la cultura, la civilización y la literatura contemporánea asiática.

Hemos vivido muchos años en Asia, hemos viajado, hemos leído y hemos explorado. Nos hemos enamorado de ella y queremos que tú también lo hagas a través de los libros.

El objetivo de AMOK es compartir autores de narrativa contemporánea y novela gráfica, de prestigio reconocido y que aún no han sido descubiertos por los lectores de lengua española.

Queremos ser tu ventana a Asia. Viajarás con nosotros a Singapur, Malasia, Filipinas, Vietnam, Laos, China, India… a través de su literatura contemporánea, que te aportará una mirada diferente sobre temas universales como la familia, la sociedad, la identidad y un largo etcétera. Nos acercamos a su historia, costumbres y realidades desde el lenguaje escrito y visual.

¡Abre tu ventana y déjanos mostrarte Asia!

Historias de Asia con un sabor diferente

Si tiras con el arco, usa el más fuerte.
Si lanzas una flecha, que sea larga.
Si disparas a los hombres, antes mata a sus caballos.
Si persigues bandidos, primero captura al jefe.

La matanza tiene sus límites
y cada reino sus fronteras.
Doblegar al invasor
¿exige, acaso, tantos muertos y heridos?

Bosque de pinceles, Tu Fu